矿山固定机械与运输设备

宋彤菊　主编

山西出版传媒集团
山西人民出版社
山西科学技术出版社

图书在版编目（CIP）数据

矿山固定机械与运输设备 / 郭靖主编. -- 太原 ：山西人民出版社，山西科学技术出版社 2014. 6

山西省煤炭中等职业教育系列教材

ISBN 978-7-203-08522-5

Ⅰ. ①矿… Ⅱ. ①宋… Ⅲ. ①矿山机械-机械设备-岗位培训-教材 Ⅳ. ①TD44

中国版本图书馆CIP数据核字(2014)第081533号

矿山固定机械与运输设备

主　　编：宋彤菊
责任编辑：武　静

出 版 者：山西出版传媒集团·山西人民出版社·山西科学技术出版社
地　　址：太原市建设南路21号
邮　　编：030012
发行营销：0351-4922220　4955996　4956039
　　　　　0351-4922127　（传真）　4956038(邮购)
E-mail:　sxskcb@163.com　发行部
　　　　　sxskcb@126.com　总编室
网　　址：www.sxskcb.com

经 销 者：山西出版传媒集团·山西人民出版社
承 印 厂：山西惠民印务有限公司

开　　本：787mm×1092mm　1/16
印　　张：19.75
字　　数：350千字
印　　数：1—3000册
版　　次：2014年6月 第1版
印　　次：2014年6月 第1次印刷
书　　号：ISBN 978-7-203-08522-5
定　　价：46.00元

《山西省煤炭中等职业教育系列教材》编委会

前　言

为认真落实山西省政府、山西省煤炭厅对煤炭行业从业人员素质提升的指示精神，适应山西省煤炭资源整合、企业兼并重组后现代化矿井建设对技术技能型人才的迫切需求，推进全省煤矿从业人员“人本安全、培训教育、素质提升”工程实施，促进煤矿企业人才队伍“变招工为招生”素质专业化目标实现，按照课程改革、课堂教学改革方案的要求，加快中等职业教育“送教下矿”培养模式的教材改革，使之适应煤炭工业机械化、信息化、现代化建设的人才需求，按照煤矿生产、建设、安全管理实际和对从业人员的具体要求，在认真调研、广泛征求意见的基础上，我们组织骨干教师对2010版山西省煤矿关键岗位从业人员中等职业教材进行了重新修订。

本系列教材在编写修订过程中着重突出以下特点：1.参照教学计划和教学大纲执行两个课改方案要求；2.新技术、新装备、新工艺单独成章，提高学生对现代化矿井的综合认知；3.将“山西省煤矿六个标准”按各专业要求编入其中，并融入“人人都是通风员”的思想理念；4.编入了企业现场实用的系统知识、技能、工艺；5.教材每章均按系统理论、核心知识点、专业技能训练三部分编写，突出技能训练内容，同时编有复习题，新增了讨论题，力求实现理论联系实际的教学目的；6.本系列教材力求简洁、实用、通俗易懂。

本书主编：宋彤菊

编写人员在教材修订过程中，得到了有关领导和专家的支持、帮助，并参考了大量的文献资料和煤矿企业技术资料。在此，向提供帮助的有关专家、领导及企业表示诚挚的感谢！

希望各位教师、企业工程技术人员、专家能够结合煤矿企业发展现状，将更为先进的、适用的专业技术内容提供给我们。

由于时间仓促，编者水平有限，书中难免有不妥之处，恳请广大师生、企业工程技术人员批评指正。

目　录

第一章　矿井提升设备

第二章　矿井排水设备

第三章　矿井通风设备

第四章　空气压缩设备

第五章 刮板输送机

第六章 带式输送机

第七章　矿用电机车

第八章　新工艺　新技术　新装备

第九章　山西省煤矿"六个标准"涉及内容

第一章 矿井提升设备

第一部分 系统理论知识

第一节 矿井提升系统

一、矿井提升系统的任务与重要性

矿井提升设备的主要任务是提升煤炭、矿石和矸石，升降人员和设备，下放材料和工具等，是联系井下与地面的主要提升运输工具，在整个矿井生产中占有重要的地位。矿井提升的工作特点是在一定的距离内，以较高的速度往复运行，完成上升与下降的提升任务。矿井提升机在工作过程中一旦发生机械或电气故障，就会严重地威胁安全、损坏设备、影响生产，甚至造成人员伤亡事故。为确保提升机能够达到高效、安全、可靠地连续提升，它应具备较好的机械性能、良好的控制设备和完善的保护装置。

二、矿井提升系统

矿井提升设备的主要组成部分包括：天轮、井架、提升容器、提升钢丝绳、提升机、装卸载设备及电气设备等。典型的矿井提升系统有立井提升系统和斜井提升系统。

（一）立井提升系统

立井提升系统是指垂直井筒所使用的提升设备，提升容器多采用箕斗或罐笼。

如图1-1所示为单绳缠绕式提升机箕斗提升系统示意图。煤炭由矿车运到井底车场的翻笼硐室，把煤卸入煤仓，再通过给煤机及装载设备装入位于井底的箕斗，同时位于井口的另一个箕斗把煤卸入井口煤仓。上、下2个箕斗分别与2根钢丝绳连接，2根钢丝绳绕过井架上的天轮后，以相反方向分别缠绕于提升机的2个滚筒上。当提升机运转时，钢丝绳就一上一下往返提升和下放箕斗，完成提升煤炭的任务。

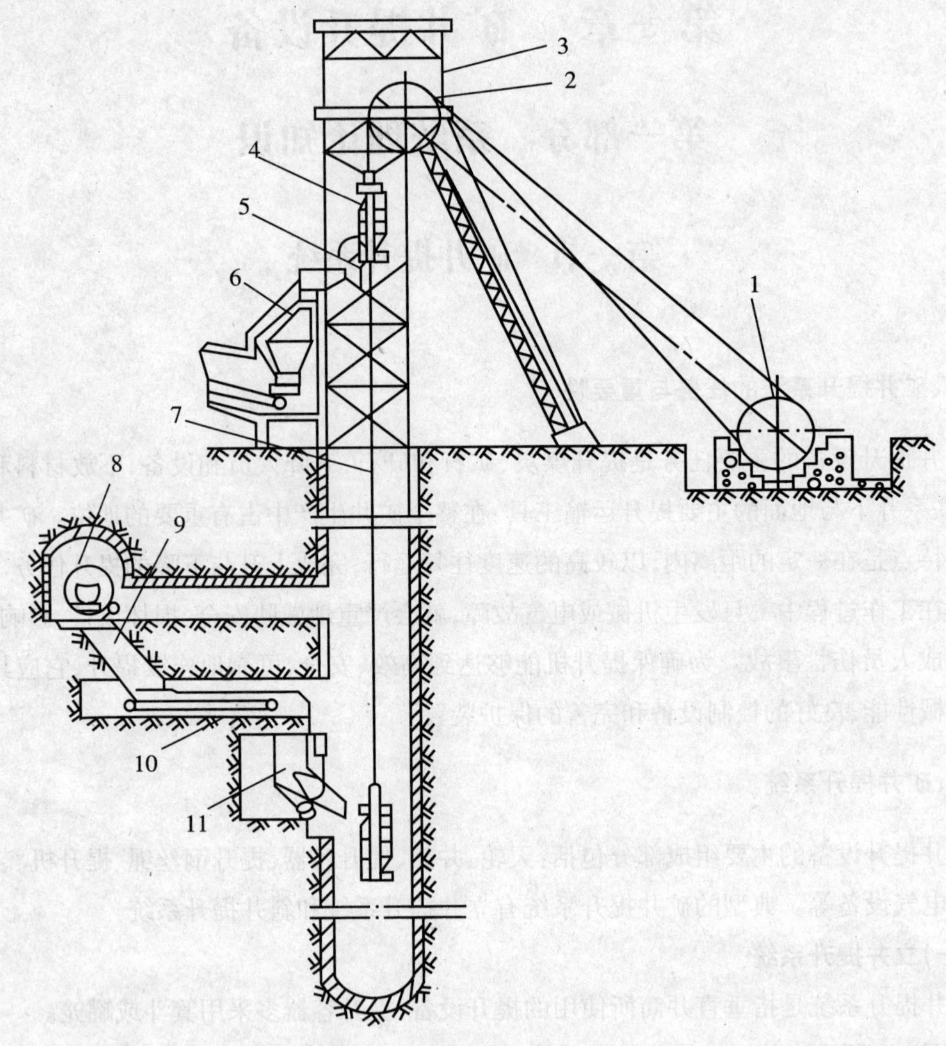

图1-1　单绳缠绕式提升机箕斗提升系统示意图

1——提升机；2——天轮；3——井架；4——箕斗；5——卸载曲轨；6——煤仓；7——钢丝绳；
8——翻笼；9——煤仓；10——给煤机；11——装载设备

图1-2为多绳摩擦式提升机罐笼提升系统示意图。多绳摩擦轮安装在提升井塔上，提升钢丝绳搭放在提升机摩擦轮上，其两端通过连接装置分别与处于井口和井底的2个罐笼连接，2罐笼的底部通过尾绳环与尾绳连接。当摩擦轮转动时，依靠摩擦轮和钢丝绳之间的摩擦力进行传动，使得2个罐笼一上一下，分别到井底和井口进行装卸工作，完成提升任务。

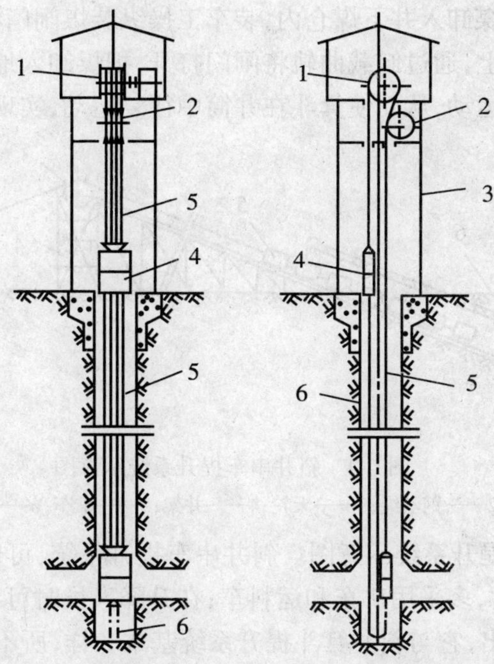

图1-2　多绳摩擦式提升机罐笼提升系统示意图

1——提升机；2——导向轮；3——井塔；4——罐笼；5——提升钢丝绳；6——尾绳

(二)斜井提升系统

斜井提升系统是井筒倾角小于90°的矿井所使用的提升设备，提升容器多用箕斗或矿车。

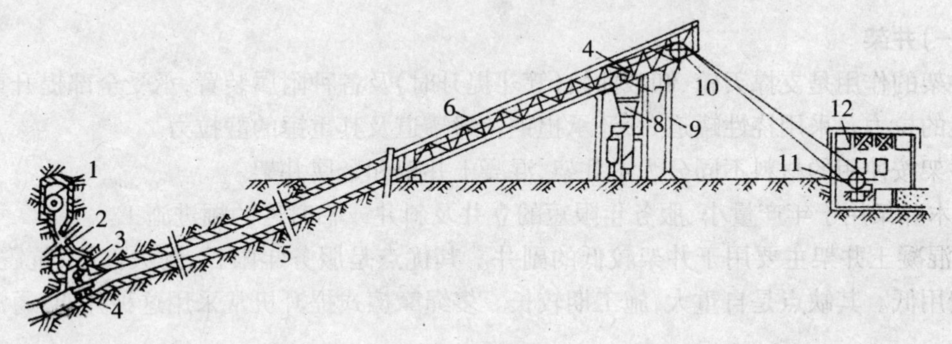

图1-3　斜井箕斗提升系统示意图

1——翻笼硐室；2——装煤仓；3——装煤闸门；4——箕斗；5——井筒；6——地面栈桥；7——卸载曲轨；8——卸煤仓；9——立柱；10——天轮；11——提升机；12——机房

图1–3为斜井箕斗提升系统示意图。提升机的滚筒上缠绕着2根钢丝绳，钢丝绳的一端固定在滚筒上，另一端绕过天轮分别与2个箕斗连接。当井下矿车进入翻车机硐室中的翻车机内，经翻转后，将煤卸入井下煤仓内，装车工操纵装煤闸门将煤卸入井下箕斗内，而另一个箕斗则在地面栈桥上，通过卸载曲轨将闸门打开，把煤卸入地面煤仓内。当提升机驱动滚筒旋转时带动钢丝绳运动，从而使箕斗在井筒中往复运动，实现提升与下放的任务。

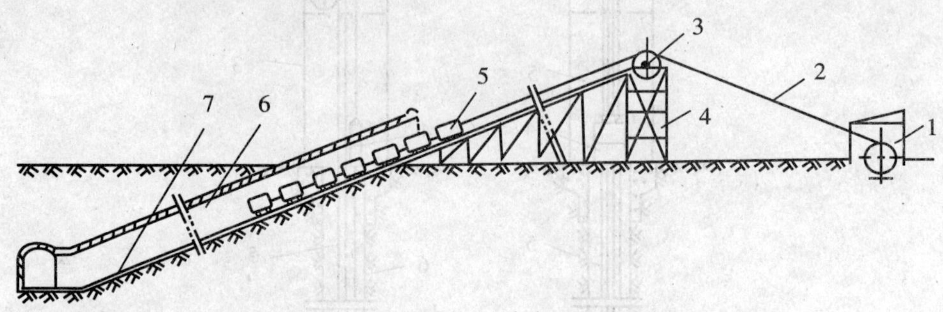

图1–4　斜井串车提升系统示意图

1——提升机；2——钢丝绳；3——天轮；4——井架；5——矿车；6——井筒；7——轨道

图1–4为斜井串车提升系统示意图。斜井串车提升系统，可作为主井提升，也可作为辅助提升。在上、下物料时，多采用矿车和运料车；在升降人员时可将串车摘掉，挂上人车运送人员。从图1–4可以看出，它与斜井箕斗提升系统基本一样，所不同的是它以矿车作为提升容器，矿车在井下装满车后，拉至斜井口处转为地面水平轨道，人工摘钩后转入道叉，再挂空车或物料车等待下井。

第二节　井架、天轮及提升容器

一、井架与天轮

（一）井架

井架的作用是支撑天轮、卸载曲轨（箕斗提升时）及各种附属装置，承受全部提升重量和提升机的拉力。采用挠性罐道时，还承担钢丝绳罐道及其重锤的静拉力。

井架按使用的材料不同分为木井架、混凝土井架和金属井架。

1.木井架用于年产量小、服务年限短的立井及斜井或临时性的掘进施工。

2.混凝土井架主要用于井架较低的副井。其优点是服务年限长、耐火性好、抗震性强、维修费用低。其缺点是自重大，施工期较长。多绳摩擦式提升机常采用这种井架，通常称为井塔。

3.金属井架使用较为广泛，主要由立架、斜架和天轮平台三部分组成。立架座落在井口锁口盘上，其上固定有天轮平台，出井口的罐道，卸载曲轨以及安全保护装置等；斜架的下部固定在混凝土基础上，上部同立架铆接；天轮平台上面安装着天轮和起重架，为了维修人员高空作业的安全，平台上要装设安全栅栏，平台顶上还要安装避雷针，以避免雷击。

金属井架的各构件可以先在工厂中制造并组装成部件，运到现场再进行组装，这样就可以减少现场安装时间，也提高了井架的制造质量；另外，金属井架服务年限长、耐火性好、弹性大，能够适应提升过程中发生的振动，并且使用中能加固、加高，还能重复使用。但其也存在着缺点：如钢材消耗量大，成本高；制造和安装精度要求较高；易腐蚀、维修量大等。

图1-5 A型双斜架支撑式钢井架

2005年8月，被誉为世界第一的煤矿井架——山西潞安矿业集团屯留煤矿主井井架顺利吊装成功。该井架为A型双斜架支撑式钢井架，井架主体呈大截面对称分布，为四柱式箱形框架结构，高76.8m、重1234t，其高度和重量均创世界之最。如此高大的井架仅在不到一个月就完成了组装和树立任务，金属井架的优点显而易见。

由于井架在长期风吹雨淋和机械振动的作用下，可能发生井架锈蚀和某些连接部位松动，不及时加固处理会引起井架变形，影响提升系统的安全运行。《煤矿安全规程》规定：对金属井架、井筒罐道梁和其他装备的固定和锈蚀情况，每年应检查一次。发现松动，应采取加固或其他措施；发现防腐层剥落，应补刷防腐剂，检查和处理结果应留有记录。建井用金属井架，每次移设后都应涂防腐剂。

(二)天轮

天轮位于井架的天轮平台上，作用是支撑连接提升机卷筒和提升容器的钢丝绳，并引导钢丝绳转向。

图1-6 天轮外形图

天轮有井上固定天轮、凿井及井下固定天轮和游动天轮3种类型。固定天轮用于大型提升设备，而游动天轮可以沿轴向移动，能保证钢丝绳内外偏角不大于1°30′ 的规定值，多用于井下暗斜井提升或上(下)山运输。

天轮轮缘的结构对钢丝绳的使用寿命有一定的影响。在提升机启动和停止时，由于天轮的惯性，将引起轮缘与钢丝绳间的相对滑动，增加了钢丝绳的磨损，因此应尽量减轻轮缘的重量。

天轮轮缘上的绳槽分带衬垫的和无衬垫的两种。带衬垫天轮是用木质或橡胶做成的衬垫镶嵌在轮缘的绳槽内，这样可以减少钢丝绳的磨损和避免天轮轮缘的磨损，延长天轮和钢丝绳的使用寿命。但是，使用带衬垫的天轮，要注意衬垫磨损达到一个钢丝绳直径的深度时，必须予以更换。同时，在日常运行中应加强对天轮的维护检查，及时处理松动或掉落的衬垫，以防发生事故。无衬垫天轮的轮缘用具有较高耐磨性的钢材(一般为45号钢)制造，其优点是没有衬垫的消耗，减小了维修工作量，避免了因衬垫磨损过量或脱落而引起提升钢丝绳剧烈跳动的故障；缺点是天轮绳槽处和钢丝绳磨损量大，当绳槽磨损量超过规定值时就必须更换天轮。

《煤矿安全规程》规定：通过天轮的钢丝绳必须低于天轮的边缘，其高差：提升用天轮不得小于钢丝绳直径的1.5倍；悬吊用天轮不得小于钢丝绳直径的1倍。天轮的各段衬垫磨损达到1根钢丝绳直径的深度时，或沿侧面磨损达到钢丝绳直径的1/2时，必须更换。

二、提升容器及其附属装置

(一)提升容器

提升容器是直接装运煤炭、矸石、人员、材料及设备的工具。按其结构分为箕斗、罐笼、矿车、人车和吊桶5种。

1.箕斗

箕斗按提升机的不同分为单绳与多绳两个系列；按井筒倾角类型分为立井箕斗和斜井箕斗两大类；根据卸载方式不同分为底卸式、侧卸式和翻转式。

煤矿用底卸式箕斗有平板闸门底卸式箕斗和扇形闸门底卸式箕斗两种。如图1–7所示为单绳立井平板闸门箕斗的结构，它主要由斗箱5、框架6、连接装置1及闸门7等部分组成。箕斗可采用刚性罐道或钢丝绳罐道，在采用钢丝绳罐道时，除箕斗本身应考虑平衡外，还要求装煤后仍保持平衡，故在斗箱上部装载口处增设了可调节的活动溜煤板3，以便调节煤堆顶部分的中心位置。

其卸载原理是：当箕斗提升至地面煤仓时，井架上的卸载曲轨使连杆8转动轴上的滚轮12，且沿着箕斗框架上的曲轨10向下运动，并转动连杆，使其通过连杆锁角为0的位置后，闸门7就借助煤的压力打开，开始卸载。在箕斗下放时，以相反的顺序关闭闸门。

平板闸门底卸式箕斗较扇形闸门卸载时井架受力小，卸载曲轨短，装载时撒煤少，且动作可靠。

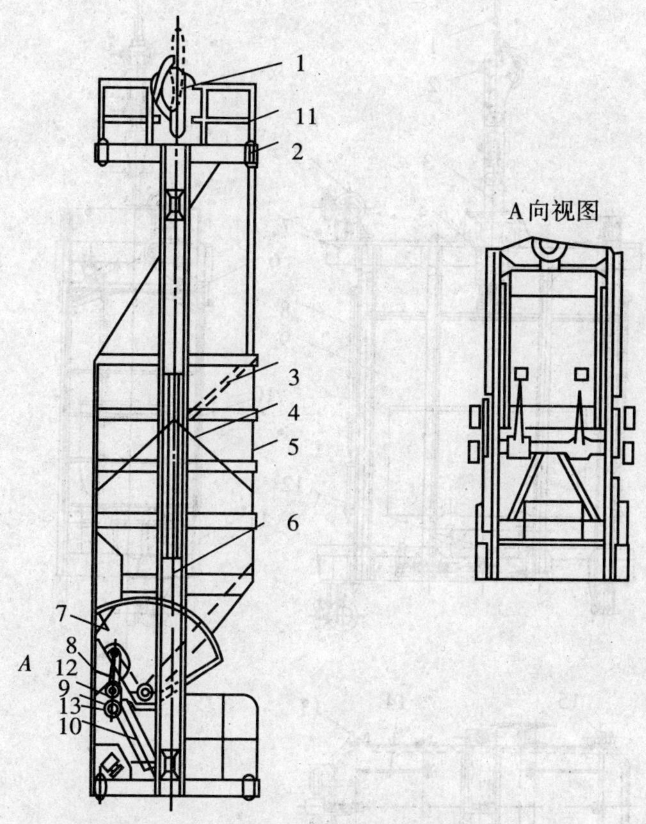

图1-7 平板闸门底卸式箕斗

1——连接装置;2——罐耳;3——活动溜煤板;4——堆煤线;5——斗箱;6——框架;7——闸门;8——连杆;9——滚轮;10——曲轨;11——平台;12——滚轮;13——机械闭锁装置

2.罐笼

罐笼按提升钢丝绳的数量可分为单绳罐笼和多绳罐笼。单绳罐笼一般用于不超过400米的矿井,多绳罐笼一般用于超过350米的矿井;按罐笼的层数可分为单层、双层和多层罐笼;按罐笼的罐道型式可分为钢丝绳罐道罐笼和刚性罐道罐笼;按承载矿车的型号可分为0.5 t、1 t 、1.5t、3 t矿车罐笼。

如图1-8所示为单绳1t单层普通罐笼。提升钢丝绳绕过双面夹紧楔形绳环与罐笼的主拉杆连接。罐笼是由横梁、垂直立柱通过铆接和焊接结合成的金属框架结构,周围用不同厚度的钢板包围,罐笼四角为切角型式,这样既有利于井筒布置又制作方便。罐笼顶部有半圆弧形淋水棚和可以打开的罐盖,以供运送长材料用。罐笼两端设有帘式罐门,为了将矿车推进罐笼,罐笼底部敷设轨道,为了防止提升过程中发生跑车事故轨道上装有阻车器。

在罐笼上设有罐耳并使其紧靠在罐道上保证罐笼平稳地沿着罐道运行。罐笼上部还设有防坠器。

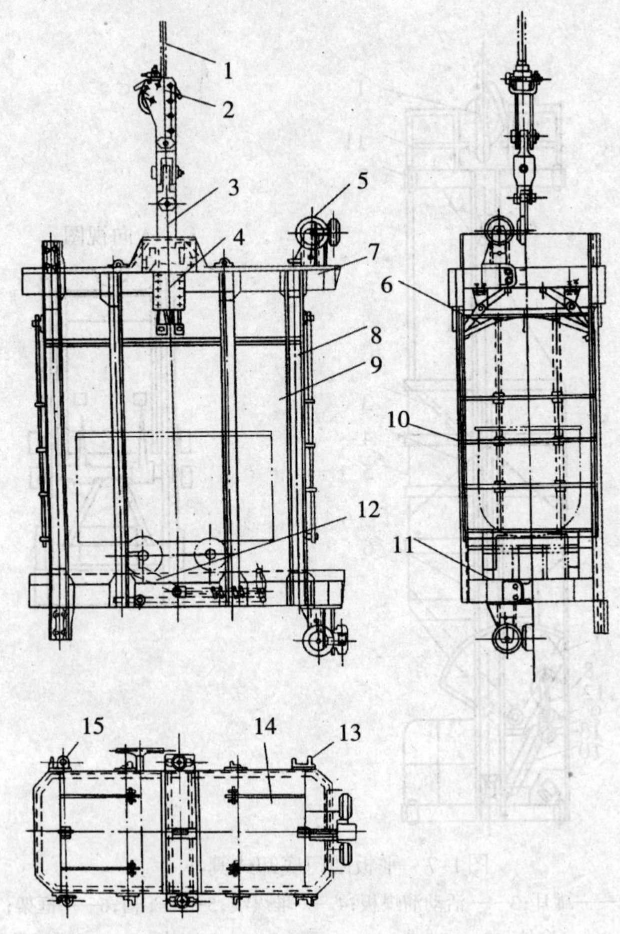

图1-8　单绳1t单层普通罐笼结构

1——提升钢丝绳；2——双面加紧楔形绳环；3——主拉杆；4——防坠器；5——罐耳；6——淋水棚；7——横梁；8——立柱；9——钢板；10——罐门；11——轨道；12——阻车器；13——稳罐罐耳；14——罐盖；15——套管罐耳

《煤矿安全规程》对专为升降人员和升降人员与物料的罐笼(包括有乘人间的箕斗)提出了下列要求：

(1)乘人层顶部应设置可以打开的铁盖或铁门，两侧装设扶手。

(2)罐底必须满铺钢板，如果需要设孔时，必须设置牢固可靠的门；两侧用钢板挡严，并不得有孔。

(3)进出口必须装设罐门或罐帘，高度不得小于1.2m。罐门或罐帘下部边缘至罐底的距离不得超过250mm，罐帘横杆的间距不得大于200mm。罐门不得向外开，门轴必须防脱。

(4)提升矿车的罐笼内必须装有阻车器。

(5)单层罐笼和多层罐笼的最上层净高(带弹簧的主拉杆除外)不得小于1.9m，其他各层净高不得小于1.8m。带弹簧的主拉杆必须设保护套筒。

(6)罐笼内每人占有的有效面积不小于$0.18m^2$。

(7)罐笼每层内一次能容纳的人数应明确规定。超过规定人数时，把钩工必须制止。

(二)罐道

罐道是提升容器的导向装置，作用是消除在提升过程中提升容器的横向摆动，使容器在井筒中高速、安全、平稳地运行。罐道沿井筒轴线固定在罐道梁上或悬挂在井架上。

罐道分为刚性和挠性两种。刚性罐道固定在金属型钢或特制的钢筋混凝土罐道梁上，一般采用方木、钢轨或各种型钢，挠性罐道则采用钢丝绳。

1.木罐道易腐蚀、变形大、磨损快、提升不平稳，同时也不能满足大载荷、高速度的要求，因此木罐道已逐渐被钢罐道和钢丝绳罐道所代替。

2.钢轨罐道的侧向刚性小，易造成容器的横向摆动，当配套使用刚性罐耳时，其磨损较大，所以钢轨罐道一般用于提升速度和终端载荷都不大的提升设备。组合刚性罐道的截面是空心矩形，由两个角钢或槽钢焊接而成，也可用整体轧制型钢。组合刚性罐道的刚性强，提升容器运行平稳，罐道与罐耳磨损小，服务年限长，在终端载荷和提升速度都很大时，使用这种罐道比较合适。

3.采用钢丝绳罐道的容器一般用4根钢丝绳导向，钢丝绳可布置在容器四角，罐道绳上端用固定装置固定在井架上，罐道绳下端采用连接装置和重锤拉紧。与刚性罐道相比，钢丝绳罐道安装工作量小，建设时间短，维护简单，高速运行平稳、可靠，无罐道梁窝，可减小井壁厚度，通风阻力小。但采用钢丝绳罐道时，容器之间及容器与井壁之间的间隙要求较大，增大了井筒的净断面积，井塔或井架的荷重增大，这些都限制了钢丝绳罐道的应用。特别是当地压较大，井筒垂直中心线发生错动，甚至井筒发生弯曲时，不能采用钢丝绳罐道，必须用刚性罐道。钢丝绳罐道应优先选用密封式钢丝绳。每个提升容器(或平衡锤)设有4根罐道绳时，每根罐道绳的最小刚性系数不得小于500N/m，各罐道绳张紧力之差不得小于平均张紧力的5%，内侧张紧力大，外侧张紧力小。1个提升容器(或平衡锤)只有2根罐道绳时，每根罐道绳的刚性系数不得小于1000N/m，各罐道绳的张紧力应相等。单绳提升的2根主提升钢丝绳必须采用同一捻向或不旋转钢丝绳。

《煤矿安全规程》针对罐道的维护提出了相关的要求：

1.提升容器的罐耳在安装时与罐道之间所留的间隙：使用滑动罐耳的刚性罐道每侧不得超过5mm，木罐道每侧不得超过10mm；钢丝绳罐道的罐耳滑套直径与钢丝绳直径之差不得大于5mm；采用滚轮罐耳的组合钢罐道的辅助滑动罐耳，每侧间隙应保持10～15mm。

2.罐道和罐耳的磨损达到下列程度时，必须更换：

(1)木罐道任一侧磨损量超过15mm或其总间隙超过40mm。

(2)钢轨罐道轨头任一侧磨损量超过8mm或轨腰磨损量超过原有厚度的25%；罐耳的任一侧磨损量超过8mm，或在同一侧罐耳和罐道的总磨损量超过10mm，或者罐耳与罐道的总间隙超过20mm。

(3)组合钢罐道任一侧的磨损量超过原有厚度的50%。

(4)钢丝绳罐道与滑套的总间隙超过15mm。

(三)罐笼承接装置

为了便于矿车进出罐笼，必须使用罐笼承接装置。罐笼承接装置分为罐座、摇台和支罐机3种形式。

1.罐座

当罐笼提升到井口出车平台时,罐座的4个可伸缩托爪同时伸出,此时,罐笼下放到罐座上,由4个托爪托住,进行装卸载工作。再次提升时,先将罐座上的罐笼稍稍提起,罐座托爪靠自重自动收回。

使用罐座的优点是罐笼的停放位置准确,座落平稳,罐笼内的轨道面和出车平台轨道面易达到水平对接,便于矿车进出。在矿车被推入罐笼时的冲击负荷和提升载荷,暂由罐笼承受,而主提升钢丝绳不承受。其缺点是罐座司机的操作过程复杂,容易发生过卷,从而易引起墩罐事故。另外,钢丝绳时松时紧易使钢丝绳产生疲劳破坏。因此,《煤矿安全规程》规定:升降人员时,严禁使用罐座。

2.摇台

摇台由能绕轴转动的2个钢臂组成,安装在通向罐笼进出口处,能将罐笼内轨道与外部轨道对接起来,起到桥梁作用。它不仅适用于井口和井底,尤其在多水平提升时,中间水平巷道向罐笼内装卸车时,必须装设摇台。

图1-9 摇台

摇台的主要优点是:在停车后再将它的钢臂搭在罐笼底上进行装卸,装卸完毕之后先抬起钢臂再发信号开车,因而消除了罐座使提升机操作复杂化和易发生过卷及墩罐事故的缺点。并且摇台可用于中间水平及摩擦提升,这使摇台日益获得广泛使用。但是,摇台要求停车位置准确,上升重罐笼要对准井口车场出车水平,尽量减少误差。为了补偿由于钢丝绳弹性伸长和停车误差,要使井底摇台的钢臂长度大于井口摇台,以减缓装载时摇台钢臂的倾斜角度。另外,由于在装卸时罐笼处于悬空状态,钢丝绳会受到冲击载荷。

《煤矿安全规程》规定:井口、井底和中间运输巷都应设置摇台,并与罐笼停止位置、阻车器和提升信号系统联锁;罐笼未到位,放不下摇台,打不开阻车器;摇台未抬起,阻车器未关闭,发不出开车信号。

3.支罐机

支罐机是一种新型承接装置。如图1-10所示，液压油缸1伸缩时，支托装置2承接罐笼的活动底盘使其上升和下降，以补偿提升钢丝绳长度的变化和停罐的误差。支罐机的调节距离可达1000mm。

支罐机的优点是能准确地使罐笼内轨道与车场固定轨道对接，方便矿车和人员进出；由于活动底盘是托在支罐机上，矿车进出平稳；提升钢丝绳不承受进出矿车时产生的附加载荷，延长了钢丝绳的使用寿命，这些优点在大矿深井尤为明显。其缺点是罐笼有活动底盘，使罐笼的结构复杂，而且需增设供支罐机用的液压动力装置。

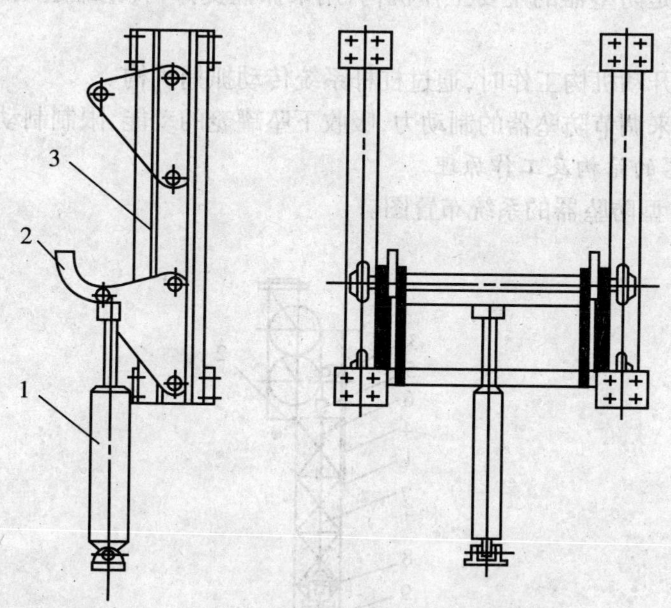

图1-10 支罐机

1——液压油缸；2——支托装置；3——固定导轨

(四)防坠器

矿用防坠器是防止矿山提升容器失控坠落的安全装置。它安装在提升容器上，由开动机构、传动机构、抓捕机构及缓冲机构组成。当提升容器提升钢丝绳或连接装置断裂时，防坠器的开动机构经传动机构带动抓捕机构动作。抓捕元件靠切割、摩擦或楔紧支撑元件，将下坠的提升容器经缓冲后被制动在罐道或专门的制动钢丝绳上，防止坠落。

《煤矿安全规程》规定：升降人员或升降人员和物料的单绳提升罐笼、带乘人间的箕斗，必须装设可靠的防坠器。

防坠器根据罐道种类不同分为木罐道防坠器、钢轨罐道防坠器和制动钢丝绳防坠器。

木罐道防坠器是靠抓捕器的齿形爪插入木罐道产生的切割力来制动下坠的罐笼。其优点是结构简单，制造方便；缺点是木罐道变形大、磨损快、易腐烂和提升不稳定，维修量大，所以已经逐渐被淘汰。

钢轨罐道防坠器是在断绳时靠抓捕机构的凸轮爪或楔形块在钢轨罐道上所产生的摩擦阻

力来制动下坠的罐笼。其优点是结构简单,易加工制造;缺点是安全可靠性较差,故已被淘汰。

制动钢丝绳防坠器在煤矿中广泛使用。其中BF型防坠器是我国的标准防坠器,可以配合1t、1.5t、3t矿车,双层双车或单层单车罐笼使用。目前使用的煤炭行业标准MT355—2005《矿用防坠器技术条件》适用于这类通用型抓捕机构并设有制动绳的防坠器。下面简单介绍BF型制动钢丝绳防坠器的组成及各部分的作用。

1.BF型防坠器的组成及作用

BF型防坠器由开动机构、抓捕机构、传动机构、缓冲机构等组成,各部分的作用分别是:

开动机构:当发生断绳事故时,开动防坠器,使之发生作用。

抓捕机构:它是防坠器的主要工作机构,用来抓捕支撑物(钢罐道或制动绳),把下坠的罐笼悬挂在支撑上。

传动机构:当开动机构工作时,通过杠杆系统传动抓捕机构。

缓冲机构:用来调节防坠器的制动力,吸收下坠罐笼的动能,限制制动减速度。

2.BF型防坠器的结构及工作原理

图1-11为BF型防坠器的系统布置图。

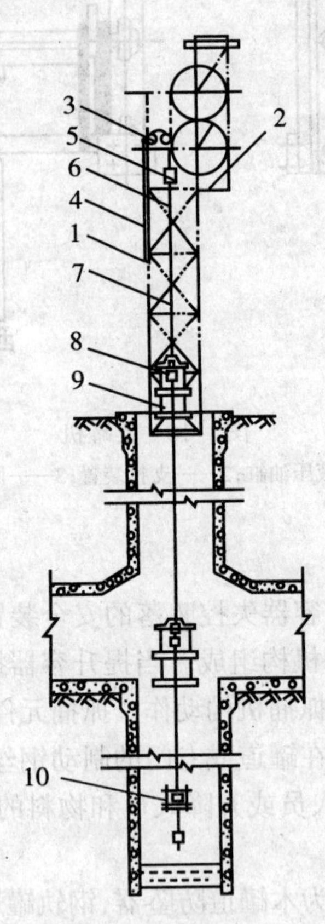

图1-11 防坠器系统布置图

1——锥形杯;2——天轮平台;3——圆木;4——缓冲绳;5——缓冲器;
6——连接器;7——制动绳;8——抓捕器;9——罐笼;10——拉紧装置

制动绳7的上部通过连接器6与缓冲绳4相连，缓冲绳通过装于天轮平台2上的缓冲器之后，绕过圆木3自由地悬垂于井架的一边，绳端用合金浇铸成锥形杯1，以防止缓冲绳从缓冲器中全部拔出。制动绳的另一端穿过罐笼9上的防坠器的抓捕器8之后垂到井底，用拉紧装置10固定在井底水窝的固定梁上。

（1）开动机构和传动机构的结构。

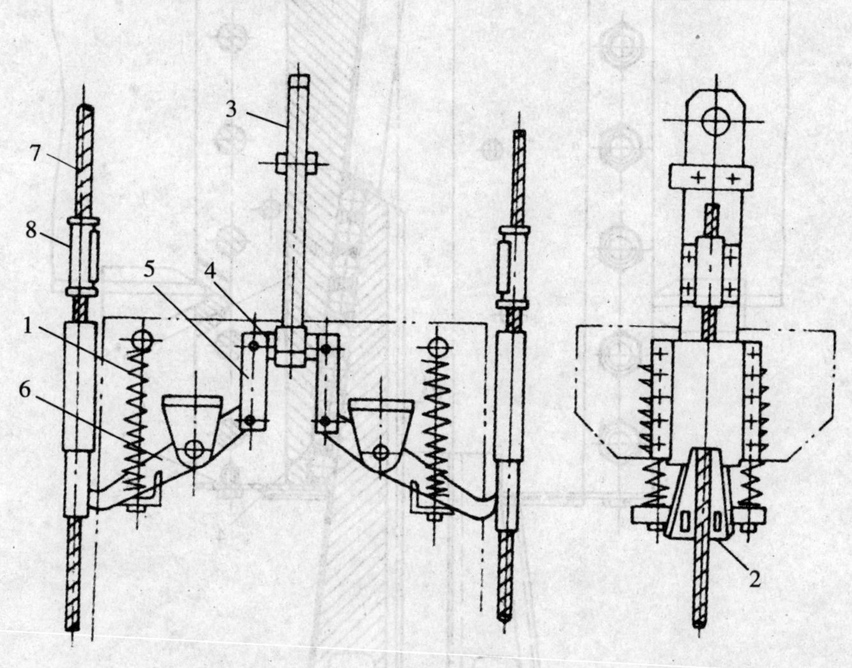

图1–12　防坠器的开动机构和传动机构简图

1——弹簧；2——滑楔；3——主拉杆；4——横梁；5——连板；6——拨杆；7——制动绳；8——导向套

开动机构与传动机构是相互连在一起的组合机构，由断绳时自动开启的弹簧和杠杆两部分组成。如图1–12所示，它采用垂直布置的弹簧1作开动机构，弹簧为螺纹旋入式接头，克服了弹簧易断的缺点。正常提升时，钢丝绳拉起主拉杆3，通过横梁4、连板5使两个拨杆6处于最低位置。此时，弹簧1受拉。发生断绳时，主拉杆3下降，在弹簧1的作用下，拨杆6的端部抬起，使抓捕器的滑楔2与制动绳接触，实现定点抓捕。

（2）抓捕机构与缓冲机构的结构。抓捕机构与缓冲机构可以是联合作用的，也可以设置单独的缓冲机构。

抓捕机构采用背面带滚子的楔形抓捕器，其结构如图1–13。两个带有绳槽的滑楔3在拨杆的作用下向上移动，可以抓捕穿过抓捕器的制动绳7 。滚子的作用主要是使抓捕器容易释放恢复。这种抓捕器属于自锁机构，既安全可靠，又不损坏制动钢丝绳。

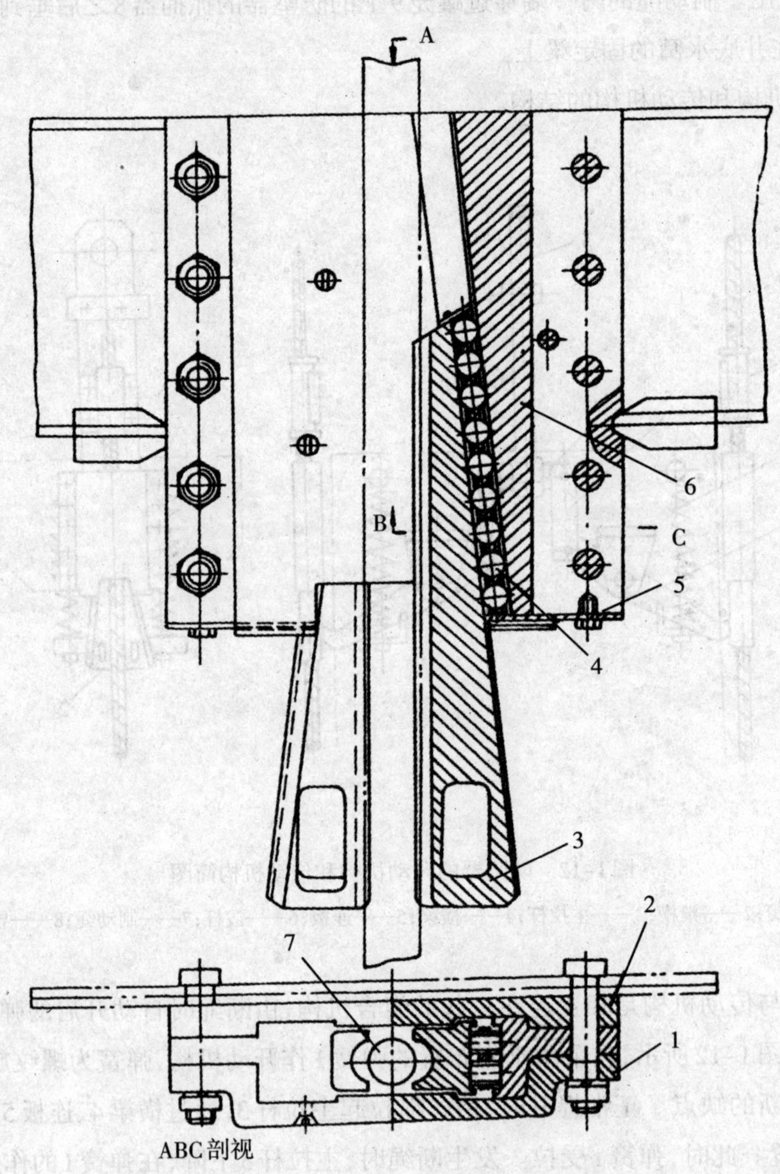

图1-13　抓捕器结构

1——上壁板；2——下壁板；3——滑楔；4——滚子；5——下挡板；6——背楔；7——制动钢丝绳

缓冲机构采用安装在井架平台上的缓冲器，其结构如图1-14所示。缓冲机构靠缓冲绳穿过缓冲器中三个圆轴5，两个带圆头的滑块6并受到弯曲，滑块6的背面连有螺杆1和螺母2。转动螺杆便可以带动滑块左右移动，借以调节缓冲绳的弯曲程度，从而调节缓冲力的大小。

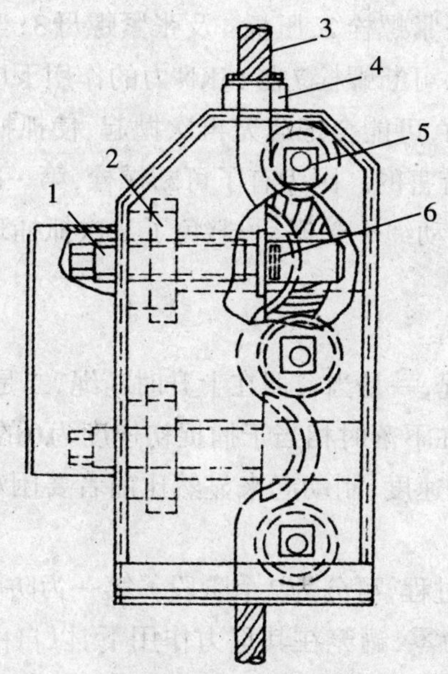

图1-14 缓冲器

1——螺旋杆；2——螺母；3——缓冲钢丝绳；4——密封；5——小轴；6——滑块

提升钢丝绳断绳后，抓捕器卡住制动绳，制动绳通过连接器将缓冲绳从缓冲器中抽出一部分（根据终端荷重不同，可抽出不同长度）。这时，缓冲绳的弯曲变形和摩擦阻力势能克服下坠罐笼的动能，使下坠的罐笼平稳地停住，保证了安全。

（3）制动绳拉紧装置。

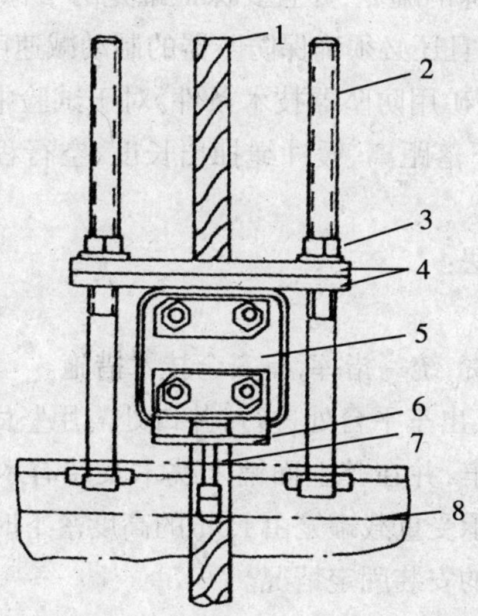

图1-15 制动绳拉紧装置结构

1——制动绳；2——张紧螺栓；3——张紧螺母；4——压板；5——绳卡；6——角钢；7——可断螺栓；8——固定梁

图1-15为制动绳拉紧装置的结构图。制动绳靠绳卡5、角钢6和可断螺栓7固定在井底水窝的固定梁上，然后装上张紧螺栓2、压板4及张紧螺母3，当制动绳的拉力大约为10KN时即可用可断螺栓7固定好。可断螺栓7在15KN力的作用下应能被拉断，这是考虑防坠器动作时，制动绳产生弹性振动，可能会把罐笼再次抛起，使抓捕器释放，致使第一次抓捕失效，再产生第二次抓捕，这是有害的。因为有了可断螺栓，第一次抓捕后，制动绳的振波将把可断螺栓拉断，罐笼便可随制动绳一起振动，避免了二次抓捕现象。由于制动绳的伸长，因此需要定期调整拉紧装置。

3.BF型防坠器的制动过程

发生断绳事故有两种情况，一是当容器在上升时断绳，二是当容器下放时断绳。前一种情况时，容器有向上的速度，在下落时相当于捕捉初速度为0的罐笼，容器比较容易被捕捉；而后一种情况，容器具有下降速度，制动起来显然比前者要困难，尤其是在以最大速度下放时发生断绳更危险。

防坠器制动下落罐笼的过程，可分为2个阶段。第一为防坠器的空行程阶段，这时抓捕器尚未抓住支承物，制动力为零，罐笼在其重力作用下，以自由落体状态下降，速度逐渐增大，加速度为g。第二阶段为制动阶段，此时抓捕器动作抓住支承物，防坠器产生制动力，并且制动力大于罐笼的重力，罐笼逐渐降低，直至停止。减速度的大小，视制动力和罐笼重力及动能大小而定。

4.防坠器制动性能的检测

《煤矿安全规程》规定：对使用中的立井罐笼防坠器，应每6个月进行1次不脱钩试验，每年进行1次脱钩试验。

为了确保防坠器的制动性能，必须保证各部件动作灵活可靠，安装调整符合要求。由于防坠器的作用不仅是抓捕断绳的罐笼，并且要保证罐笼的平稳停止，使提升设备不受损坏，矿工的人身安全得到保障，两且还必须确保防坠器的制动减速度不超出一定的范围。为此，煤炭行业标准MT355—2005《矿用防坠器技术条件》对于试验中的楔块位移、罐笼相对制动绳下落距离、罐笼相对井架下落距离、缓冲绳抽出长度、空行程时间、制动减速度等多项指标，均作出了相应的规定。

立井罐笼防坠器试验方法：

(1)准备工作。

①试验工作应由专人负责，统一指挥，有安全技术措施。

②试验工作应在井上进、出车平台处进行，井口处需用坚固可靠的钢梁穿过井口，钢梁两端落放在摇台处，垫平放牢，并在其上面铺上枕木及装有木屑的草袋，其高度应不低于0.5m；钢梁的强度，必须能够承受重载罐笼由1.5m的高度落下时所产生的冲击力。

③检查缓冲器及其底座的安装固定情况。

④缓冲钢丝绳进入缓冲器之前，不得有卡绳现象，不应受到阻碍。

⑤检查抓捕器在罐笼上安装的是否正确，导向套和抓捕器是否同心。

⑥抓捕器的所有零件是否齐全完整，在各转动或滑动的地方是否落有杂物影响其动作。

⑦当罐笼停放在下部水平时,检查拉紧装置与罐笼导向套是否同心及制动绳的固定情况与拉紧程度是否符合规定要求。

⑧缓冲器的调整:缓冲器滑块位置的调整应以螺旋标定为准,按照装有矿车罐笼的减速度为1g来调整缓冲器。即缓冲器的总阻力应为2倍矿车罐笼的重量,每台罐笼装有2台缓冲器,每台缓冲器的阻力应与装有矿车罐笼的重量相等。

(2)试验程序。

①检查性试验

将罐笼放在罐座上或井口覆盖物上,放松提升钢丝绳,然后检查抓捕器动作情况,此时楔块应能卡住制动绳。

②静负荷试验

抽出主拉杆下销轴,在驱动弹簧的作用下,楔块与制动绳接触,然后将罐笼上提0.4~0.8 m再慢慢下放罐笼,抓捕器在制动绳上滑行一段距离后,罐笼被卡在制动绳上。

③脱钩试验

分为空罐脱钩试验和重罐脱钩试验。方法:在封闭井口的钢梁上铺设枕木,枕木上放置缓冲材料,如装满木屑的麻袋等,罐笼四角用木柱补强,将预先准备好的脱钩器装于罐笼连接装置和主拉杆之间,然后将罐笼提到井口封闭物以上1500mm处,打开脱钩器,由抓捕器抓捕制动钢丝绳,在缓冲器阻力的作用下制动住罐笼。

(3)试验后的恢复工作及试验报告。

①全部试验工作结束后,必须对罐笼及防坠器的各个部件进行一次全面的检查,其检查内容与试验前相同。

②在缓冲绳上做好标记,以便在以后使用中检查是否有抽出现象。调整好位置的缓冲器螺杆,应打好铅封,最后将缓冲器外罩盖好。

③试验结束后,编写试验报告,报告中至少要说明以下几点:

试验的地点、时间及进程、参加人员;试验前后对防坠器各部件的检查结果;试验中所发生的问题与处理情况的记载,并附详细文字说明;对所记录的试验内容、结果应进行一次分析,最后写出结论性的意见和建议。

在目前现场试验中,主要还是依靠人工测量。测试人员分别用尺子和秒表测量楔块位移、罐笼下落距离、缓冲绳抽出长度和空行程时间,目测各读数,并手工记录数据,然后再进行数据整理、计算。这种传统方法存在很多弊端:试验结果的精确度与可靠性较差;计算得到的制动减速度值会存在很大的误差。由于防坠器动作时间极短,空行程时间无法准确测量。

针对以上情况,我国研制出了防坠器综合测试仪,在井口对防坠器进行性能试验。其原理是利用加速度传感器测量防坠器制动减速度,防坠器动作的空行程时间可以精确地从减速度曲线中得到;楔块位移、缓冲绳抽出长度和罐笼相对制动绳的下落距离利用位移传感器测量;考虑到现场实际情况以及传感器的安装问题,罐笼相对井架的下落距离采用非接触式测距传感器测量。检测得到的各项数据及曲线可以直接由液晶显示屏显示,智能分析软件能够通过串口接收检测数据,并对其进行更为详细地分析处理和存储打印。对照煤炭行业标准MT355—2005《矿用防坠器技术条件》对各参数的具体规定,即可判断防坠器的制动性能是否符合要求。

第三节　提升钢丝绳

提升钢丝绳是矿井提升系统中的重要组成部分,它起到连接提升容器与提升机的作用。对提升钢丝绳的正确选择、合理使用、定期保养是确保提升安全、延长钢丝绳的使用寿命和经济运行的重要环节。

一、钢丝绳的结构

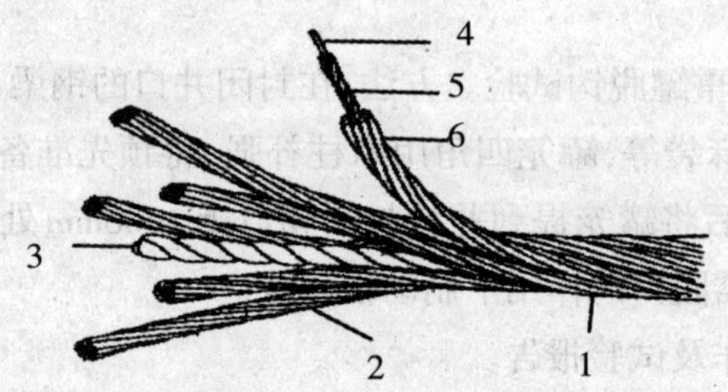

图1-16　钢丝绳的结构

1——钢丝绳;2——绳股;3——绳芯;4——股芯;5——内层钢丝;6——外层钢丝

如图1-16所示,钢丝绳都是丝—股—绳结构,即先由一定数量的钢丝捻成绳股,再由一定数量的绳股围绕绳芯捻制成钢丝绳。

矿用钢丝绳的钢丝为优质炭素结构钢,丝径一般为0.2～4.4㎜,直径过细的钢丝易于磨损,过粗的则难以保证抗拉强度和抗疲劳性能。钢丝的公称抗拉强度为1370MPa、1470MPa、1570MPa、1670MPa、1770MPa、1870MPa。其中,1370MPa只用于制造扁钢丝绳。由于钢丝的抗拉强度越大,抗疲劳能力越差,因此,通常矿井提升钢丝绳选用公称抗拉强度为1570MPa或1770MPa的钢丝绳。

为了增加钢丝绳的抗腐蚀能力,钢丝表面可以镀锌,称为镀锌钢丝(常用于摩擦提升)。未镀锌的称为光面钢丝。钢丝的表面状态标记代号为:光面钢丝,NAT;镀锌钢丝绳根据锌层的重量(以g/m^{2}为单位)不同,分为A类、AB类和B类镀锌钢丝3种。以锌层的相对厚度来说,A类最厚,B类最薄。A类代号为ZAA;AB类的代号为ZAB;B类的代号为ZBB。

钢丝绳根据韧性不同分为特号、Ⅰ号、Ⅱ号。专为升降人员的钢丝绳必须采用特号钢丝绳,提升矿物用的可以用特号或Ⅰ号钢丝绳。

钢丝绳的绳芯有纤维芯和金属芯两种。纤维绳芯的材料一般用剑麻,因为剑麻有较大的抗挤压能力和较好的抗损坏性能,但我国出产剑麻较少,通常用黄麻代替。另外,尼龙纤维绳芯由于寿命长、工作性能好，也得到了广泛的使用。金属绳芯的特点是与相同断面的纤维绳芯相比，金属断面大，抗破断能力强，具有耐横向压力大、不易变形等优点。但其柔软性差，不耐腐蚀。绳芯的作用是：

(1)支持绳股，减少股间钢丝的接触应力，从而减少钢丝的挤压和变形；

(2)钢丝绳在滚筒或天轮上弯曲时，允许股间或钢丝间相对移动，借以缓和弯曲应力，并且起弹性垫层作用，使钢丝绳富有弹性；

(3)储存润滑油，防止绳内钢丝锈蚀。

绳芯的标记代号：纤维芯(天然或合成的)，FC；天然纤维芯，NF；合成纤维芯，SF；金属丝绳芯，IWR；金属丝股芯，IWS。

二、钢丝绳的分类、特点及应用

由于钢丝绳中股数、捻向、捻距以及绳股中钢丝数目、直径、断面形状和排列方式不同，提升钢丝绳有许多类型，其性能各不相同，适用条件也不一样。了解提升钢丝绳的结构和类型，对于正确选用钢丝绳是十分必要的。

(一)分类及特点

1.按钢丝绳的捻法分

图1-17　钢丝绳和股的捻法示意图

(1)按股在绳中的捻向分：

左捻：按左螺旋方向将股捻成绳；

右捻：按右螺旋方向将股捻成绳。

(2)按丝在股中和股在绳中的捻向分：

交互捻：绳中股的捻向与股中丝的捻向相反。交互捻钢丝绳的结构比较稳定。

同向捻：绳中股的捻向与股中丝的捻向相同。同向捻钢丝绳比较柔软，表面光滑，接触面积大，应力小，使用寿命长。绳有断丝时，断丝头部会翘起便于发现，所以矿井提升多用同向捻钢丝绳。但同向捻钢丝绳有较大的恢复力，稳定性较差，易打结，因此它不允许在无导向装置情况下使用，如串车提升的提升钢丝绳就不能使用同向捻钢丝绳。

钢丝绳可分为右交互捻(ZS)、左交互捻(SZ)、右同向捻(ZZ)、左同向捻(SS)4种，如图1-17所示。其标记代号中，第一个字母表示钢丝绳的捻向；第二个字母表示股的捻向；“Z”表示右捻向，“S”表示左捻向。

2.按钢丝在股中互相接触情况分

(1)点接触钢丝绳：股内钢丝直径相同，相邻两层钢丝具有近似相等的捻角，而捻距不同,钢丝间呈点接触状态。这种钢丝绳造价较低,但钢丝间接触应力大,特别是钢丝绳在绕过滚筒和天轮时,钢丝有应力集中和二次弯曲现象,所以寿命较短。矿井常用的6×19、6×37普通圆钢丝绳是点接触钢丝绳。点接触钢丝绳的标记为D。

(2)线接触钢丝绳:股中各层钢丝以等捻距不等捻角方式捻制,各层钢丝直径不同,钢丝间互相平行呈线接触状态。这种钢丝绳工作时应力降低,耐疲劳性能好,结构紧密,无二次弯曲现象,寿命较长,当拉断力相同时,其绳径较小。6×7普通圆钢丝绳、西鲁绳6×19、瓦林吞绳6W(26)、填丝型绳6T(25)均为线接触钢丝绳。

(3)面接触钢丝绳:它是将线接触钢丝绳股进行特殊碾压加工,使钢丝产生塑性变形而呈面接触状态,然后再捻制成绳的。面接触钢丝绳的优点是结构紧密,表面光滑,不易变形,钢丝间接触面积大,刚性强和耐磨损;股内钢丝接触应力小,钢丝绳的疲劳寿命长;钢丝绳有效面积大,抗拉强度高;钢丝间相互紧贴,耐腐蚀能力强;钢丝伸长变形较小。其缺点是钢丝绳较硬,不易弯曲。故适用于直径较大的滚筒。

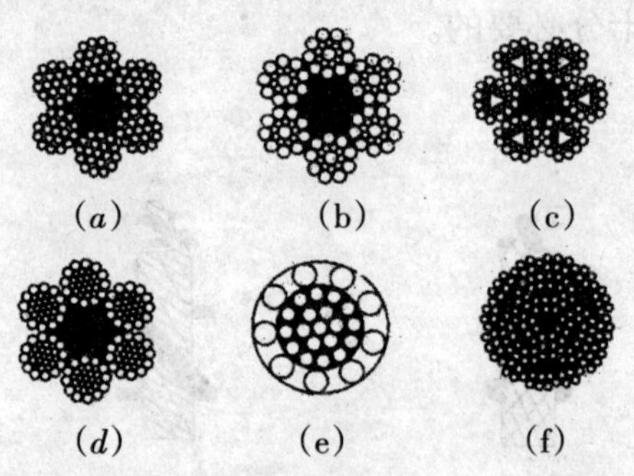

图 1-18 钢丝绳断面形状

a-6×19(点接触),*b*-6×19(西鲁型,线接触),*c*-6△(25)(金属绳芯,三角股绳),*d*-6W(26)(瓦林吞型,面接触),*e*-半密封绳,*f*-12×6+3×12(多层股,内椭圆股)

3.按绳股断面形状分

(1)圆形股绳:绳股断面为圆形。这种绳易于制造,价格低,是矿井提升应用最多的一种钢丝绳。

(2)异形股绳:绳股断面形状有三角形和椭圆形两种。

三角股钢丝绳:强度比同直径圆形股绳要高,承压面积大,外层钢丝磨损小;外层钢丝粗,排列方式好,抗挤压性能好,尤其是在多层缠绕时,过渡比较稳定;寿命比圆形股长。

椭圆股钢丝绳:支撑面积大、抗磨损性能好,但绳的稳定性差,不适于承受较大的挤压力。这种绳股多用来与其他绳股捻制成多层不旋转钢丝绳。

4.特种钢丝绳

多层股不旋转钢丝绳:具有2层或3层绳股,各层绳股捻向相反,当受负载时,绳的旋转性很小,主要用作尾绳和凿井提升钢丝绳。

密封、半密封钢丝绳:密封钢丝绳是中心钢丝周围螺旋状缠绕着一层或多层圆钢丝,其外面由一层或数层异形钢丝捻制而成的钢丝绳。半密封钢丝绳的外层由异形丝和圆形丝相间捻制而成。这种绳金属断面系数最大,表面光滑,承压面积大,耐磨损,耐腐蚀,几乎不旋转,弹性伸长小;但绳的挠性差,接头困难,制造比较复杂,价格高。多用于罐道绳,国外也用作提升钢丝绳。

扁钢丝绳:断面为扁矩形,由一定数量的子绳编织而成。这种绳柔软,不旋转,运行平稳;由于制造复杂,生产效率低,其价格较高。适用于作尾绳或凿井提升绳。

(二)选用钢丝绳结构时应考虑的因素

提升钢丝绳在使用过程中强度下降以致报废的主要因素是磨损、锈蚀和疲劳断丝。在一般情况下,这3种因素是同时出现和起作用的。矿井条件不同,起主要作用的因素也不同。因此,各矿应根据矿井的具体条件及使用经验,并结合各种钢丝绳的特点,合理地选择不同类型的钢丝绳。主要从以下几方面考虑:

1.对于单绳缠绕式提升,一般宜选用光面右同向捻,断面形状为圆形股或三角股,接触形式为点或线接触的钢丝绳。

2.对于矿井淋水大,水的酸碱度高,以及在出风井中,由于腐蚀严重,应选用镀锌钢丝绳。

3.在磨损严重的条件下使用的钢丝绳,如斜井提升等,应选用外层钢丝尽可能粗的钢丝绳;斜井串车提升时,宜采用交互捻钢丝绳。

4.对于立井提升中以疲劳断丝为钢丝绳损坏的主要原因时,可选用内外层钢丝直径差值小的线接触圆形股或三角形股钢丝绳。

5.对于多绳摩擦提升,一般应选用镀锌、同向捻(左右捻各半)的钢丝绳,断面形状最好是三角股。

6.罐道绳最好用半密封钢丝绳或三角股绳,表面光滑,比较耐磨。

7.用于高温或有明火的地方时,最好用金属绳芯的钢丝绳。

8.尾绳最好用不旋转钢丝绳或扁钢丝绳。

9.凿井期间,立井采用吊桶升降人员时,为使吊桶运行更加平稳,应采用不旋转钢丝绳。

三、钢丝绳安全系数与规定

钢丝绳的安全系数是实测的钢丝绳各钢丝拉断力的总和与其所承受的最大静拉力(包括绳端载荷和钢丝绳自重所引起的静拉力)之比。通常用m表示,即

$$m=\frac{\text{钢丝绳各钢丝拉断力的总和}}{\text{钢丝绳所承受的最大静拉力}}$$

提升钢丝绳悬挂时，安全系数必须符合表1–1的规定。

表1–1　钢丝绳安全系数最低值

用途分类			安全系数①的最低值
单绳缠绕式提升装置	专为升降人员		9
	升降人员和物料	升降人员时	9
		混合提升时②	9
		升降物料时	7.5
	专为升降物料		6.5
摩擦轮式	专为升降人员		9.2~0.0005H③
提升装置	升降人员和物料	升降人员时	9.2~0.0005H
		混合提升时	9.2~0.0005H
		升降物料时	9.2~0.0005H
	专为升降物料		7.2~0.0005H
倾斜钢丝绳牵引带式输送机	运人		6.5~0.001L④但不得小于6
	运物		5~0.001L但不得小于4
倾斜无极绳绞车	运人		6.5~0.001L但不得小于6
	运物		6.5~0.001L但不得小于3.5
架空乘人装置			6
悬挂安全梯用的钢丝绳			6
罐道绳、防撞绳、起重用的钢丝绳			6
悬挂吊盘、水泵、排水管、抓岩机等用的钢丝绳			6
悬挂风筒、风管、供水管、注浆管、输料管、电缆用的钢丝绳			5
拉紧装置用的钢丝绳			5
防坠器的制动绳和缓冲绳（按动载荷计算）			3

①钢丝绳的安全系数，等于实测的合格钢丝拉断力的总和与其所承受的最大静拉力（包括绳端载荷和钢丝绳自重所引起的静拉力）之比；

②混合提升指多层罐笼同一次在不同层内提升人员和物料；

③H为钢丝绳悬挂长度，m；

④L为由驱动轮到尾部绳轮的长度，m。

《煤矿安全规程》规定：提升装置使用中的钢丝绳做定期检验时，安全系数有下列情况之一的，必须更换：

(1)专为升降人员用的小于7。

(2)升降人员和物料用的钢丝绳：升降人员时小于7；升降物料时小于6。

(3)专为升降物料用和悬挂吊盘用的小于5。

四、钢丝绳的使用、检查和维护

(一)对钢丝绳使用的要求

1.必须符合规定的绳轮直径和绳径比，以减小其弯曲应力。

2.绳槽直径要符合要求，以减小其挤压应力和接触应力。

3.缠绕式提升机所用钢丝绳必须定期涂油润滑，润滑油要符合钢丝绳制造厂提出的要求：黏性好、抗振动、淋水不易冲掉；要有较好的黏温性，低温不硬化，高温不流失；要有良好的防锈性、润滑性。对使用中的钢丝绳，应根据井巷条件及锈蚀情况，至少每月涂油1次。摩擦轮式提升装置的提升钢丝绳，只准涂、浸专用的钢丝绳油(增磨脂)；对不绕过摩擦轮部分的钢丝绳，必须涂防腐油。

4.严禁用布条之类的东西捆在钢丝绳上作提升深度指示标记，以防该处的钢丝绳因得不到良好的润滑而发生锈蚀断丝。

5.钢丝绳的运送、存放和悬挂都应严格执行技术要求。

6.提升钢丝绳必须每天检查一次，平衡钢丝绳和井筒悬吊钢丝绳至少每周检查一次，断丝的突出部分应在检查时剪下，并记录断丝情况，必要时要及时更换。检查时应以0.3m/s的速度进行。

检查断丝时应注意在一个捻距内的断丝情况。一般来说，断丝有两种，一是表面的断丝钢丝翘起来，容易被发现；另一种则是绳股内部断丝，其断丝不翘起，肉眼不易发现，必须注意绳径的变化情况或用钢丝绳探伤仪检查。检查绳径变化时，应首先对较细的部位清洗油迹和杂物，用游标卡尺测量钢丝绳外接圆直径。

7.钢丝绳遭受卡罐或突然停车等猛烈拉伸时，必须立即停车检查，遭受冲击拉伸的绳段如果长度增加0.5%以上或有明显损伤，要立即更换新绳。

8.多层缠绕时，由下层转到上层的一段绳由于磨损严重，必须加强检查。并且每季度要错动1/4圈。

(二)《煤矿安全规程》对钢丝绳检验与检查的要求

1.新钢丝绳悬挂前的检验(包括验收检验)和在用绳的定期检验，必须由有资质的检验单位按下列规定执行。

(1)新绳悬挂前的检验必须对每根钢丝做拉断、弯曲和扭转3种试验，并以公称直径为准对试验结果进行计算和判定：

①不合格钢丝的断面积与钢丝总断面积之比达到6%，不得用作升降人员；达到10%，不得用作升降物料；

②以合格钢丝拉断力总和为准算出的安全系数，如低于规程的规定时，该钢丝绳不得使用。

(2)在用绳的定期检验可只做每根钢丝的拉断和弯曲两种试验。试验结果仍以公称直径为准进行计算和判定：

①不合格钢丝的断面积与钢丝总断面积之比达到25%时，该钢丝绳必须更换；

②以合格钢丝拉断力总和为准算出的安全系数，如低于规程的规定时，该钢丝绳必须更换。

2.提升钢丝绳、罐道绳必须每天检查1次。平衡钢丝绳、防坠器制动绳(包括缓冲绳)、架空乘人装置钢丝绳、钢丝绳牵引带式输送机钢丝绳和井筒悬吊钢丝绳必须至少每周检查1次。对易损坏和断丝或锈蚀较多的一段应停车详细检查。断丝的突出部分应在检查时剪下，检查结果应记入钢丝绳检查记录簿。

3.各种股捻钢丝绳在1个捻距内断丝断面积与钢丝总断面积之比，达到下列数值时，必须更换：

(1)升降人员或升降人员和物料用的钢丝绳为5%。

(2)专为升降物料用的钢丝绳、平衡钢丝绳、防坠器的制动钢丝绳(包括缓冲绳)和兼作运人的钢丝绳牵引带式输送机的钢丝绳为10%。

(3)罐道钢丝绳为15%。

(4)架空乘人装置、专为无极绳运输用的和专为运物料的钢丝绳牵引带式输送机用的钢丝绳为25%。

4.以钢丝绳标称直径为准计算的直径减小量达到下列数值时，必须更换：

(1)提升钢丝绳或制动钢丝绳为10%。

(2)罐道钢丝绳为15%。

(3)使用密封钢丝绳外层钢丝厚度磨损量达到50%时。

5.钢丝绳在运行中遭受到卡罐、突然停车等猛烈拉力时，必须立即停车检查，发现下列情况之一者，必须将受力段剁掉或更换全绳：

(1)钢丝绳产生严重扭曲或变形。

(2)断丝超过《煤矿安全规程》的规定。

(3)直径减小量超过《煤矿安全规程》的规定。

(4)遭受猛烈拉力的一段的长度伸长0.5%以上。

6.在钢丝绳使用期间，断丝数突然增加或伸长突然加快，必须立即更换。

7.钢丝绳的钢丝有变黑、锈皮、点蚀麻坑等损伤时，不得用作升降人员。

8.钢丝绳锈蚀严重，或点蚀麻坑形成沟纹，或外层钢丝松动时，不论断丝数多少或绳径是否变化，必须立即更换。

三、钢丝绳的检查与维护

1.钢丝绳的检查与检验

在对钢丝绳作防腐处理后，在使用过程中要作定期检查与检验。要检测绳表面及内部损伤的情况及具体位置，为损伤后进行修复提供可能性，并应估算钢丝绳的余留强度，以达到安全运行的目的。具体可采用的方法有：

(1)人工目测检查法：人工目测检查法是用手撸、眼看来检查断丝，用游标卡尺检查绳径变化。此法效率低、不准确，容易受油污及人为因素的影响，且对绳内部质量无法掌握。我国目前绝大多数煤矿用此方法来判断钢丝绳是否更换，不但造成严重浪费而且易发生断绳事故。

(2)破损检测法：破损检测法是截取一段钢丝绳样本，做静态拉断试验和动态疲劳试验来确定钢丝绳的强度损耗和残余使用寿命指标。由于样本只能在绳头或绳尾，有很大的局限性，不能准确无误地反映绳最薄弱的地方。

(3)无损检测法：无损检测法是在钢丝绳状态和使用性能不变的情况下，在使用中对钢丝绳进行检测的行之有效的方法。采用先进的探伤仪器进行在役检查是非常必要的。钢丝绳无损检测正在探讨和实施的方法有声学检测法、机械检测法、射线检测法、电流检测法、超声波检测法、振动检测法及磁检测法等。前几种都因为种种原因，至今未能推广使用。目前无损检测法最常用的是磁检测法。由于钢丝绳是磁性材料，在磁场中很容易磁化而达到磁饱和。当钢丝绳出现断丝、锈蚀麻坑和碰伤等局部损伤时，在其附近就会产生散漏磁场，这很适合用磁检测法来检测，且此法具有成本低、易于实现等优点。

2.钢丝绳的维护

由于矿井井筒湿度大，有酸或碱性淋水，使钢丝绳的工作条件恶劣，有效地涂油会显著提高钢丝绳的使用寿命。钢丝绳油要选渗透性好、粘稠度大、低温条件下不会硬化、高温条件下不易流淌、防锈蚀和润滑性能好的专用钢丝绳油。钢丝绳涂(注)油常用的方法有以下几种：

(1)人工刷涂法：用刷子将钢丝绳油抹或刷在慢速运行的钢丝绳上。

(2)压力喷射法：用压缩空气将融化后的钢丝绳油喷洒在缠绕滚筒的钢丝绳上。

(3)煮油法：设置专门的钢丝绳煮油池，把钢丝绳放入池中，再适当加温(一般加热到70~80℃)浸泡几天，使钢丝绳的绳芯充分吸油。此方法一般是生产厂家在捻制钢丝绳时常用的方法。

(4)注油机：GM-1型钢丝绳注油机是用液力学的方法，使ZM增摩型钢丝绳防锈油进入特别的密封装置内，并对其施加一定的压力。当钢丝绳通过密封装置时，防锈油在压力作用下沿着股间的空隙进入钢丝绳内部，充满空隙或被绳芯吸收，从而达到钢丝绳从里到外的全面防腐。

第四节　矿井提升机

矿井提升机是矿井提升设备中的动力部分，由电动机、减速器、主轴装置、制动装置、深度指示器、电控系统和操纵台等组成。

我国目前广泛使用的提升机可分为两大类：单绳缠绕式提升机和多绳摩擦式提升机。

一、单绳缠绕式提升机的组成及作用

单绳缠绕式提升机是把钢丝绳的一端缠绕在提升机滚筒上，另一端绕过天轮悬挂提升容器，这样，利用滚筒转动方向的不同，将钢丝绳缠上或放松，以完成提升或下放提升容器的任务。目前这种提升机在我国矿山应用比较广泛。

按滚筒数目不同，单绳缠绕式提升机有单滚筒和双滚筒提升机两种。双滚筒提升机在主轴上装有两个滚筒，其中一个与主轴用键固定连接，称为固定滚筒或死滚筒；另一个滚筒滑装在主轴上，通过调绳离合器与主轴连接，称为游动滚筒或活滚筒。将两个滚筒做成这种结构是为了在需要调绳及更换提升水平时，两个滚筒可以有相对运动。单滚筒提升机只有一个滚筒，一般用于单钩提升。

图1-19　JK型矿井提升机外观示意图

1——牌坊式深度指示器；2——盘形制动闸；3——制动盘；4——挡绳板；5——滚筒；6——主轴承；7——齿轮联轴器；8——减速器；9——弹簧联轴器；10——电动机；11——操作台；12——液压站

(一)主轴装置

提升机的主轴装置包括滚筒、主轴、主轴承及调绳离合器(双滚筒特有)等，是提升机的主要工作和承载部分。

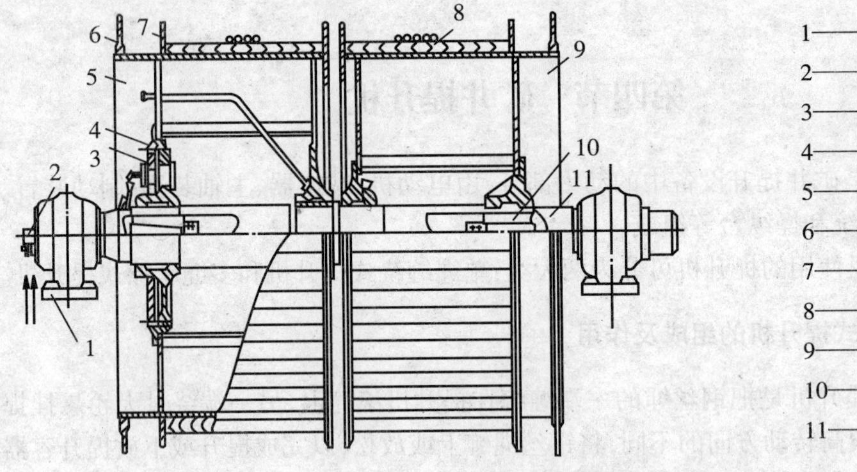

1——主轴承；
2——密封头；
3——调绳离合器；
4——尼龙套；
5——游动滚筒；
6——制动盘；
7——挡绳板；
8——衬木；
9——固定滚筒；
10——切向键；
11——主轴

图1-20　JK型双滚筒提升机主轴装置

由图1-20可知，固定滚筒9的右轮毂用切向键10固定在主轴11上，左轮毂滑装在主轴上，其上装有润滑油杯，应定期向油杯加润滑油，以免主轴和轮毂表面磨损。游动滚筒5的右轮毂经轴套滑装在主轴上，也装有润滑杯，保证润滑。轴套的作用是保护主轴和轮毂，避免在调绳时轴和轮毂磨损。左轮毂用切向键固定在轴上并经调绳离合器3与滚筒连接。滚筒筒壳外面一般都装有木衬，木衬上有螺旋绳槽，以便使钢丝绳有规则地排列，并减少钢丝绳的磨损。

双滚筒提升机都装有调绳离合器,其作用是使游动滚筒与主轴连接或脱开,以便在调节绳长或更换提升水平时,两个滚筒可以相对运动。

调绳离合器可分3种,即齿轮离合器、摩擦离合器、蜗轮蜗杆离合器。JK型提升机采用齿轮离合器。

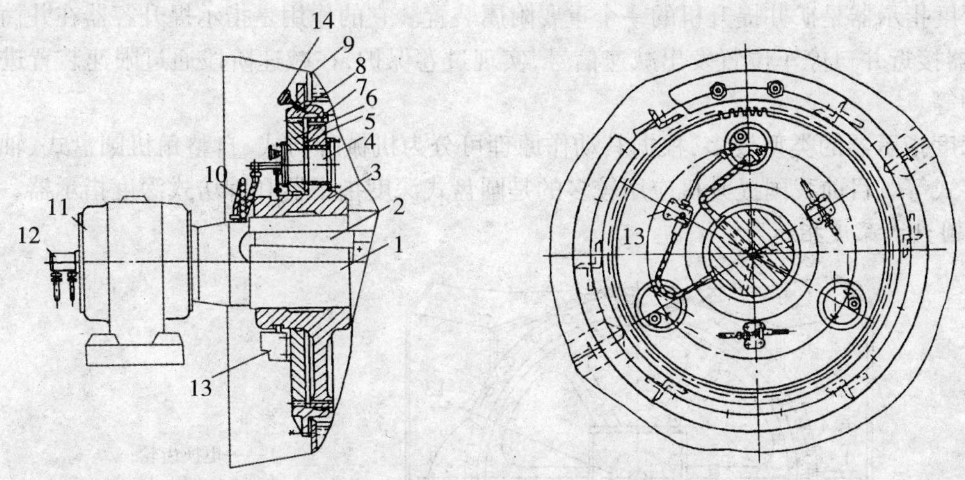

图1–21　JK系列提升机齿轮离合器的结构

1——主轴;2——键;3——轮毂;4——离合油缸;5——橡胶缓冲垫;6——齿轮;7——尼龙瓦;8——内齿轮;9——滚筒轮辐;10——油管;11——主轴承;12——密封头;13——联锁阀;14——油杯

如图1–21所示为齿轮调绳离合器的结构。齿轮的离合采用液压控制。游动滚筒的左轮毂通过键与主轴相连。在该轮毂上沿圆周的3个孔中装有离合油缸,离合油缸通过三个销子将轮毂与外齿轮联在一起,将力矩传到滚筒上。离合油缸的左端盖同缸体一起用螺钉固定在外齿轮上,外齿轮滑装在游动滚筒的左轮毂上,因此当压力油进入油缸时,活塞不动,而缸体沿缸套移动。若向油缸左腔供压力油,右腔接油池,缸体便同外齿轮一起向左移动,使外齿轮与内齿圈脱离啮合,游动滚筒与主轴脱开;若向油缸右腔供油左腔回油,离合器接合,游动滚筒与主轴相连。调绳离合器在提升机正常工作时,左、右腔均无压力油。当齿轮向左移动与内齿轮8脱开后,主轴带动死滚筒旋转时,轮毂3便与安装在内齿轮上的尼龙瓦作相对运动,所以,在打开离合器之前,应转动油杯,以便将油脂压入尼龙瓦。

(二)减速器

根据提升速度的要求,提升机的主轴转速一般为40r/min~60r/min,而拖动提升机的交流电动机转速通常在290r/min~980r/min的范围内,除采用低速直流电机拖动外,不能把电动机与主轴直联,必须通过减速器。

矿井提升机所配用的减速器,按结构型式分为平行轴减速器和行星齿轮减速器两种,平行轴减速器又有双输入轴和单输入轴之分,行星齿轮减速器则有一级和二级之分;按齿形可分为渐开线齿轮减速器和圆弧齿轮减速器两种。

行星齿轮减速器具有体积小、质量轻、承载能力大、传动效率高、噪声低和运行平稳等优点,与同等能力平行轴齿轮减速器相比,质量为后者的30%~50%,效率提高约5%。因此,目前行星齿轮减速器广泛应用于矿井提升机。

JK系列单绳缠绕式提升机常采用圆弧齿轮减速器，速比为11.5、20、30，型号为ZHLR-115、ZHLR-130、ZHLR-150Ⅱ等，也采用渐开线行星齿轮减速器，型号为ZZP800(2)、ZZP900(2)等。

(三)深度指示器

深度指示器是矿井提升机的一个重要附属装置。它的作用是指示提升容器在井筒的位置，容器接近井口停车位置发出减速信号，实现过卷保护，在减速阶段通过限速装置进行限速保护等。

深度指示器的类型较多，根据其动作原理可分为机械牌坊式、自整角机圆盘式、轴编码器数字式等。目前我国提升机应用较多的是圆盘式深度指示器和牌坊式深度指示器。

1.圆盘式深度指示器

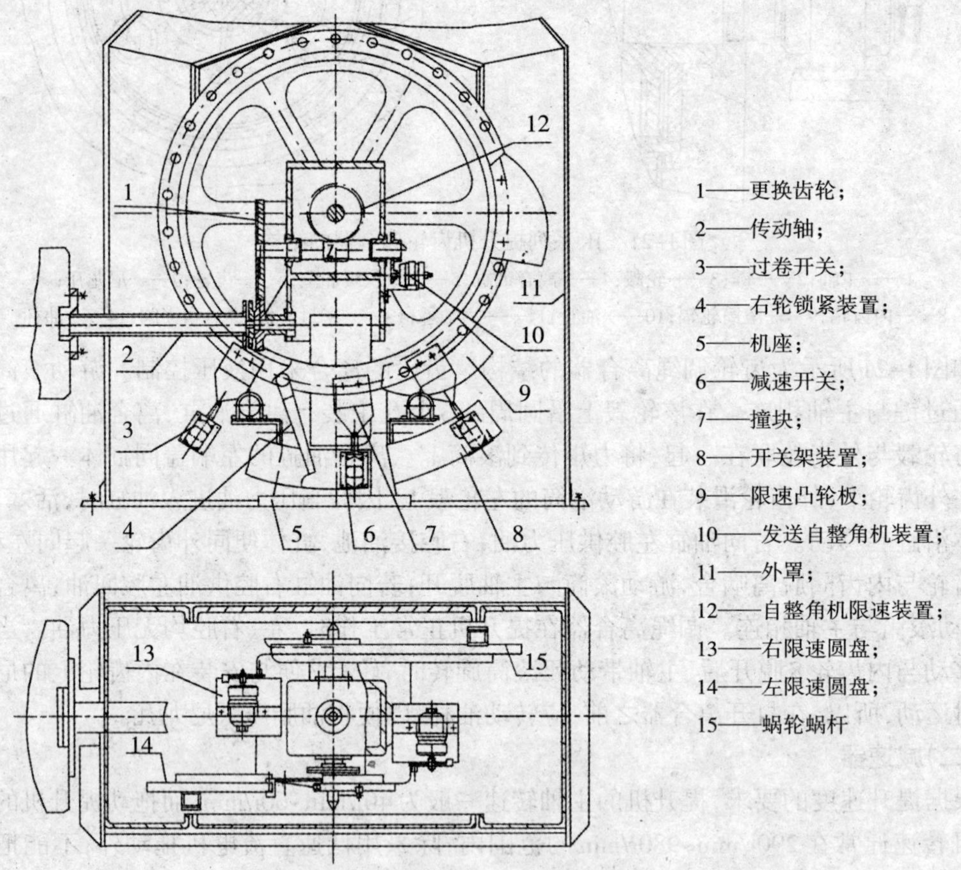

图1-22　圆盘式深度指示器传动装置

圆盘式深度指示器由发送部分和接收部分组成，其原理是传动轴经齿轮传动，将提升机旋转运动传给发送自整角机，该自整角机再将信号传给圆盘式深度指示器上的接收自整角机，二者组成电轴，实现同步联系，从而达到指示容器位置的目的。深度指示盘装于司机台上，有粗针和精针两个指针，精针只在容器接近井口时才转动，以便指示精确的停车位置。

深度指示器上还配有连击铃，当提升机开始减速时，此铃发出声响，提醒司机作减速操作。

圆盘式深度指示器的特点是结构简单、使用可靠、精度高、易实现自动化，但直观性差。

2.牌坊式深度指示器

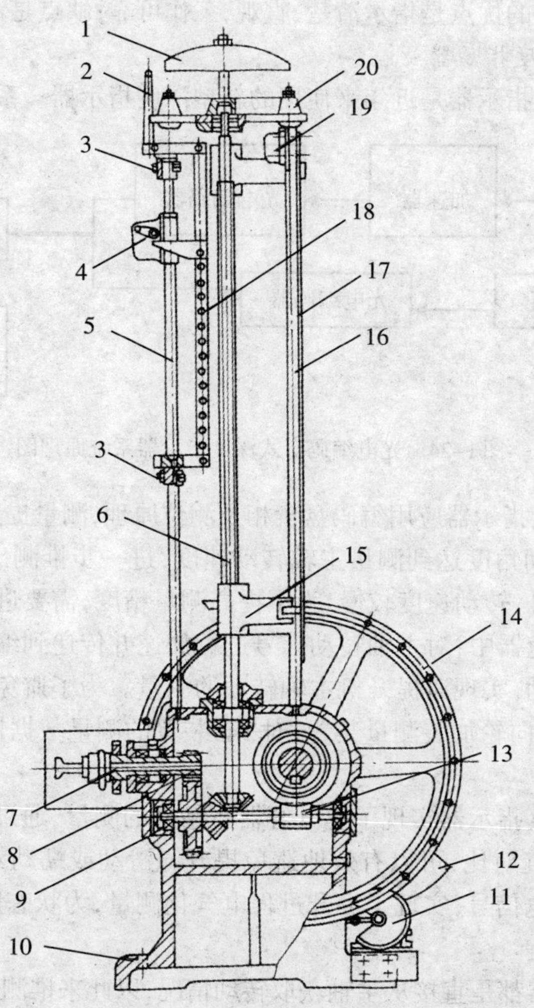

图1-23　牌坊式深度指示器

1——铃；2——锤头；3——铰接支架；4——减速器极限开关装置；5——导向轴；6——丝杆；7——轴；8——直齿轮；9——锥齿轮；10——外壳装置；11——限速自整角机装置；12——限速板；13——蜗杆传动装置；14——圆盘；15——左旋梯形螺母；16——支柱；17——标尺；18——信号拉杆；19——过卷极限开关装置；20——横杆

如图1-23所示，牌坊式深度指示器主要由传动轴、直齿轮、锥齿轮、直立的丝杠、梯形螺母、支柱、标尺等组成。

在提升机工作时，其主轴带动深度指示器上的传动轴，直齿轮、锥齿轮带动两个直立的丝杠以相反方向旋转，利用支柱分别限制装在丝杠上的梯形螺母旋转，因2个丝杠都是右螺纹，故迫使2个螺母只能沿支柱作上、下相反方向的移动，从而指示出井筒中两容器一个向上，另一个向下。

在两支柱上固定着的标尺上，用缩小的比例根据矿井的具体情况，刻着与井筒深度或坑道长度相适应的刻度，当装有指针的梯形螺母移动时，则指明了提升容器在井筒的位置。

牌坊式深度指示器的优点是指示清楚、直观，工作可靠；缺点是不够精确。

3.光电编码盘式深度指示器

光电编码盘式深度指示器是近年来使用的新型深度指示器。系统原理如图1–24所示。

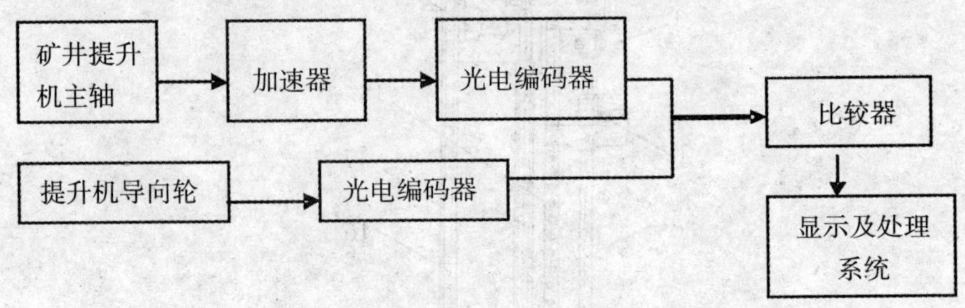

图1–24　光电编码盘式深度指示器系统原理图

光电编码盘式深度指示器应用编码盘辨相及测位原理，测量提升机主轴转动，并通过连续测量提升机主轴转动角度达到测量主轴转动速度，进一步推测出提升容器位置的目的。从主轴输出的转动信号，转动速度较慢，为了提高测量精度，需要进行加速。转动信号通过万向联轴节传送到加速器中，对主轴转动信号进行加速并传递到编码器中。编码器中编码盘与输入信号同步转动，实现对提升机主轴转动的测量。为了避免提升过程中绳的滑动与蠕动产生的影响，将导向轮加装测量装置，对2套装置的测量数据进行对比，防止运行中产生位置误差。

光电编码盘式深度指示器实现了提升容器较精确的测量，通过将提升机主轴测量数据与导向轮测量数据相互对比，可以有效地避免提升绳滑动或蠕动对提升过程带来的影响。由于编码器输出的是电信号，实现了提升过程电气化测量，为状态监测、防过卷防过放工作提供了条件。

前两种深度指示器都是直接从主轴获取转动情况，以此来推测提升容器的位置，容易在提升绳发生滑动或蠕动时产生较大的误差，使提升机工作产生较大的安全隐患。而光电编码盘式深度指示器工作时，将主轴转动信号与提升机导向轮信号相互比对。由于导向轮紧贴在提升绳上，不会产生相对移动，可以作为(编码)盘对提升绳是否相对主轴产生移动的判据，提高了深度指示器指示精度。因此，光电编码盘式深度指示器得到了越来越广泛的应用。

(四)制动系统

制动系统是矿井提升机的重要组成部分之一，其功能是：

(1)正常停车。提升机在停止工作时，能可靠地闸住。

(2)工作制动。在正常工作时，参与提升机的速度控制，如减速阶段在卷筒上产生制动力矩使提升机减速。

(3)安全制动。当提升机工作不正常或发生紧急事故时，进行紧急制动，迅速平稳地闸住提升机，例如提升速度过高、过卷或电流欠压等故障出现时。

(4)双卷筒提升机在需要调绳或更换水平时，能可靠地闸住卷筒，松开固定卷筒。

《煤矿安全规程》对制动系统的要求：

（1）提升机在工作制动和安全制动时所产生的最大制动力矩都不小于提升或下放最大静负荷力矩的3倍。

（2）双卷筒提升机在调整卷筒旋转的相对位置时，制动装置在各卷筒上的制动力矩不得小于该卷筒所悬提升容器与钢丝绳重力造成的静力矩的1.2倍。

（3）在立井和倾斜井巷中使用的提升机进行安全制动时，全部机械的减速度都必须符合表1–2的规定。

表1–2　立井和倾斜井巷安全制动减速度取值表

井巷倾角β	<15°	15°≤β<30°	≥30°
上提重载	≤α_{3z}	≤α_{3z}	≤5
下放重载	≥0.75	≥0.3α_{3z}	≥1.5

注：自然减速度$\alpha_{3z}=g(\sin\beta+f\cos\beta)$。式中，$g$为重力加速度，m/s^2；$\beta$为井巷倾角；$f$为绳端载荷的运行阻力系数，一般取0.010~0.015。

对于质量模数（提升系统的变位质量与实际最大静张力差之比）较小的提升机，上提重载时的安全制动减速度如超过上述规定的限值时，可将安全制动时产生的最大制动力矩值适当降低，但不得小于提升或下放最大静负荷力矩的2倍。

（4）对于摩擦式提升机，工作制动或安全制动时产生的减速度，不得超过钢丝绳的滑动极限，即不得引起钢丝绳打滑。

（5）安全制动必须能自动、迅速且可靠地实现，其制动器的空动时间（由安全保护回路断电时起至闸瓦刚刚接触到闸轮上的时间），对于盘式制动器，不得超过0.3s。

对于斜井提升，为了保证上提安全制动的过程中不发生松绳而必须将空动时间加大时，上提的空动时间可以不受上述限制。

《煤矿矿井机电设备完好标准》对制动系统的要求：

（1）制动装置的操作机构和传动杆件动作灵活，各销轴润滑良好，不松动。

（2）闸轮或闸盘无开焊或裂纹，无严重磨损。磨损沟纹的深度不大于1.5mm，沟纹宽度总和不超过有效闸面宽度的10%。闸轮的圆跳动不超过1.5mm，闸盘的端面圆跳动不超过1mm。

（3）闸瓦及闸衬无缺损，无断裂，表面无油迹，磨损不超限。闸瓦磨损后表面距固定螺栓头端部不小于5mm。闸瓦与闸轮或闸盘的接触良好，制动中不过热，无异常振动和噪声。

（4）施闸手柄、活塞、活塞杆及重锤等的施闸工作行程都不得超过各自允许全行程的3/4。

（5）盘型闸松闸后的闸瓦间隙不大于2mm。

（6）液压站的压力应稳定，其振摆值和残压不得超过表1–3的规定。

表1–3　液压站的压力振摆值和残压

设计最大压力P_{max}	≤8		8<P_{max}≤16	
指示区间	≤0.8P_{max}	>0.8P_{max}	≤0.8P_{max}	>0.8P_{max}
压力振摆值	±0.2	±0.4	±0.3	±0.6
残压	≤5		≤1.0	

制动系统由传动机构和制动闸组成。传动机构是控制及调节制动力矩的部分，分为油压、压气、弹簧式；制动闸是直接作用于制动轮或制动盘上产生制动力矩的部分，分为块式和盘式。

1.块式制动闸

块式制动闸主要由木制闸块或合成闸块、连杆机构等部件构成。按结构的差异可分为角移式、平移式和综合闸块式。

(1)角移式制动闸:角移式制动闸的执行机构如图1-25所示。它的优点是结构简单,缺点是压力及磨损分布不均,制动力矩小,闸块磨损不均匀,多用于中、小型提升机上。

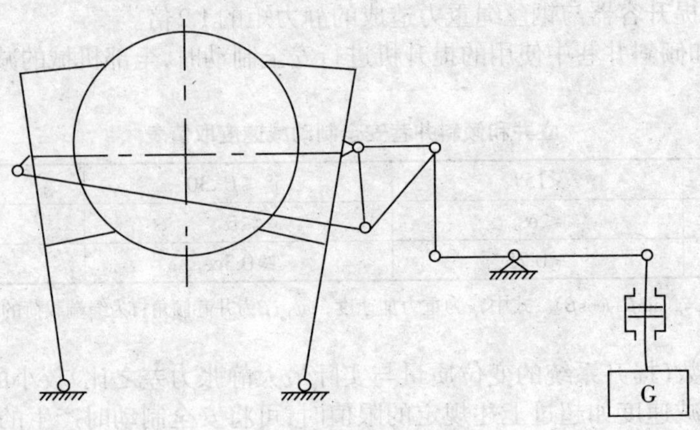

图1-25　角移式制动闸

(2)平移式制动闸:平移式制动闸的传动原理如图1-26所示,其优点是闸的围包角大,因此制动力矩大,闸块磨损均匀。缺点是结构复杂,安装调整不易。

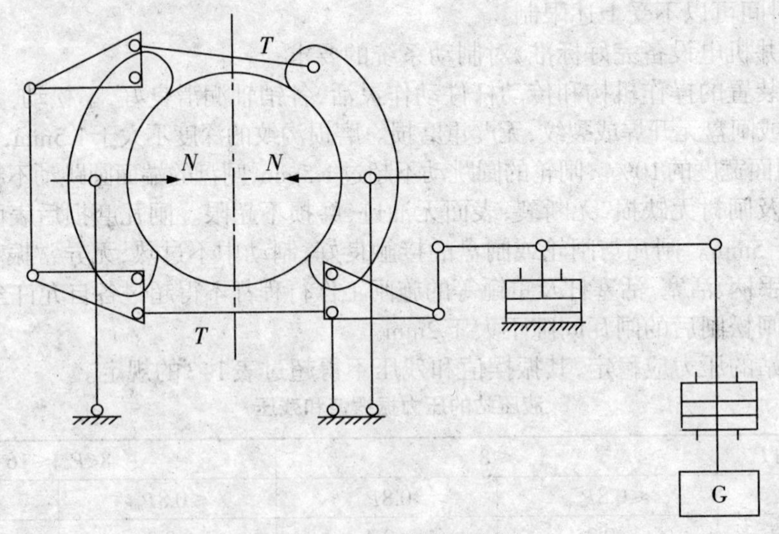

图1-26　平移式制动闸

(3)综合闸块式制动闸:如图1-27所示,综合闸块式制动闸从制动臂的移动方式来看是属于角移式,但其上的闸块不是固定随制动臂作角移运动,而是铰接作平移运动。这种闸的制动力矩较大,既能作常用闸,又能作保险闸。

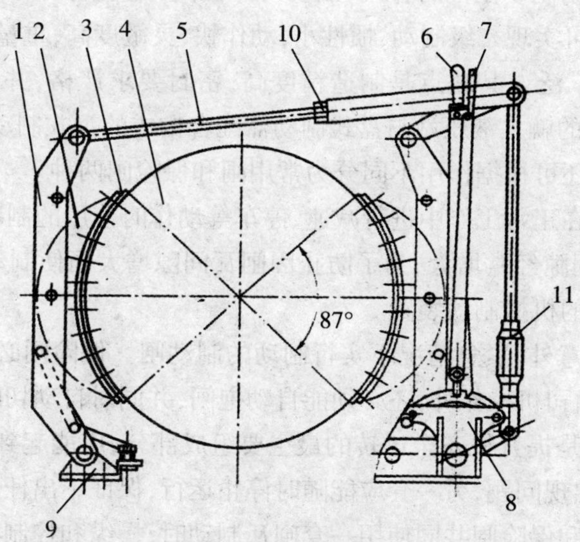

图1-27　综合闸块式制动装置

1——制动臂;2——闸块;3——闸带;4——制动轮;5——拉杆;6——操作手把;7——定位手把;8——支座;9——底座;10——调节螺帽;11——调节器

2.盘式制动闸

盘式制动闸的制动力来自闸瓦对制动盘压力所产生的摩擦力。为了使制动盘不产生附加变形,主轴不承受附加轴向力,盘式闸都是成对使用,每一对叫做一副盘式制动闸。根据制动力矩的不同,每一台提升机上可以同时布置两副、四副或多副盘式制动闸。其工作原理如图1-28所示。

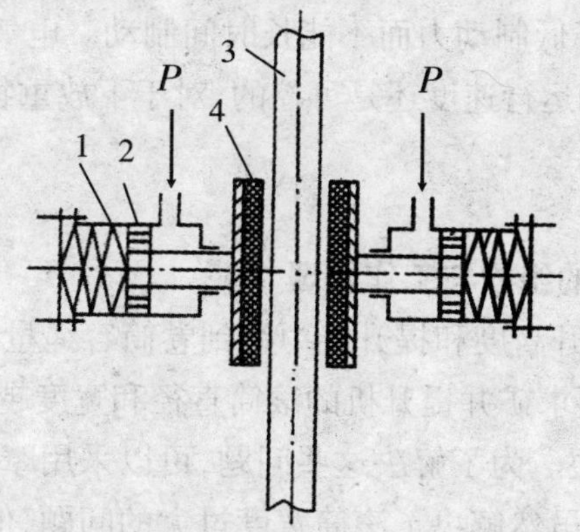

图1-28　盘式制动闸的工作原理

1——盘形弹簧;2——活塞;3——制动盘;4——制动块

当制动器制动时,压力油失压,在盘形弹簧的作用下,迫使活塞向前移动,推动制动器压在制动盘上,实现制动。需要松闸时,液压缸内充满压力油,压力油推动活塞向后移动,压缩盘形弹簧,并带动制动器离开制动盘,实现松闸。《煤矿安全规程》规定:制动块与制动盘的间隙应不大于2mm。

盘式制动闸由多副制动闸同时作用,制动可靠性高;用电液调压装置来调节制动力矩,操作方便,可调性好;可实现二级制动,惯性小,动作快,灵敏度高;重量轻,外形尺寸小,适应性好,因而应用比较广泛。其缺点是制造精度高,密封要求严格,并要设置一套液压系统等。JK型提升机采用的就是液压站与盘式制动器配合构成的盘式制动系统。

提升机的制动闸还可根据作用不同分为常用闸和保险闸两种。

常用闸是指司机在正常工作中进行减速、停车等动作时使用的制动闸。由于使用频繁,闸瓦磨损较快,闸瓦间隙经常增大,为了防止因闸瓦间隙增大而使制动力矩下降,工作闸必须使用随时可以调整的机械制动装置。

保险闸是在发生意外、紧急情况下实行制动的制动闸。保险闸必须采用配重式或弹簧式的制动装置,除可由司机操作外,还必须能自动抱闸,并同时自动切断提升装置电源。

常用闸和保险闸是提升机安全运转的最主要组成部分,应能起到互为备用及工作互补的作用,一旦有一套出现问题,另一套应能随时停止运行,保证不出任何事故。因此《煤矿安全规程》规定:常用闸和保险闸共同使用一套闸瓦制动时,操纵和控制机构必须分开。

对提升速度大、拖动力大的提升机,在保险制动时,由于系统惯性大,产生过大的减速度,会造成提升设备的损伤和对钢丝绳产生过大的冲击,因此,应采用二级安全制动。二级安全制动就是提升机进行保险制动时所需的全部制动力矩分2次投入,在保证制动力矩的前提下,适当延长制动时间,获得较好的制动效果。采用二级制动的优点是减少停车时惯性的冲击,保证停车平稳;防止提升钢丝绳受猛烈冲击,延长钢丝绳的寿命;延时长短可根据需要进行调整。

另外,《煤矿安全规程》还规定:提升绞车除设有机械制动闸外,还应设有电气制动装置。绞车的电气制动包括动力制动和低频制动等。电气制动的优点是无机械摩擦,不会因制动时间长而使闸瓦发热,降低制动力而不能长时间制动。电气制动可以在全部下放过程中进行制动,而且其制动力和运行速度还是可控的,对于下放重物需慢速运行时非常适用。

二、多绳摩擦式提升机

(一)多绳摩擦式提升机的组成与工作原理

单绳缠绕式提升机的提升高度和提升能力受到卷筒容绳量和钢丝绳强度的限制,当矿井开采深度和产量增加时,要求矿井提升机的滚筒直径和宽度越来越大,这样不仅增加了基建费用,使用和维护也不方便。为了解决这些问题,可以采用摩擦式提升机,分为单绳和多绳两种。单绳摩擦式提升机虽然解决了滚筒宽度过大的问题,但并未解决主导轮直径和钢丝绳直径过大的问题,太粗的钢丝绳是无法制造、运输、悬挂的。多绳摩擦式提升机由多根钢丝绳代替一根钢丝绳与容器相连接,每根钢丝绳直径可以显著减小,解决了单绳摩擦式提升机存在的问题。

如图1-29所示,多绳摩擦式提升机的工作原理是把钢丝绳搭放在主导轮(摩擦轮)上,两端各悬挂一个提升容器(也可一端悬挂平衡锤),当电动机带动主导轮转动时,借助于安装在主导轮的衬垫与钢丝绳之间的摩擦力传动钢丝绳,完成提升和下放重物的任务。

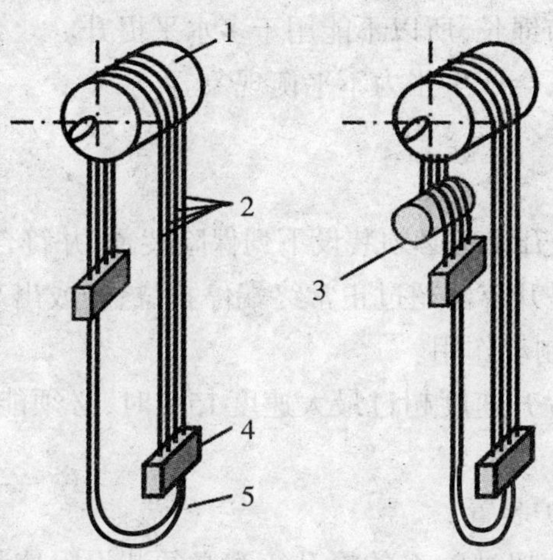

图1-29　多绳摩擦式提升系统原理图

1——主导轮；2——提升钢丝绳；3——导向轮；4——提升容器；5——平衡钢丝绳

(二)多绳摩擦式提升机的类型、特点及应用

多绳摩擦提升机按布置方式分为塔式和落地式两种。塔式多绳摩擦式提升设备的布置不受矿井地形的限制，紧凑省地，可省去天轮；全部载荷垂直向下，井塔稳定性好；钢丝绳不裸露在雨雪之中。但是井塔造价较高，施工周期较长，抗地震能力不如落地式。落地式多绳摩擦式提升设备可以大大降低井塔的造价，减少矿井的初期投资，而且还可提高抵抗地震灾害的能力。我国过去多采用塔式布置，近年来落地式也被很多矿井广泛使用。

多绳摩擦式提升与单绳缠绕式提升相比，主要有以下优点：

1.多绳摩擦式提升利用多根钢丝绳同时承受载荷，其安全性较高，并且在钢丝绳的安全系数、材料强度及总截面积相同的情况下，其钢丝绳直径较细。

2.由于钢丝绳直径较细，其主导轮直径较小。

3.由于主导轮直径较小，使整个提升机尺寸减小，重量减轻；在相同的提升线速度条件下，可使用转速较高的电动机和重量较轻的减速器；如果提升量相同，则电动机的功率与电耗量较小。

4.由于采用偶数根提升钢丝绳，而且钢丝绳捻向按左右各半配置，消除了提升容器在提升过程中的转动，减少了容器的罐耳对罐道的摩擦阻力，延长了罐耳和罐道的使用寿命。

但多绳摩擦式提升机也存在着下列缺陷：

1.提升钢丝绳和平衡钢丝绳的悬挂、调整、维护和检查都比较困难。

2.当一根钢丝绳需要更换时，为了保证每根钢丝绳承载的均匀性，必须更换全部提升钢丝绳。

3.使用中的钢丝绳不能做定期检验。《规程》规定：摩擦轮式提升钢丝绳的使用期限应不超过2年，平衡钢丝绳的使用期限应不超过4年。如果钢丝绳的断丝、直径缩小和锈蚀程度不超过本规程规定，可继续使用，但不得超过1年。

4.双钩提升时,不能调节绳长,所以不能用于多水平提升。

5.如果钢丝绳调整不好,会产生张力不平衡现象。

三、提升机的保护装置

《煤矿安全规程》要求提升设备必须装设下列保险装置,并符合要求:

(1)防止过卷装置:当提升容器超过正常终端停止位置(或出车平台)0.5m时,必须能自动断电,并能使保险闸发生制动作用。

(2)防止过速装置:当提升速度超过最大速度15%时,必须能自动断电,并能使保险闸发生作用。

(3)过负荷和欠电压保护装置。

(4)限速装置:提升速度超过3m/s的提升绞车必须装设限速装置,以保证提升容器(或平衡锤)到达终端位置时的速度不超过2m/s。如果限速装置为凸轮板,其在1个提升行程内的旋转角度应不小于270°。

(5)深度指示器失效保护装置:当指示器失效时,能自动断电并使保险闸发生作用。

(6)闸间隙保护装置:当闸间隙超过规定值时,能自动报警或自动断电。

(7)松绳保护装置:缠绕式提升绞车必须设置松绳保护装置并接入安全回路和报警回路,在钢丝绳松弛时能自动断电并报警。箕斗提升时,松绳保护装置动作后,严禁向煤仓放煤。

(8)满仓保护装置:箕斗提升的井口煤仓仓满时能报警和自动断电。

(9)减速功能保护装置:当提升容器(或平衡锤)到达设计减速位置时,能示警并开始减速。

第五节　提升机电力拖动与控制

一、提升机电力拖动

提升机电力拖动按提升机的拖动电机供电电流分,可以分为交流拖动与直流拖动。按电动机的数量分,有单机拖动与双机拖动。按连接形式分,有带减速器的和直联式的。

(一)提升机直流拖动控制

1.直流拖动控制系统

根据供电电源的区别,矿井提升机的直流电力拖动可分为发电机—电动机直流拖动系统(G–M系统)和晶闸管—电动机直流拖动系统(V–M系统),目前广泛使用的是V–M系统。

V–M系统有电枢换向的可逆直流调速控制系统和磁场换向的可逆直流调速控制系统。电枢换向转矩的反向快,初期投资较大。磁场换向转矩的反向较慢,初期投资较小。对于矿井提升机来说,并不要求转矩变化太快,因为急剧的转矩变化会造成过大的机械冲击,而且由于钢丝绳的弹性连接往往会引起剧烈震荡。另外要求拖动电动机容量较大,所以,磁场换向控制技术在大容量的矿井提升机直流电力拖动中得到广泛应用。

2.全数字直流拖动系统

采用全数字控制技术构造的提升机直流拖动系统如图1–30所示，主要由供电主回路、全数字调节器、多PLC冗余控制、上位机监控及装、卸载控制系统等5部分构成。

系统设备主要有：

(1)高低压开关设备。电控设备的供电电源应采用高、低压开关馈电。电源进线应是双回路进线，并能可靠切换；高压开关设备应符合GB/T11022的有关规定；低压开关设备应符合GB14048.1—2006的有关规定。

(2)变流设备。变流设备应满足在四象限中稳定运行和无级调速的要求。变流设备的输出电压额定值应与提升电动机的额定电压相匹配。变流设备的连续输出电流(或功率)额定值应与提升电动机的额定电流(或功率)相匹配。除非另有规定，否则变流设备的负载等级按GB/T3859.1—1993中表8规定的标准负载Ⅴ级考虑。变流设备的输入、输出端应设置过电压保护吸收装置。用于励磁的变流设备，励磁电流应可连续调节，开车时提供满励磁，停车时提供维持励磁或零励磁。

(3)变流变压器设备。给变流设备供电的变流变压器，应有可靠的温度保护，其性能应满足变流设备的要求。

(4)电抗器。在变流设备的输入侧可采用线路电抗器，改善馈线阻抗，减小电网缺口及预期的短路电流；在变流设备的输出侧与电枢回路中，可设置电抗器，用作滤波、平波及均流，其电感量按轻载(5%电枢额定电流)时负载电流连续进行设计。

(5)直流快速开关。电枢供电回路应设置直流快速开关，其额定电压与电枢额定电压相匹配，其分断能力应不低于电枢额定电流的2倍。

(6) 控制设备：

①控制设备(柜)至少应配置2套控制器，控制器应优先采用可编程序控制器。

②安全回路的执行机构应是继电器，且安全继电器应按断电施闸原则设置。安全继电器间应有保证动作一致性的监控措施。

③司机操作台上应有提升速度给定手柄、制动控制手柄、功能选择开关、操作按钮以及运行工况显示、故障显示、提升容器位置的模拟和数字两种显示。

④制动液压泵、润滑液压泵和冷却风机等辅助设备的控制电路，应设有短路和过载保护。

⑤控制电路应由不间断电源或隔离变压器提供电源。

⑥控制电路的额定电压应不高于220V。

⑦电磁操作的电器在控制电源电压为额定电压的85%～110%，周围空气温度为-5℃～+40℃的范围内均应可靠吸合。

(7)上位监控机。上位监控机应提供：

①人–机通信、监视、控制与操作。

②系统运行状态、监控变量及故障内容等信息的实时显示与记录。

③网络化接口，可实现与上一级系统的数据交换、远程监视及诊断等。

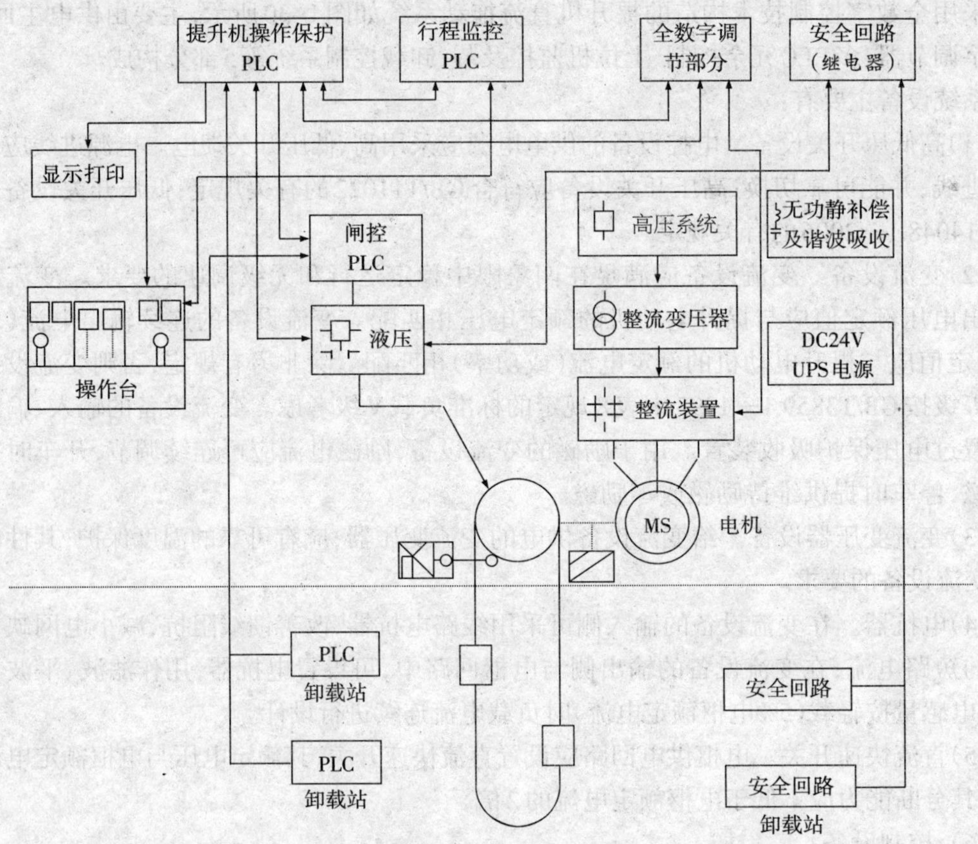

图1-30　提升机全数字直流拖动系统图

(二)提升机交流拖动控制

提升机交流拖动控制系统有以下几种类型：新型绕线异步电动机电阻调速控制系统，交—交变频同步电动机调速控制系统，交—直—交电控系统。

1.新型绕线异步电动机电阻调速控制系统

由于PLC的新型TKD系统控制性能好，已被普遍采用。下面主要介绍TKD—PC、JKMK/J—PC交流提升机的调速控制系统。

(1)技术参数。

①提升电动机容量：单电动机1000kw及以下；双电动机2×1000kw及以下。

②提升电动机电压等级：高压6kv、10kv；低压380V、660V。

③调速方式：电动机转子串电阻调速。

(2)技术功能。

①实现提升机的半自动或手动运行，满足提升机控制工艺要求及各种安全联锁保护要求。

②实现提升机的行程监视和位置闭环控制，具有完善的深度、速度、显示及控制功能。

③实现提升机运行状态的智能监控和后备保护，增加了许多检测、监控及提升机运行过程重要参数的记录功能，为提升机故障原因及动态过程分析提供了依据。

④实现提升机主回路控制器件真空化要求。

⑤采用PLC控制，硬件配置简单，软件编程灵活，调试方便且维护量小。

⑥采用电子控制方式，系统动、静态性能好，具有良好的闭环性能。

⑦设计更加合理，机电配合更加协调，整机可靠性高。

(3)控制系统构成。

矿井提升机新型交流电控系统构成如图1–30所示。

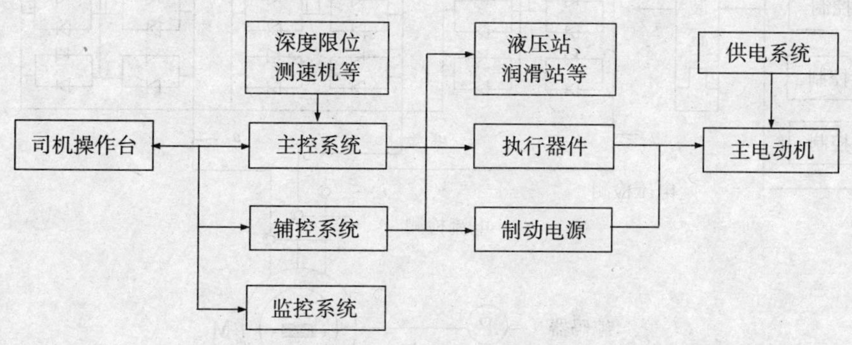

图1–30　矿井提升机新型交流电控系统构成

主控系统主要是完成提升机从加速、等速、减速、爬行到停车整个过程的开关量逻辑控制。辅控系统主要是完成对可调闸速度闭环环节、动力(低频)制动速度闭环环节、包络线的速度保护环节和测速环节等的控制。监控系统对电控系统关键部件，包括信号系统工作情况、提升机运行整个过程中关键参数及司机操作的正确性进行监控和显示并具有后备保护和控制功能。制动电源是指用于提升机减速的动力制动或低频制动电源。执行器件是指高压换向器和低压接触器等。

(4)PLC操作主控系统。

PLC基本单元具有电源、CPU、存储器、输入输出接点，通过插槽可以连接各种扩展单元、扩展模块和特殊功能模块。

PLC控制软件主要包括：模块初始化及I/O控制部分、控制工艺部分、安全保护部分、上位通信部分、位置闭环控制部分。

2.交—交变频同步电动机调速控制系统

(1)矢量控制交—交变频同步电动机电控系统：矢量控制交—变频同步电动机电控系统的硬件结构如图1–31所示。系统主要由主控计算机、驱动控制计算机、整流变压器、交—交变频器、励磁变压器、电压电流检测装置、轴编码器等组成。

驱动控制程序(软件)主要有速度控制环节、矢量控制环节、电流控制环节、励磁控制环节等几部分。程序由功能已确定的软件包(模块)组成，可根据需要调用软件包，并将其连接就可组成闭环控制程序。

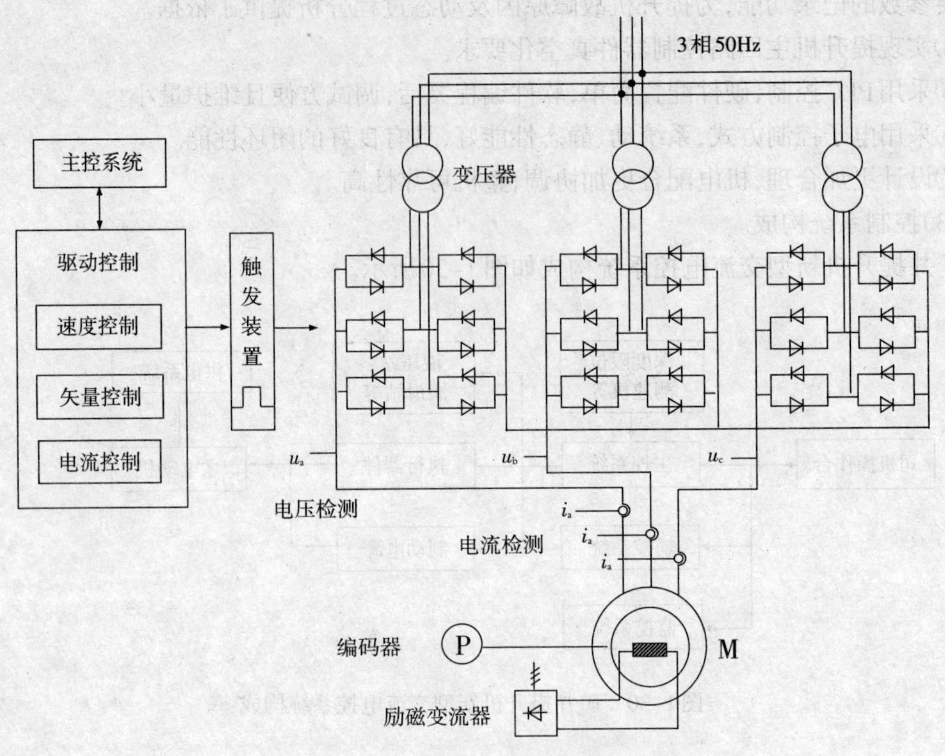

图1-31　交—交变频提升机电控系统框图

(2)提升机全数字交—交变频调速电控设备。

技术性能和特点如下：

①主回路用整流变压器可采用6合双绕组整流变压器，也可采用2台三相三裂解结构的变压器。

②电机和变流器采用双Y型连接结构形成12脉动的波形，大大减少谐波。通过切换柜切换，每一套变压器和变流器均可全载半速单独运行。

③同步电动机励磁采用不可逆晶闸管三相全控桥控制，保护回路除配置一套高容量压敏电阻吸收回路外，还配置一套二极管BOD检测及晶闸管开关控制的专用快速保护回路。

④采用西门子SIMADYND高性能计算机控制，64位RISC处理器并行工作，硬件高度集成化。采用图形化自由编程，模块化自由配置，多处理器并行工作，能满足各种复杂的、精确的控制要求。

⑤矢量控制具有电动机的功率因数自动调节功能，使电动机的功率因数保持在1.0左右。

⑥零速启动力矩大，可达6倍额定力矩。

⑦系统保护功能齐全，安全可靠，能实现硬件和软件多路冗余控制。

⑧操作维护简便，具有全自动、半自动、手动、检修、验绳等操作方式。

3.提升机交—直—交电控系统

交—直—交变频在主回路拓扑结构上又可以分两电平方式、三电平方式和级联方式。大多数通用变频器多采取两电平方式,其逆变器拓扑结构如图1–32所示。

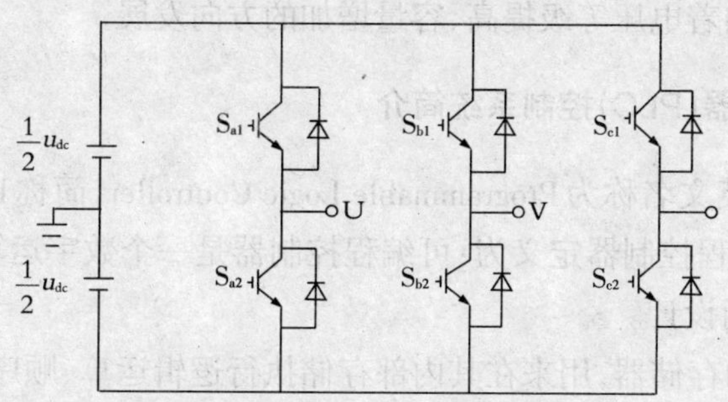

图1–32 两电平逆变器拓扑结构

这种方式在每个桥臂上只用一个开关器件,每相输出只有两种电平,即Udc和0。两电平控制方式的优缺点主要体现在以下几个方面:

(1)使用频率范围广,从0Hz到200Hz。

(2)结构简单、易于设计和调试,且易于现场维护。

(3)调速性能好,属于无级调速。

(4)由于两电平自身特点,电压和功率都受到限制,一般在690V和500kW以下。

(5)电压变化率比较大,对电机的绝缘要求比较高。

(6)产生的谐波和射频干扰大,需要治理。

(三)提升机电力拖动形式的特点区别

不同的提升机拖动形式会直接影响到矿井的基础投资、生产能力、安全可靠性及吨煤成本,主要体现在以下几个方面:

①初期投资费用。一般绕线式转子回路串电阻交流拖动系统初期投资小,但控制性能和调速性能较差。直流拖动系统与变频调速系统造价较高,但控制性能好。

②运行费用(包括维护费用)。转子回路串电阻交流拖动系统启动需要转子附加电阻,特别是在爬行二次给电阶段,大部分能量消耗在电阻中,运行费用较高。直流系统与变频调速性能好,运行费用较低。

③控制性能。从传统意义上说,直流电机的启动和调速性能优于交流电机,但采用变频调速技术的交流拖动系统也具有调速性能好的优点,因而很有发展前途,目前有取代直流调速的趋势。

④容量的限制。绕线型感应电动机转子回路串电阻交流拖动最大容量为1000kW。双机拖动为2000KW。当拖动容量大于1000KW和提升速度在10m/s以上时,一般采用直流拖动比较合适。当拖动容量大于3000KW时,既可以采用双机拖动的直流系统,又可以采用交—交变频供电的同步机拖动系统。

近年来,国内煤矿提升机电控系统的发展充分吸收了国际上电力传动的最新成果,特大功率直流传动、交—交变频传动、交—直—交传动等电控方式紧跟国际高性能位能负载电控系统的发展潮流。从国际上看，具备前端整流功能的交—直—交传动方式，由于其优越的网侧性能和传动控制特性，正在成为矿井提升机电控系统的首选方式。新建矿井更加大型化，提升机电控系统必然向着电压等级提高、容量增加的方向发展。

二、可编程序控制器(PLC)控制系统简介

可编程控制器的英文名称为Programmable Logic Controller，简称PLC，又称PC。国际电工委员会(IEC)将可编程控制器定义为：可编程控制器是一个数字运算操作的电子系统，专为在工业环境下应用而设计。

PLC采用可编程的存储器，用来在其内部存储执行逻辑运算、顺序控制、定时、计数和算数运算等操作指令，并通过数字式或模拟式的输入和输出控制各种类型的机械或生产过程，PLC与微型计算机没有本质差别，它实质上是一个按照工业场合要求设计硬件，按照传统继电器逻辑思路设计软件的专用微型计算机。

PLC与一般微型计算机的不同主要表现在以下几个方面：

(1)在硬件的电器设计上充分考虑了工业现场的电气干扰，I/O接口均采用了电隔离等措施，在电源设计上做了特别考虑，因而抗干扰能力特别强。

(2)在输入输出接口方面，PLC可以和继电器盘直接连接，机械结构则采用继电器线路惯用的端子接线方式。

(3)编程软件充分考虑了与继电器控制逻辑的思维方式一致。一般PLC设计有“梯形图”编程语言，它继承了传统继电器线路直观易懂的优点，非常适于机电技术工人和技术人员的读图习惯。甚至可以说，一个熟悉继电器控制的电气技工，不论他是否懂得微型计算机，大都可以在一周内掌握PLC的用法。

(一)PLC的基本组成

可编程序控制器主要有CPU模块、输入模块、输出模块和编程装置组成，见图1-33.

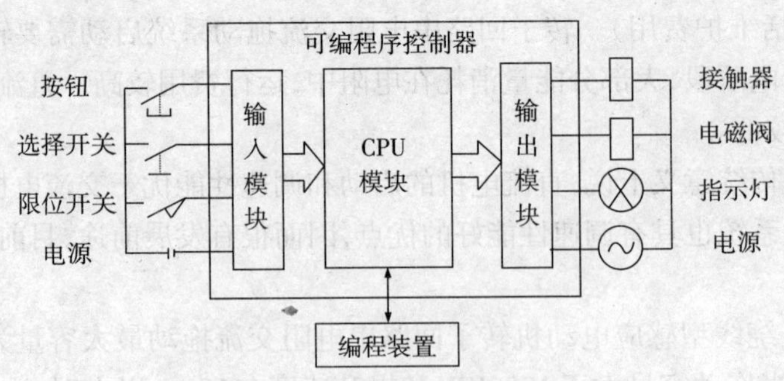

图1-33　PLC控制系统示意图

1.CPU模块

在可编程序控制器控制系统中，CPU模块相当于人的大脑，它不断地采集输入信号，执行用户程序、刷新系统的输出。

2.输入和输出模块

输入模块和输出模块简称为I/O模块，它们是系统的眼、耳、手、脚，是联系外部现场和CPU模块的桥梁。

输入模块用来接收和采集输入信号。如用来接收从按钮、选择开关、限位开关、接近开关。光电开关、电位器、测速发电机等来的输入信号。

输出模块用来控制接触器、电磁阀、电磁铁、指示灯、调节阀、变频器等执行装置。

3.编程装置

编程装置用来生成用户程序，并对它进行编辑、检查和修改。

4.电源

PLC使用220V交流电源或24V直流电源。内部的开关电源为各模块提供DC5V、12V、24V等直流电源。

(二)PLC的主要功能

PLC把自动化技术、计算机技术、通讯技术融为一体，它能完成多种功能。

1.位控制(逻辑控制)

PLC设置了与(AND)或(OR)、非(NOT)等逻辑命令。能处理继电器的串联、并联、并串联等各种连接。因此，它可以代替继电器进行开关控制。

2.定时控制

PLC为用户提供了若干个计时器(定时器)，并设置了计时指令。计时器的计时值可以由用户在编程时设置，也可以用拨盘开关来设定。计时器的计时值可以在运行中被读出，也可以在运行中被修改，使用灵活，操作方便。程序投入运行后，PLC将根据设定的计时值对某一操作进行限时控制，以满足生产工艺的要求。

3.步进控制

PLC为用户提供了若干个移位寄存器，可以用于步进控制，即在一道工序完成以后再进行下一步工序，有些型号PLC还专门设置了用于步进控制的步进指令和鼓形控制器操作指令，编程和使用极为方便。

4.A/D、D/A转换

PLC还具有A/D、D/A转换功能，以完成对模拟量的控制和调节。

5.数据处理

PLC还具有数据处理功能，它具有并行运算指令，能进行数据并行传送，BCD码的加、减、乘、除、开方等运算，还能进行字与字、求反、逻辑移位、算数移位、检索数据、比较，数制转换。16—4编码、译码等操作，还可以对数据存储器进行间接寻址。

6.通讯联网

PLC采用了通讯技术，可以进行远程的I/O控制。多台PLC之间可以进行同位连接，PLC还可以与上位计算机连接，多台计算机和多台PLC可以构成“集中管理，分散控制”的分布式控制系统以完成较大规模的复杂控制。

7.监控

PLC配置了较强的监控功能，它能记忆某些异常情况，或在发生异常情况自动终止运行。在控制系统中，操作人员通过监控命令可以监视有关部门的运行状况，可以调整计时技术等设定值，为调试和维护提供了方便。PLC还可以连接打印机，对程序和数据进行硬拷贝。

(三)PLC的主要特点及优点

PLC作为用于工业生产过程控制的专用计算机与通常在实验室环境下使用的微机不同，由于控制对象的复杂性，使用环境的特殊性和运行的长期连续性，PLC有许多明显的特点。

1.通用性好

PLC是通过软件来实现控制的，同一台PLC可以用于不同的控制对象，只需要改变软件就可以实现不同的控制要求。另外，PLC的功能模块品种多，可以灵活组合成各种不同大小和不同功能的控制装置。

2.可靠性高

PLC由于采用了微电子技术，大量的开关动作由无触点的半导体电路来完成，另外还采取了屏蔽、隔离等抗干扰措施。因此可靠性很高，其平均故障时间为2.5万h甚至更高。PLC还具有完善的自诊断功能，可以检查判断故障方便迅速维修。

3.适应性好，抗干扰能力强

PLC是专为工业环境设计的控制装置，能适应工业现场的恶劣环境，PLC在制造工艺上加强了抗干扰措施，例如输入输出部分都采用光电隔离PLC内部电路与输入输出之间电的联系，从而避免了输入输出部分串入的干扰信号引起的误动作。PLC还采取屏蔽、滤波等措施，有效地防止了空间电磁干扰。对高频干扰起到良好的抑制作用。一般PLC的抗干扰强度为1000V脉冲10US波。

4.功能强

前面介绍过，现代PLC不仅具有逻辑运算、定时、步进等功能，而且还能完成A/D、D/A转换，数字运算和数据处理及通讯联网、生产过程监控等。

5.接线简单

PLC的接线只需要将输入信号的设备(按钮、开关)与PLC输入端子连接，将接受输出信号执行控制任务的执行元件(接触器、电磁阀)与PLC输出端子连接即可。

6.编程简单

用微机实现自动控制，常使用汇编语言编程，难于掌握，要求使用者具有一定的计算机硬件和软件知识。PLC采用面向控制过程，面向问题的“自然语言”编程，容易掌握。例如目前大多数PLC均用梯形图语言编程方式，与目前微机控制的常用的汇编语言相比，虽然在PLC内部增加了解释程序，增加了程序的执行时间，但对大多数的机电控制设备来说是微不足道的。按照“梯形图”编程是较为直观的，编程者可以认为PLC内部有许多继电器，可以任意“接线”，不用的编程实现不同的“接线”，以实现不同的控制逻辑。

现按图说明“梯形图”的编程方法。图1–34是一个简单的启、停自保电路。

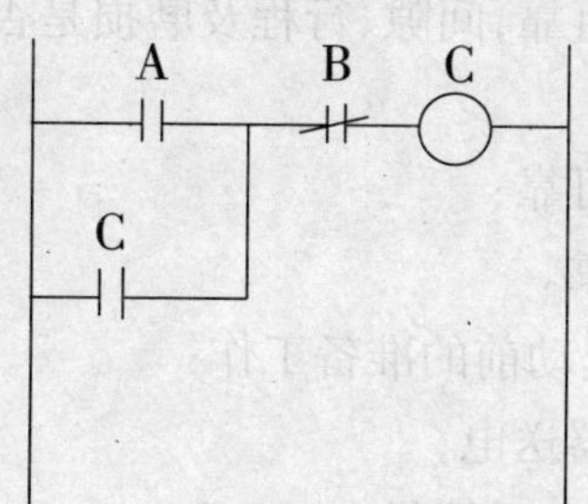

图1-34　启、停自保电路梯形图

PLC的编程指令与一定的继电器线路是相对应的,“梯形图”与继电器线路基本一致。可以用自然语言描述如下:

接点A(相当于继电线路中的启动按钮)与继电器C的常开接点相并,再与接点B(停止按钮)及继电器C的线圈相串。用三菱F系列的PLC的编程指令描述为:

LD A(起始用LD)

OR C(并接点用OR)

AND—NOT B(串接点用AND,而常闭接点用NOT)

OUT C(串线圈用OUT)

7.体积小、重量轻、功耗低

PLC采用半导体集成电路,其体积小、重量轻、功耗低。

第六节　矿井提升机的操作与运行

一、矿井提升机的操作

矿井提升机有手动操作、半自动操作和自动操作3种操作方式。

手动操作的提升机多用于斜井,司机直接用控制器操纵电动机的换向和速度调节。半自动操作是司机通过操作手把进行操作,起动阶段的加速过程是由继电器按规定要求自动切除起动电阻进行的,等速阶段由于电动机工作在自然机械特性曲线的稳定运行区域,不需要自动操纵装置,只需要各种保护装置。自动操作的提升机多用于提升循环简单、停机位置要求不必特别准确的主井箕斗提升系统,其操作过程都是提升机自动进行,司机只需观察操作保护装置的正确性。目前我国的提升机多采用半自动操作。

下面以半自动操作的单绳缠绕式提升机为例介绍提升机的操作与运行:

(一)运行前的检查与准备

提升机在运行前首先要对重点部位进行一次检查,检查的重点是:

1.各润滑部位润滑油油质是否合格,油量是否充足,有无漏油现象;

2.各结合部位螺栓是否松动，销轴有无松动；

3.制动系统常用闸和保险闸是否灵活可靠，间隙、行程及磨损是否符合要求；

4.主电动机的温度是否符合规定；

5.各种仪表和灯光声响信号是否清晰可靠；

6.各种安全保护装置动作是否准确可靠。

检查完毕无误以后，按以下程序进行起动前的准备工作：

1.合上高压隔离开关、油开关，向换相器送电；

2.合上辅助控制盘上的开关，向低压用电系统供电；

3.起动直流发电机组或向硅整流器送电；

4.采用动力制动时，起动直流发电机组，或向可控硅整流送电；

5.起动润滑油泵；

6.起动制动油泵。

（二）提升机的启动与运行

1.启动顺序

（1）接到开车信号后，将工作闸移至松开位置，开启润滑泵，指示灯亮；

（2）根据信号及深度指示器所显示的容器位置，确定提升方向，操作工作闸至松开位置，同时将主令控制器推出，开始启动；

（3）正力开车根据提升机启动电流变化情况，操作主令控制器，使提升机均匀加速至规定速度，达到正常运转。

（4）低频负力开车，待提升机启动后，将主令控制器手柄置于顶部，工作闸全部敞开，绞车根据设定程序自行达到正常运行速度。

2.提升机在启动和运行过程中，应随时注意观察以下情况

（1）电流、电压、油压等各指示仪表的读数应符合规定；

（2）深度指示器指针位置和移动速度应正确；

（3）信号盘上的各信号变化情况；

（4）各运转部位的声响应正常，无异常振动；

（5）各种保护装置的声光显示应正常；

（6）钢丝绳有无异常跳动，电流表指针有无异常摆动。

3.提升机正常减速与停车

（1）根据深度指示器指示位置或警铃示警及时减速。

①正力减速：工作闸手柄在全松闸位置，司机根据提升机运行速度在电机转子回路加入电阻，使速度逐渐降低，到达终点后拉回工作闸手柄，提升机抱闸停车。

②负力减速：提升机运行到减速点后，根据设定速度原则减速，当电动机的反电势低于600V后，主控台发出控制信号，低频电源加到主电动机上低频制动，最终使实际速度按给定的速度运行，自动平衡过渡到爬行段，低频制动结束，开始爬行后，电动机处于电动运行状态，一直到终点。

(2)根据终点信号,及时用工作闸准确停车,防止过卷。

(三)提升机操作运行中的注意事项

1.提升机司机在操作过程中要集中精力,随时注意观察操作台上的仪表(如电压表、电流表、气压表、油压表、速度表等)的读数是否在正常范围内变化;

2.要注意提升机在运转中的声音是否正常;

3.对于单绳缠绕式提升机,要注意钢丝绳在滚筒上缠绕的排列位置是否整齐;

4.司机应注意观察深度指示器指针的位置和移动的速度是否正常,当指到减速阶段开始的位置时,及时进行减速阶段的操作;

5.注意听信号和观察信号盘信号的变化;

6.注意观察各种保护装置的声光显示是否正常;

7.提升机在常速运转时,电动机操纵手把应在推(或扳)的极限位置,以免起动电阻过度发热(交流电动机);

8.单钩提升下放时注意钢丝绳跳动有无异常,上提时电流表有无异常摆动;

9.正常终点停车时,司机应注意以下几点:

(1)注意深度指示器的终端位置,随时准备施闸;

(2)使用工作闸制动时,不得过早和过猛,直流拖动提升机应尽量使用电闸,机械闸一般在提升容器接近井口位置时才使用(紧急事故除外);

(3)提升机减速时不准合反电顶车,必须将主令控制器把手放在断电位置,适当用闸;

(4)提升机断电的早晚应根据负荷来决定,如过早,则要合二次电;过晚,则要过度使用机械闸,这两种情况都应该尽量避免;

(5)停车后必须把主令控制器手把放在断电位置,将制动闸闸紧。

(四)异常情况下的操作要求:

提升机在运转中发现下列情况之一时,应立即断电,工作闸制动停机:

1.电流过大,加速太慢,起动不起来;

2.压力表(气压和油压)所指示的压力不足;

3.提升机声响不正常;

4.钢丝绳在卷筒上缠绕(指单绳缠绕式提升机)排列发现异状;

5.出现不明信号;

6.速度超过规定值;

7.保护装置不起作用。

提升机在运转中发现下列情况之一时,应立即断电,保险闸制动停机:

1.出现紧急停机信号或在加减速过程中出现意外信号;

2.提升机主要部件失灵或出现严重故障必须紧急停车时;

3.接近井口尚未减速;

4.工作闸操作失灵;

5.保护装置失效,可能发生重大事故时;

6.其他严重的意外故障。

《煤矿安全规程》规定:严禁用常用闸进行紧急制动。因为如果紧急制动时用常用闸,则制动力矩受控于司机的随意性操作,制动力太小则不能可靠地抱闸,制动力太大易对设备造成冲击,在高速时还易造成断绳、滑绳等更为严重的事故。更易使闸衬发热烧焦,摩擦系数下降,制动失效,造成飞车等恶性事故。而采用具有二级制动特性的保险闸可以使整个制动过程平稳可靠、及时准确。

第七节 提升设备的检查、维修与常见故障处理

一、提升机的检查

1.提升机运转中的检查

提升机在运转中,不担任操作的司机,每小时按巡回检查路线检查一次,重点注意以下几方面:

(1)电气方面:检查电动机、发电机等运转设备的声音与温度是否正常。换向器、接触器、继电器等的动作是否灵活,线圈温度是否超过规定,起动电阻有无过热、发红等现象;

(2)机械方面:检查轴瓦的温升及润滑情况是否正常,各处螺栓及销轴有无松动现象,制动系统的工作是否正常、可靠;

(3)安全保护装置:过卷、松绳、紧急停车开关、紧急制动开关等工作情况是否正常。

2.提升机的定期检查

提升机的检查分为日检、周检和月检。应针对各提升机的性能、结构特点、工作条件以及维修经验来制定检修的具体内容。检查结果和修理内容均应记入检修记录簿内,并应由检修负责人签字。

(1)日检的基本内容。

①用检查手锤检查各部分的连接零件,如螺栓、铆钉、销轴等是否松动。

②由检查孔观察减速器齿轮的啮合情况。

③检查润滑系统的供油情况,如油泵运转是否正常,输油管路有无阻塞和漏油等。

④检查制动系统的工作状况,如闸轮(闸盘)、闸瓦、传动机构、液压站、制动闸等是否正常,间隙是否合适。

⑤检查深度指示器的丝杠螺母松动情况、保护装置和仪表等动作是否正常。

⑥检查各转动部分的稳定性,如轴承是否振动,各部机座和基础螺栓(螺钉)是否松动。

⑦试验过卷保护装置。

⑧手试一次松绳信号装置。

⑨试验各种信号(包括满仓、开机、停机、紧急信号等)。

⑩检查各接触器(信号盘、转子控制盘、换相器等)触电磨损情况,烧损者要进行修理(用砂布和小挫刀)或更换,以保持其接触良好。

⑪检查调绳离合器。

⑫检查天轮的转动情况,如衬垫、轴承等。

⑬检查提升容器及其附属机构(如阻车器、连接装置、罐耳等)的结构情况是否正常。

⑭检查防坠器系统的弹簧、抓捕器、联动杆件等的连接和润滑等情况。

⑮检查井口装载设备,如推车机、爬车机、翻车机、阻车器、摇台或罐座、安全门等的工作情况。

⑯按照《煤矿安全规程》规定,检查提升机钢丝绳的工作状况。

⑰检查钢丝绳在滚筒上的排列情况。

(2)周检除包括日检的内容外,还要进行下列各项工作:

①检查制动系统(盘式闸或块闸),尤其是液压站和制动器的动作情况,调整闸瓦间隙,紧固连接机构。

②检查各种安全保护装置,如过卷、过速、限速等装置的动作情况。

③检查滚筒的铆钉是否松动,焊缝是否开裂;检查钢丝绳在滚筒上的排列情况及绳头固定得是否牢固可靠。

④摩擦式提升机要检查主导轮的压块坚固情况及导向轮螺栓和衬垫等。

⑤检查并清洗防坠器的抓捕器,必要时予以调整和注油;检查制动绳及其缓冲装置的连接情况。

⑥修理并调整井口装载设备的易损零件,必要时进行局部更换。

⑦按《煤矿安全规程》规定,检查平衡钢丝绳的工作状况。

(3)月检除包括周检的内容外,还须进行下列各项工作:

①打开减速器观察孔盖和检查门,详细检查齿轮的啮合情况,两半齿轮用检查锤检查对口螺栓的紧固情况;还应检查轮辐是否发生裂纹等。

②详细检查和调整保险制动系统及安全保护装置,必要时要清洗液压零件及管路。

③拆开联轴器,检查其工作状况,如间隙、端面倾斜、径向位移、连接螺栓、弹簧及内外齿等是否有断裂、松动及磨损等。

④检查部分闸瓦间隙。

⑤检查和更换各部分的润滑油,清洗部分润滑系统中的部件,如油泵、滤油器及管路等。

⑥清理防坠器系统和注油,调整间隙。

⑦检查井筒装备,如罐道、罐道梁和防坠器用制动钢丝绳、缓冲钢丝绳等。

⑧试验安全保护装置和制动系统的动作情况。

二、提升机的维修

提升机的维修分小修、中修和大修。其检修周期和需用时间见表1–2。

表1–2　　提升机的检修周期和需用时间

提升机规格	检修周期(月)			检修需用时间(日)		
	小修	中修	大修	小修	中修	大修
滚筒直径3m以下	4	12	48	1	2	4
滚筒直径3m及其以上	6	24	72	1	4	7

1.小修

小修即对提升机的个别零件进行检修，基本上不拆卸复杂部分，检修内容应以能保证机械设备正常运行到下一次计划检修期为标准。具体要求包括以下各点：

(1)打开减速器上盖，检查齿轮的啮合及磨损情况，轮辐和轮齿有无裂纹，必要时进行更换。

(2)打开主轴轴承上盖，检查轴颈与轴瓦间隙，必要时更换垫片。

(3)检查和清洗润滑系统各部件，处理漏油，更换润滑油，必要时更换密封件。

(4)检查和调整制动系统各部件，必要时更换闸瓦和销轴等已磨损零件。

(5)检查滚筒焊缝是否开裂，铆钉、螺钉、键等有无松动或变形，必要时加固或更换。

(6)检查深度指示器和传动部件是否灵活准确，必要时进行调整处理。

(7)检查各种安全保护装置动作是否灵活可靠，必要时进行重新调整。

(8)检查联轴器的销轴与胶圈磨损是否超限，内、外齿轮啮合间隙或蛇形弹簧磨损是否超限，必要时更换磨损零件。

(9)检查各连接部件、基础螺栓有无松动和损坏，必要时进行更换。

(10)进行钢丝绳的串绳、调头和更换工作。

(11)检查和调整电气设备的继电器、接触器和控制线等，必要时进行更换。

(12)检查日常维修不能处理的项目，保证设备能正常运行到下一次检修期。

2.中修

中修除包括全部小修的内容外，同时还要完成下列各项工作：

(1)更换减速器各部轴承或对使用中轴瓦进行刮研处理。

(2)调整齿轮啮合间隙，或更换齿轮对。

(3)拆检制动闸的制动梁底座的转动销轴，车削制动轮或制动盘。

(4)更换滚筒木衬、天轮或找正天轮。

(5)更换部分电控设备零件。

(6)检修不能保证到下次中修而小修又不能处理的项目。

3.大修

(1)检修或更换减速器的传动轴、齿轮和轴承，并重新进行调整。

(2)重新加固或更换滚筒。

(3)更换主轴瓦并抬起主轴检查下瓦,调整主轴水平。

(4)检测找正各轴间的水平度和平行度。

(5)更换联轴器。

(6)加固机座及其基础。

(7)检修或更换主电动机及其他电控设备。

三、提升钢丝绳的更换

提升钢丝绳在使用过程中,当断丝、锈蚀、磨损等达到《煤矿安全规程》规定时,必须及时更换。

下面以双滚筒单绳缠绕式提升机为例,介绍换绳的基本步骤:

1.换绳前的准备工作

(1)首先,检查新绳的产品合格证,各项技术资料是否齐全、符合要求,铭牌、资料是否完整、相符,并剁取绳样2m送到有资质的检测单位进行检验,合格后方可使用。

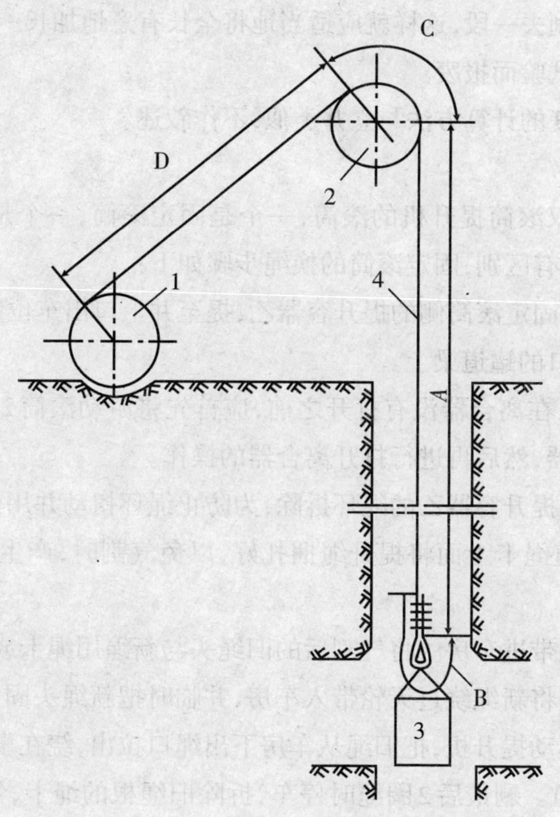

图1-30 换绳长度计算示意图

1——提升机;2——天轮;3——提升容器;4——提升钢丝绳

(2)计算立井缠绕式提升机钢丝绳需用长度按下式计算：

$$L=A+B+C+D+E+F+G(\mathrm{m})$$

式中 L——钢丝绳总长度；

A——提升容器在井下装载位置时，楔形环到天轮中心的距离；

B——绳头回弯长度；

C——天轮围包角内绳长度；

D——天轮到滚筒切点之间的距离；

E——三圈摩擦圈长度，$3\pi D$（D——滚筒直径）；

F——剁n次试验绳头之长（每次3~5m）；

G——绳根需要长度。

各矿井可根据使用绳的寿命情况适当增加或缩短剁绳次数。如有些矿井使用普通圆股钢丝绳，其寿命只有1年多，留2次或3次试验长度就够了；如采用三角股钢丝绳其使用寿命可达3年以上，即留6次以上试验长度。此外，有些矿井在运转中有“咬绳”问题，为错开“咬绳”位置，剁绳时需多剁去一段，这样就应适当地将全长有意地加长一些，以防止还能继续使用的钢丝绳因无法作试验而报废。

斜井用绳所需长度的计算方法与立井类似，不作叙述。

2.钢丝绳的更换

如图1-35所示，双滚筒提升机的滚筒，一个是固定滚筒，一个是游动滚筒。因滚筒不同，所以换绳的方法略有区别，固定滚筒的换绳步骤如下：

(1)搪罐。首先将固定滚筒侧的提升容器乙，提至井上口出车位置，用工字钢搪好，或是用绳扣将容器锁在井口的罐道梁上。

(2)打开离合器。在离合器没有打开之前，应首先将游动滚筒2用地锁锁牢，打开深度指示器传动轴的离合器，然后再进行打开离合器的操作。

(3)拆除绳环。将提升容器乙的绳环拆除，为防止绳环扭动并用棕绳系好拉至井口平地之处，用铅丝在第一道绳卡上面将提升绳捆扎好，以免气割时，产生绳股松散，再气割提升绳。

(4)用旧绳将新绳带进车房。将气割后的旧绳头与新绳用绳卡或铅丝连接在一起，以验绳的速度转动提升机，将新绳绕过天轮带入车房，并临时把新绳头固定在车房内。

(5)拆除旧绳。起动提升机，把旧绳从车房下出绳口拉出，绕在事先准备好的木轮上（如无木轮也可盘在地上）。剩最后2圈绳时停车，拆除旧绳根的绳卡，然后继续开车把旧绳根拉出。

(6)缠新绳。把新绳绳头穿入固定滚筒绳眼，到适当的位置并用绳卡固定好，然后起动提升机转动，缠绕新绳。

(7)连接提升容器，合上离合器。将已做好的新绳环从木轮上取下，装在提升容器乙上，装好后即可稍微上提抽出搪罐梁。然后再将容器乙继续上提一段距离以备钢丝绳伸长(一般为井深的0.4%)。进行离合器合上的操作,同时把游动滚筒的地锁拆除和解除制动,准备试车。

(8)试车。先以慢速提升1次,无问题后,方可全速提升2~3次,仍无问题,则再重罐试验8~10次左右,以备新绳伸长后调绳。

(9)调整新绳。将一提升容器放在井下装载位置,观看上井口容器与卸载位置高差多少,若影响装卸载时,则应打开离合器调绳,调绳时应注意将上井口容器稍高一点,以备绳的继续伸长。

游动滚筒的换绳方法与上述相似,所不同之处是离合器打开与闭合多几次,其他步骤均相同。

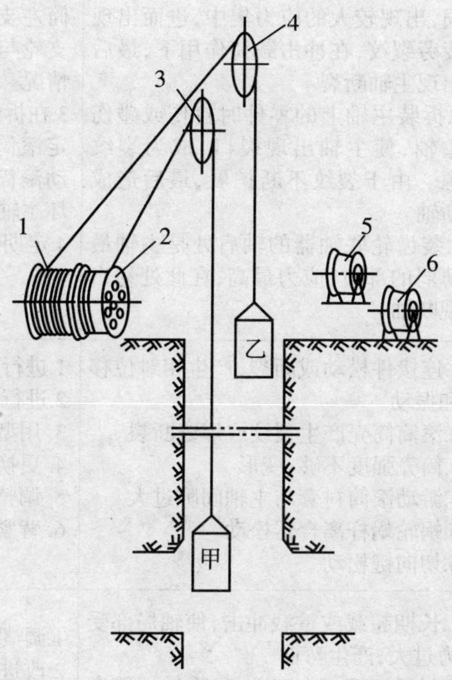

图1-35 双滚筒提升机换绳示意图

1——固定滚筒;2——活滚筒;3.4——天轮;5.6——木绳轮;甲、乙——提升容器

四、矿井提升系统常见故障原因与故障处理

1.主轴及滚筒

故障现象	故障原因	处理方法
滚筒壳产生裂缝	1.局部受力过大,连接件松动或断裂 2.筒壳钢板太薄 3.木衬磨损或断裂 4.对缝焊接质量不好	1.在筒壳内部加立筋或支环,拧紧螺栓 2.进行精确计算,更换筒壳 3.更换木衬滚筒 4.重新焊接
主轴出现断裂事故	1.长期超负荷运行,特别是因使用维护不当造成外伤、产生裂纹 2.主轴滑动配合表面润滑不良,在长期缺油的情况下运行,造成主轴磨损,出现较大的应力集中,进而出现疲劳裂纹,在冲击载荷作用下,最后出现主轴断裂 3.拆装主轴上的零件时打伤或碰伤主轴,使主轴出现裂口,成为裂纹源。由于裂纹不断扩展,最后造成断轴 4.装齿轮联轴器的轴肩处是主轴最薄弱的部位,应力最高,在此处易出现断轴	1.提升机严禁超负荷使用 2.维修人员必须定期检查固定滚筒左支轮,游动滚筒左支轮及右支轮与主轴滑动配合表面的润滑情况 3.在拆装主轴上的齿轮联轴器、固定滚筒右支轮等处的切向键、游动滚筒的铜瓦时,严禁打伤和破坏主轴 4.定期对主轴实行无损探伤检查
滚筒产生异响	1.连接件松动或断裂,产生相对位移和振动 2.滚筒筒壳产生裂纹或焊缝断裂 3.筒壳强度不够、变形 4.游动滚筒衬套与主轴间隙过大 5.蜗轮蜗杆离合器松动 6.切向键松动	1.进行紧固或更换 2.进行补焊 3. 用型钢作筋进行增补强度 4. 更换衬套,适当加油 5. 调整蜗轮蜗杆离合器 6. 背紧键或更换键
主轴弯曲	1.长期超载或重载冲击,使轴局部受力过大,产生弯曲 2.材质不良或加工装配质量不符合要求	1.调整并防止超载运转或重载冲击 2.改进材质和加工装配质量,进行调整或更换,定期检查
滚筒轮毂或内支轮松动	1.连接螺栓松动或断裂 2.加工和装配质量不合要求 3.与主轴连接处切向键松动 4.维护、加油不及时	1.紧固或更换连接螺栓 2.检修和重新装配 3.备紧或更换切向键 4.加强维护,及时注油润滑
轴承发热、烧坏	1.缺润滑油或油路阻塞 2.油质不良 3.间隙小或瓦口垫磨轴 4.与轴颈接触面积不够 5.油环卡塞	1.加油或疏通油路 2.清洗过滤器或换油 3.调整间隙及瓦口垫 4.刮瓦研磨 5.维修油环

2.调绳离合器

离合器油缸(气缸)内有敲击声	1.活塞安装不正确 2.活塞与缸盖的间隙太小	1.进行检查,重新安装 2.调整间隙,使之不小于2~3mm
轴向齿轮式调绳离合器离、合困难	1.齿轮与齿圈相对位置未对好 2.外齿轮与内齿圈上有毛刺 3.内齿圈与轮毂间的尼龙瓦磨损超限,滚筒下沉	1.可稍转动提升机,使齿轮与齿圈对称 2.进行修整,去除毛刺 3.可用千斤顶或机房中的专用起吊设备顶起或吊起滚筒,然后进行离、合作业,彻底解决方法是更换尼龙瓦
离合器发热	离合器沟槽口被脏物或金属碎屑污染	用柴油清洗、擦拭,加强润滑
游动滚筒卡在轴上,不能移动	游动滚筒的轴套润滑不良或尼龙套粘结在轴上	加强润滑,更换尼龙套,加油管弯头为直角应改为弯管
径向齿块离合器齿侧间隙过大	1.加工时不符合要求 2.因间隙过大造成起动时有冲击声	1.重新更换符合要求的齿块 2.更换长度适当的连杆,以保证适当的齿侧间隙
轴向齿轮式离合器调绳油缸与联锁阀漏油	1.阀关闭不严 2.密封圈损坏	1.拆检、清洗干净、重装 2.更换密封圈。最好将联锁中的“O”形圈,改为聚氨酯材料的“Y”形圈
提升机在运转过程中,调绳离合器突然脱开	1.联锁阀的锁销未插入轮毂的环形槽中或活塞杆的缺口中 2.压力油进入调绳油缸	1.拧紧弹簧后面的盖,弹簧受到压缩使锁销推出 2.在管路中增加截止阀,调绳作业后将阀关死

3.减速器

减速器齿轮严重磨损，齿面出现点蚀现象	1.装配不当，啮合不好，齿面接触不良 2.加工精度不符合要求 3.负荷过大 4.材质不佳，齿面硬度偏小，跑合性和抗疲劳性能差 5.润滑不良，或润滑油选择不当	1.调整装配 2.进行修理 3.调整负荷 4.更换或改进材质 5.加强润滑，或更换润滑油
减速器有异响和振动过大	1.齿轮装配啮合间隙不合适 2.齿轮加工精度不够或齿形不对 3.各轴水平度及平行度偏差太大 4.轴瓦间隙过大 5.齿轮磨损过大 6.键松动 7.地脚螺栓松动 8.润滑不良	1.调整齿轮间隙 2.进行修理或更换 3.调整各轴的水平度和平行度 4.调整轴瓦间隙或更换齿轮 5.进行修理或更换齿轮 6.背紧键或更换齿轮 7.紧固地脚螺栓 8.加强润滑
齿轮变形	1.材质太软 2.润滑不良或是干摩擦 3.超载运行	1.更换齿轮 2.加强润滑或提高润滑油标号 3.合理载荷，严禁超载
传动轴弯曲或折断	1.各轴线不平行或不垂直，轴弯曲应力过大 2.齿间掉入金属异物或断齿进入另一齿轮齿间空隙，使两齿轮齿顶相互顶撞 3.材质不佳或疲劳 4.加工质量不符合要求	1.进行调整、校正 2.经常检查，发现断齿或出现异响即停机处理 3.改进材质或更换 4.改进加工方法，保证加工质量
轮齿折断	1.齿间掉入金属物体 2.重载荷突然或反复冲击 3.材质不佳或疲劳	1.清除异物 2.采取措施，杜绝反常的重载荷 3.改进材质，更换齿轮

4.制动系统

制动器抱闸或松闸的速度缓慢	1.传动拉杆长短不符合要求，调整机构调整得不合适 2.销轴与孔松旷，磨损过大，或锈蚀严重 3.制动器操纵手把给不到位置或移动角度不合适 4.制动力矩不够或弹簧力小	1.适当进行调整 2.修配或更换销轴和清洗除锈 3.检修或调整操纵手把 4.检修或更换弹簧
制动或松闸不灵活	1.各传动杆件不灵活 2.销轴缺油或烧结 3.制动缸卡缸 4.油压不够，或气压过低	1.调整制动杆件 2.清洗或注油，拆检、修理或更换 3.检查并调整制动缸 4.检查管路是否堵塞或泄漏
闸瓦局部过热或烧焦	1.制动力分布不均，调整不当 2.局部接触，单位压力过大 3.闸瓦和闸轮间隙不均匀	1.调整拉杆长度 2.进行检修调整 3.调整间隙，增加闸瓦接触面积
闸瓦偏磨或磨损较快	1.闸瓦和闸轮中心偏差过大 2.闸瓦间隙不均匀、偏斜 3.闸瓦与闸轮接触表面粗糙 4.闸瓦材质不符合要求	1.调整一致 2.调整间隙 3.进行调整闸瓦或车削闸轮 4.更换闸轮
制动力矩不足	1.制动重锤重量不够或盘形弹簧弹力不够 2.闸瓦与闸轮或制动盘接触面积小，表面粗糙度低，使摩擦系数降低 3.制动油缸严重磨损	1.验算制动力矩或检查盘形弹簧弹力是否合适及有无疲劳现象 2.提高表面粗糙度，增加闸瓦与闸轮或制动盘的接触面积 3.检修或更换制动油缸
制动油缸卡缸	1.活塞皮碗老化变硬或与缸壁配合过紧 2.滤油器失效，压力油太脏 3.活塞底部压环螺钉松动脱落，使压环偏斜	1.调整松紧程度或更换活塞皮碗 2.清洗过滤器，定期换油 3.紧固压环螺钉，安装防松装置
制动油压上不去	1.油泵中进入空气或叶片有锈卡现象 2.密封件损伤，产生泄漏 3.油质太脏，堵塞油路	1.排出空气或检修油泵 2.更换密封件 3.换油，疏通油路
运转中突然降压，松不开闸	1.溢流阀的节流孔堵塞或滑阀被卡住 2.电液调压装置控制阀和喷嘴接触不严 3.溢流阀的控制室密封不严，或与电液调压装置间的连接管漏油 4.电液调压装置的动线圈引出线焊接不牢固	1.进行检查清洗 2.进行研磨、调整 3.加强密封 4.检查并焊接牢固
油泵起动1min，溢流阀不见回油，同时压力表指示“0”	1.油泵吸不上油	将油泵电动机反转，发现油面有翻腾现象，再进行正转，就会吸油上压

油泵起动后溢流阀有回油，油压升高时油面有气泡，有噪音	1.联轴器处塑料端盖破裂，螺钉松动，大量空气进入泵内 2.出油口处的端盖未压住配油盘，使空气进入泵体内 3.吸油口的滤油器被堵，吸油阻力加大，空气进入泵内	1.将端盖更换同样规格的尼龙端盖或铁盖 2.在出油口处的端盖和配油盘之间增加透明纸垫 3.将吸油口处的滤油器内脏物清理干净
油泵正常，动线圈电流为零时，油压上升到松闸状态，但油压不可调整	喷嘴中有脏物，但未完全堵塞住	从喷嘴中取出脏物
安全装置中的各集油路之间漏油，且油压下降，松不开闸	各油路之间的联接螺钉松动	将螺钉拧紧
工作油压正常，但松不开闸或只松开一部分闸	电磁阀所需电压过高或过低，将线圈烧坏	检查电气线路及电磁阀线圈，处理或更换损坏件
工作油压升高到某一值时，液压表出现高频振动，影响开车	1.电源电压不稳定与其他自振频率相等或相近，产生高频振动 2.十字弹簧、溢流阀中的小弹簧均有自己的自振频率	1.调整电源电压，使其稳定在要求范围内 2.调整磁钢空隙使其均匀，将十字弹簧予以固定

5.深度指示器

丝杠弯曲	1.丝杠磨损超限，刚度不够 2.丝杠螺母别劲	1.更换新的丝杠 2.调整或更换丝杠螺母
传动伞齿轮松动或键窜出来	1.键松动 2.键挡板不起作用	1.按键槽研配新键 2.修整和上紧键挡板
丝杠晃动	1.上下轴承不同心，间隙过大 2.传动箱内传动轴的轴向窜量大，轴承调整不合适	1.进行调整或更换轴承 2.检查调整，消除轴向窜量
传动装置的小圆锥齿轮轴折断	1.安装、调整不正确，别劲 2.设计结构不够完善 3.使用维护不当，使圆锥齿轮副运行间隙过小，别劲运行，造成疲劳折断	1.重新调整 2.将主轴轴头上的大圆锥齿轮由固定在主轴轴头上的结构改为主轴浮动的结构 3.调整齿轮副间隙
传动轴折断	1.传动轴细长，刚度小，易出现弯曲变形 2.整个系统为3支点固定，安装找正困难，易出现别劲，造成疲劳折断	1.可将传动轴改为万向接头 2.为防止断轴后发生事故，可增加断轴保护装置
圆盘式指示器指针振动或出现爬行	1.机械阻力过大或自整角机发生问题 2.指示器的密封不严，进入粉尘，或自整角机有毛病	1.调整机械传动部分，检查自整角机 2.重新密封，或更换自整角机
自整角机出现嗡嗡的声音	自整角机的轴变弯或机械阻力过大	更换自整角机，调整机械阻力

紧急制动后，圆盘指示器指示容器的位置与容器的所在实际位置不一致	此种现象常出在外部电源或控制电源断电后产生的，造成发送自整角机和接收自整角机的角度大于90°，产生不同步	将容器提至正确的位置后，用手拨指针到正确位置
双滚筒提升机进行调绳后，圆盘指示器传动装置中游动滚筒的限速圆盘发生走动现象	圆盘式指示器有两个限速圆盘，正常运行时靠摩擦片带动其旋转；调绳时，游动滚筒限速的限速圆盘与蜗轮轴脱开，使其固定不动，如2摩擦片脱开不彻底，调绳时即出现2个圆盘都转动的现象	调绳时将摩擦离合器彻底松开，并将游动滚筒的限速圆盘用锁紧装置锁住
在正常运转中，圆盘指示器的减速开关或过卷开关出现漏信号现象	1.从机械方面看，主要是减速开关或过卷开关在安装时固定螺栓未拧紧，行程开关滚子中心未对准限速圆盘的回转中心，碰板装置上的减速板不灵活，有脏物卡住 2.从电气方面看，有线接头松脱、断线，电气元件失效	1.检查安装误差，拧紧固定螺栓，并在开关底面塞上垫片，以免开关下移。经常清洗减速碰板 2.重新接线，更换失效元件

6.联轴器

齿轮联轴器的轮齿折断	1.轮齿磨损超限或轮齿材质较差 2.两轴水平度偏差大，轮齿啮合不好 3.油量不足，润滑不良	1.进行检修和更换 2.调整水平度，保证啮合良好 3.加强润滑
联接螺栓折断	1.两轴水平度偏差太大，转动时别劲 2.螺栓材质不符合要求，或螺栓已磨细，强度不够 3.螺栓与螺孔配合间隙过大，或螺孔磨成椭圆，松旷	1.检查调整水平度 2.更换螺栓 3.检修扩孔，配制新螺栓
蛇形弹簧折断	1.蛇形弹簧材质不良或制造质量差 2.两轴水平度偏差大或端面间隙过大 3.润滑脂不充足，润滑不良 4.司机操作不当，起动过急	1.更换合格的蛇形弹簧 2.进行检修调整，端面间隙符合要求 3.加强润滑 4.按有关规定进行操作

7.提升钢丝绳

钢丝绳磨损和断丝过快	1.钢丝绳排列不整齐,无顺序地乱缠 2.无木衬或木衬损坏 3.调头不及时 4.冲击载荷大,次数多 5.钢丝绳缺油 6.选用钢丝绳质量不符合要求,材质较差 7.双层缠绕时,临界段未设过渡块	1.及时进行调整或调整钢丝绳的偏角,加设导轮 2.采取措施,增设或更换木衬 3.及时调头 4.采取措施,防止冲击 5.定期涂油或注油,保证一月一次 6.按标准选用钢丝绳 7.及时调整窜换位置或增设过渡块
多绳摩擦式提升机钢丝绳打滑	1.钢丝绳在悬吊前未清洗干净,存有防锈油 2.操作时减速度差过大 3.摩擦衬垫的摩擦系数小 4.超负荷	1.清洗擦拭干净,涂增摩脂或戈培油 2.提高操作水平,施闸不要过猛 3.采用聚氨酯衬垫 4.采用轻负荷,达到防滑极限的要求
使用中的钢丝绳出现鼓肚	1.绳芯腐朽或拉断 2.多层股钢丝绳里层股断丝过多	1.立即换绳 2.检查、换绳
使用中的钢丝绳出现绳股松散	1.某捻矩内断丝超过规定 2.截绳时未扎牢	1.验算安全系数,或更换 2.将松散股赶至绳头端,重新卡绳

第二部分　专业核心知识点

1.《煤矿安全规程》对提升容器、罐道、防坠器及钢丝绳等提升系统各组成部分的安全要求。

2.提升钢丝绳的正确选用与维护。

3.矿井提升机的安全保护装置。

4.矿井提升机的操作方法与安全注意事项。

5.矿井提升机的日常维护与检修的内容。

6.矿井提升机的常见故障原因分析及处理。

第三部分　专业技能训练

技能一　主提升机的操作运行

技能训练目的

1.掌握矿井提升机的主要组成及工作原理。

2.会正确操作矿井提升机。

技能训练内容

进行此项技能训练，教师应首先带领学生到提升机房认识主提升机的各组成部分，口述各部分的功用，然后分组学习提升机的整个操作程序及操作运行中的安全注意事项。现以2JK–2.5/20A型提升机的操作为例，介绍主提升机的操作技能训练内容：

一、操作前的准备工作

1.各紧固螺栓不得松动，联结件应齐全紧固。

2.联轴器应符合规定，防护罩应可靠。

3.减速器油量适当，液压泵站及其管路完好且无泄露。

4.各种保护装置和电气闭锁必须完好无损。

(1)试验过卷保护。人为用绝缘拉杆触动过卷行程开关使之动作，安全回路断电则说明完好。

(2)松绳保护。人为拉动松绳保护开关，拉绳使之动作，如果安全回路断电则说明完好。

(3)脚踏紧急制动。用脚踩操作台右下方脚踏开关，如果高压断路器和安全回路断电则说明完好。

(4)闸瓦磨损保护。人为触动盘形闸上闸瓦磨损行程开关，如果安全回路断电则说明完好。

(5)油压系统的过压和欠压保护。触动电接点温度计试验按钮，如果安全回路断电则说明完好，灵敏可靠。声光和警铃都必须灵敏可靠。

5.制动系统中，闸瓦闸路表面应清洁无油垢，液压站油泵运转应正常，各电磁阀动作灵活可靠，位置正确，液压站油质油量正常，盘式制动器不漏油。

6.各种仪表指示应准确。

7.信号系统应正常。

8.检查钢丝绳排列整齐，无乱绳、咬绳现象。

二、操作顺序

1.正常情况下的操作顺序

(1)启动：收到开车信号，确定提升方向→开动辅助设备→松开工作闸→操作主令手柄

→开始启动→均匀加速→达到正常速度，进入正常运行。

（2）提升机在启动和运行过程中，应随时注意观察以下情况：

①电流表、电压表、油压表等指示仪表的读数应符合规定。

②深度指示器指针位置和移动速度应正确。

③信号盘的信号变化情况。

④各运转部位的声响应正常。

⑤各保护装置的声光显示应正常。

⑥下放时，注意钢丝绳跳动有无异常，上提时电流表有无异常摆动。

2.提升机正常减速与停车

（1）根据深度指示器指示位置或警铃示警及时减速，将主令控制器推（或拉）到“0”位。

（2）用工作闸点动施闸，按要求及时准确减速。

（3）对有动力制动的提升机要注意观察，使制动电源正常投入，以确保提升机正常减速；

（4）根据终点信号，及时用工作闸准确停车，防止过卷。

（5）提升机长时停运，应按下“制动液压泵停止”按钮。

三、操作运行中的注意事项

参照本章第五节中的相关内容。

技能二　主提升机的日常检查

技能训练目的

1.能针对各提升机的性能、结构特点、工作条件以及维护经验，制定检修的具体内容。

2.熟练掌握检查内容及检查方法。

技能训练内容

技能训练可在实训室或现场进行。具体检查内容参照本章第六节提升机定期检查中对日检的要求，逐项对提升机进行检查，发现问题后分析原因并提出解决办法。

复习题

1.矿井提升设备的主要组成部分有哪些？各有什么作用？

2.矿井提升容器的类型有哪些？各有何特点？

3.制动钢丝绳防坠器的主要作用及其工作原理是什么？

4.井架有哪些类型？分别有何特点？

5.煤矿选用钢丝绳时应考虑哪些因素？

6.单绳缠绕式提升机的组成及作用是什么？

7.深度指示器有哪几种类型？分别有何特点？

8.多绳摩擦式提升机的组成及工作原理是什么?

讨论题

结合以下事故案例分析的内容,讨论你所在矿井提升系统存在的安全隐患,并提出可行性防范措施。

事故案例分析1

事故经过:

某矿主司机开车,副司机监护,当时副钩在卸载位置卸煤后下放,当箕斗下放约4.5m时,电脑保护动作自动抱闸停车并发出警示,停车后监护司机随手拖了一下点,又到出绳孔处检查,见绳未搭到松绳保护上,没有往外看大绳情况,就又折了回来,主司机在没有采取任何措施的情况下又二次加电提升,在尚未加到全速时突然听到一声巨响,看到滚筒后边冒火星,停车后发现副钩钢丝绳断开,箕斗坠入井筒。现场勘查发现,箕斗带20m左右钢丝绳坠入井底清煤仓内,地面井架下断有约10m钢丝绳,剩余250m钢丝绳在滚筒上缠绕,提升机运行距离约14m。箕斗坠井后,底部严重变形损坏,同时使井筒装备、井底装载设备、清煤煤仓设备等不同程度损坏,影响生产156h,直接经济损失35万元。

事故原因:

(1)监护司机在异物卡住箕斗、提升机松绳、电脑动作自动抱闸停车并发出警示时,没有弄清情况随手拖点,对副钩箕斗松绳又不仔细检查,误导主司机二次加电开车,是造成此次事故的直接原因;

(2)主司机在异物卡住箕斗、提升机松绳、电脑动作自动抱闸停车并发出警示时,不认真检查,在情况不明时二次加电开车,也是造成此次事故的重要原因;

(3)主井提升机维护工日常检查工作不负责任,未能及时发现和处理提升机松绳保护装置动作不灵敏的隐患,致使松绳保护未动作,是造成此次事故的重要原因。当班班长在异物卡箕斗松绳后现场处理不到位,没有采取得力措施制止司机二次加电开车,也是造成此次事故的重要原因;

(4)对职工安全教育不够,安全管理不到位,规章执行不严。

防范措施:

(1)完善大型提升运输设备各种安全保护装置,确保灵敏可靠,对主井松绳保护由一道改为两道,一道为压接式,一道为接触式;

(2)加强检修,提高检修质量,落实班组长和检修人员责任,挂牌管理;

(3)抓好职工安全技术培训,使广大职工熟悉岗位操作技能,增强安全意识,养成按章操作的良好习惯。

事故案例分析2

事故经过:

某矿副井罐笼在上井口上多人后,机二队把钩工关上安全门,没有吹哨。机二队上井口信号工见安全门已关闭，就打点下车。此时，又有工人准备上罐笼，机二队把钩工就再次打开安全门让乘罐人员上罐。乘罐人员正在上罐时，罐笼启动，信号工及时打点停车，但罐笼已下落700mm，险些酿成伤亡事故。

事故原因：

（1）信号工工作不负责任，未收到把钩工信号就违章发出开车信号，严重违章操作；

（2）上井口安全门闭锁装置不完善，在发出开车信号后，安全门仍能打开，给事故埋下了隐患。

防范措施：

（1）严格落实井口信号工、把钩工等特殊工种人员的责任，按章操作；

（2）加强对主、副井重大提升运输系统各类安全保护的检修检查，做好每班交接班前的试验和检查。

2.提升机操作运行中的注意事项有哪些？

3.对钢丝绳的维护与检查有哪些规定？在日常工作中需注意哪些问题？

第二章　矿井排水设备

第一部分　系统理论知识

第一节　概　述

煤矿在建设与生产过程中，会有大量涌水汇集在井下，其中包括大气降水、地表水、含水层水、断层水，以及水力采煤、综采用水和充填用水。这些水如不及时排出，不但影响生产，而且会威胁到矿井和工作人员的安全。因此，必须设置排水设备，及时把水排出。

矿井的涌水量是指单位时间涌入矿井的总水量，单位是m^3/h。涌水量与矿井的位置、地形、水文地质、地区气候及开采方法等条件有关。同一矿井在不同季节涌水量是不同的，在雨季和融雪季节涌水量大，称为最大涌水量；其他时期涌水量比较均匀，称为正常涌水量。

由于溶解在水中的物质不同，矿井水按PH值的大小分为酸性水、中性水和碱性水，当水呈酸性时，会对排水设备加速腐蚀，要求选用耐酸的排水设备或采取防酸措施。

一、矿井排水系统

矿井排水系统主要从矿井深度，开拓系统各水平涌水量的大小来考虑，使其达到安全可靠、耗电量少、经济合理、投资少的最佳排水系统。一般可分为：

(一) 集中排水系统

如图2–1a所示，在竖井单水平开采时，可以将全矿涌水，借自重由水沟引至井底车场主水仓，再由主排水设备直接排至地面。在多水平开采时(如图2–1(b))，如果上水平的涌水量不大，可以将上水平涌水放到下水平的水仓中，再由主排水设备集中排至地面，这样便省去了上水平的排水设备，但增加了电耗。

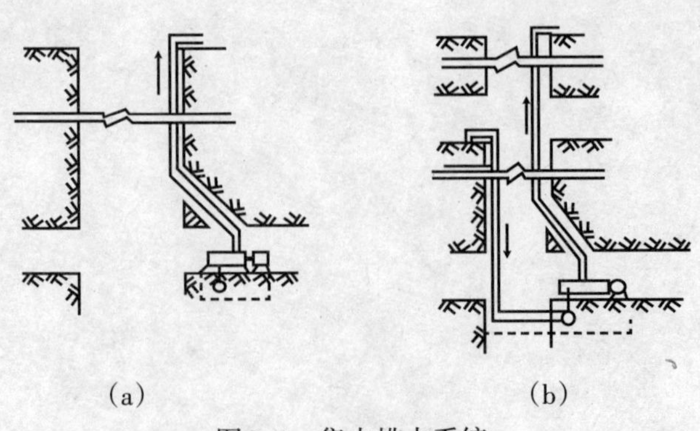

图2–1　集中排水系统

斜井集中排水时，除沿副井井筒敷设管道外，还可以通过钻孔设排水管直接将水排至地面，如图2-2所示。这种办法可以减少管材的投资和管道的沿程损失。集中排水总的来说系统简单，开拓量少，基建费用低。

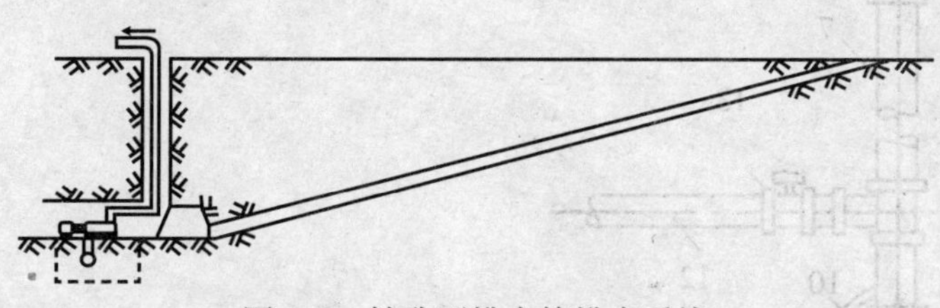

图2-2　钻孔下排水管排水系统

(二)分段排水系统

深井单水平开采时，若水泵的扬程不足以直接把水排至地面，可在井筒中部开拓泵房和水仓，把水先排至中间水仓，再排至地面，如图2-3(a)所示。对多水平开采的矿井可在各水平分别设置主排水设备，将各水平的涌水分别排至地面，如图2-3(b)所示。也可将下水平的涌水用辅助水泵排至上水平，然后再由上水平的主水泵将水排至地面，如图2-3(c)所示。

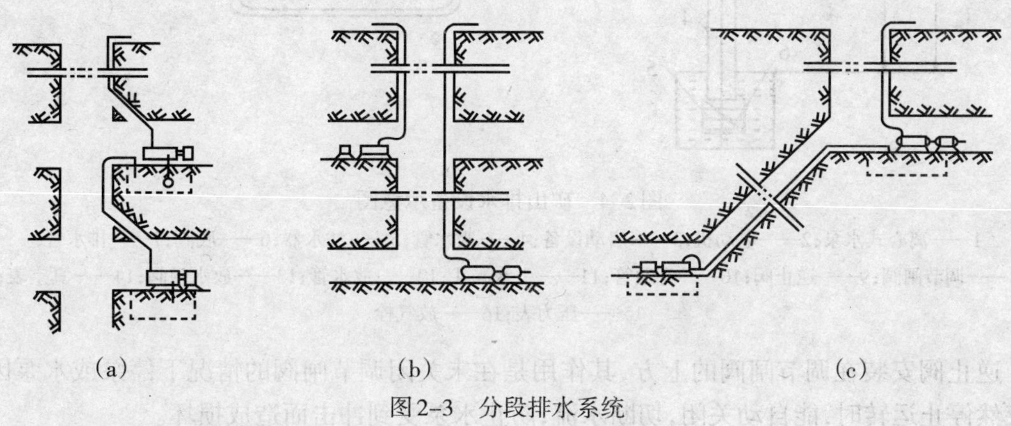

图2-3　分段排水系统

二、矿井排水设备的组成

如图2-4所示，矿井排水设备主要由水泵、电动机、启动设备、仪表、管路及管路附件等组成。

滤水器装在吸水管末端，它的作用是防止水泵内吸入水中杂物堵塞或磨损水泵。滤水器应在水面0.5m以下。滤水器内的底阀是用于防止水泵启动前充灌的引水以及停泵后的存水漏入吸水井中。

灌引水漏斗的作用是在水泵初次启动前，用来向吸水管中灌引水。在灌引水的同时要将水泵和吸水管中的空气通过放气栓放掉。

压力表安装在水泵的排水接管上，用于检测排水管中的压力的大小。真空表安装在水泵的吸水接管上，用以检测水泵吸水口处的真空度。

调节闸阀安装在靠近水泵的排水管路上，位于逆止阀的下方。其作用是调节水泵的流量和扬程，另外在水泵启动前将其关闭，以降低启动功率。

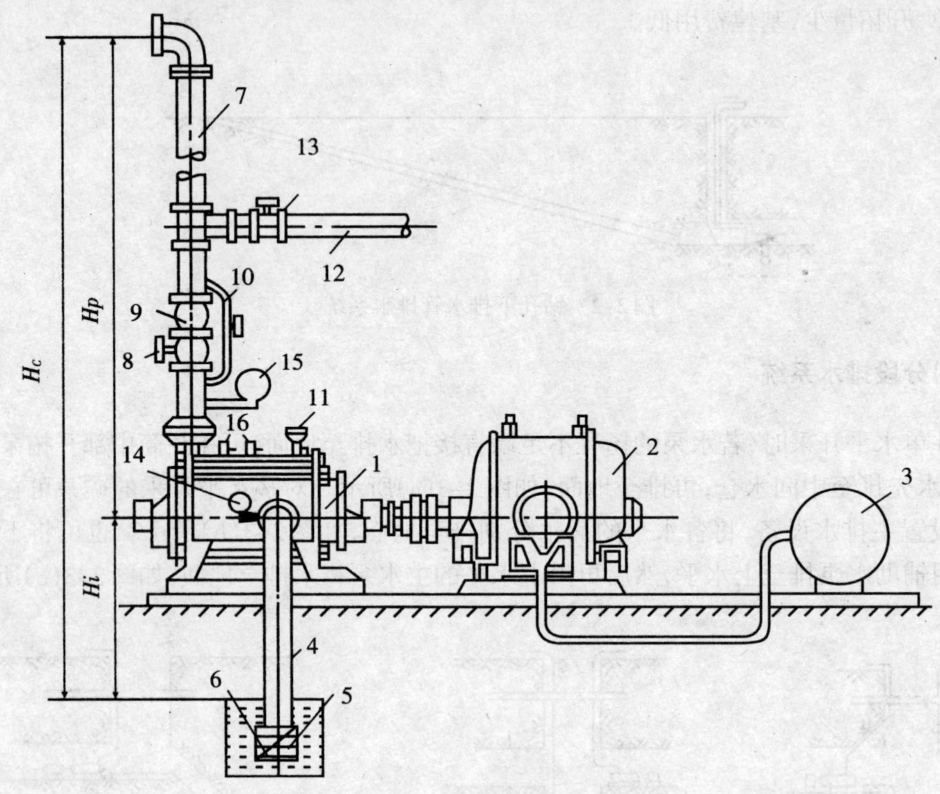

图2-4　矿山排水设备示意图

1——离心式水泵；2——电动机；3——启动设备；4——吸水管；5——滤水器；6——底阀；7——排水管；8——调节闸阀；9——逆止阀；10——旁通管；11——引水漏斗；12——放水管；13——放水闸阀；14——真空表；15——压力表；16——放气栓

逆止阀安装在调节闸阀的上方，其作用是在未关闭调节闸阀的情况下停泵或水泵因故障突然停止运转时，能自动关闭，切断水流，防止水泵受到冲击而造成损坏。

旁通管连接在逆止阀和调节闸阀两端，当水泵再次启动时，通过其将排水管的水引入泵内。

放水闸阀安装在排水管路的放水管上，其作用是当检修水泵或排水管路时，打开放水闸阀，将排水管路中的水通过放水管放回吸水井。

第二节　离心式水泵的结构与工作原理

一、离心式水泵的分类与工作原理

1.离心式水泵的分类

(1)按叶轮数目分：

①单级水泵，泵轴上仅装有一个叶轮。

②多级水泵,泵轴上装有多个叶轮。

(2)按叶轮进水口数目分:

①单吸水泵,叶轮上只有一个进水口。

②双吸水泵,叶轮两侧都有进水口。

(3)按泵体的拆装方式分:

①分段式水泵,泵壳接缝垂直于泵轴心线的平面。

②中开式水泵,泵壳接缝通过泵轴心线的平面。

(4)按泵轴的位置分:

①卧式水泵,水泵轴呈水平位置。

②立式水泵,水泵轴呈垂直位置。

(5)按比转数分:

①低比转数水泵,比转数n_3=40~80 。

②中比转数水泵,比转数n_3=80~150。

③高比转数水泵,比转数n_3=150~300。

(6)按水泵的安装分:

①固定式水泵,将水泵固定到水泵房内工作,是矿井的主排水设备。

②移动式水泵,将水泵安装后可以移动其工作位置,是矿井的辅助排水设备,常用于掘进或淹没巷道的排水。

在煤矿中,主要排水设备常用D型水泵。D型泵是单吸多级分段式离心泵,输送液体的温度一般不超过80℃,并有清水泵和耐酸泵之分,具有流量和扬程范围较大、效率高、工作平稳等特点,适合矿山排水。井底水窝和采区局部排水常用IS型单级离心式水泵。

2.离心式水泵的型号表示方法

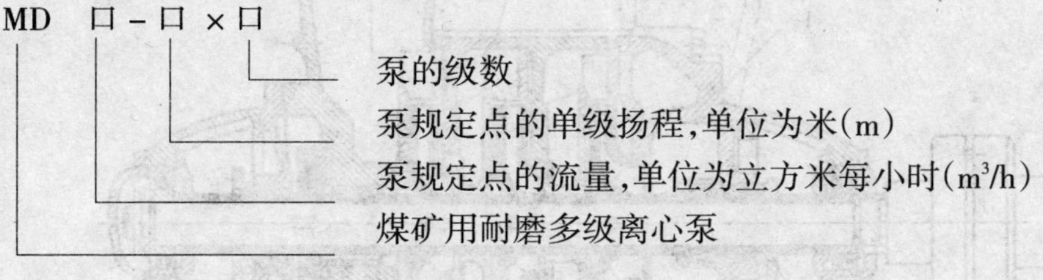

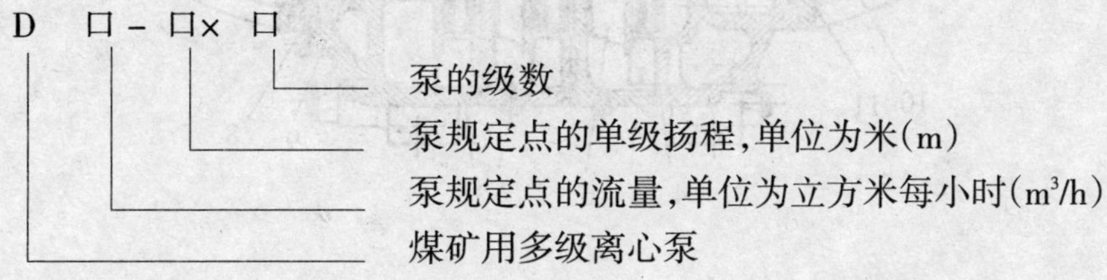

3.离心式水泵的工作原理

图2-5为一单吸单级离心式水泵的结构示意图。主要由外壳、叶轮、泵轴和轴承等组成。外壳为一螺旋形扩散室,吸水口和排水口分别与吸水管和排水管连接。叶轮是向水传递能量的主要部件,叶轮固定在泵轴上,由轴带动旋转。

水泵启动前,先由灌水漏斗向泵内充灌满引水,然后启动电机。电机带动轴使叶轮高速旋转,产生离心力,叶轮内的水在离心力的作用下被甩向叶轮周围,叶轮的中心部位即形成具有一定真空度的低压区,此时吸水井的水就在大气压力的作用下,经滤水器冲开底阀,通过吸水管进入水泵。由于叶轮连续运转,吸水井中的水就不断地压入叶轮入口,形成连续流动。

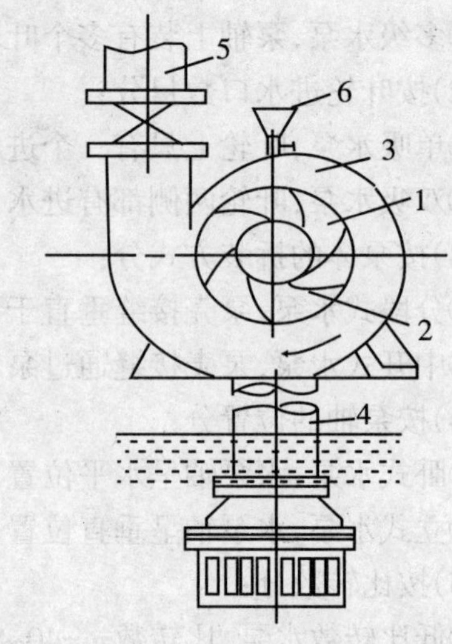

图2-5 单级离心式水泵结构示意图

1——叶轮;2——叶片;3——外壳;4——吸水管;5——排水管;6——灌水漏斗

二、离心式水泵的结构

D型泵主要由转动部分、固定部分和密封部分等组成。下面介绍各组成部分的结构及作用。

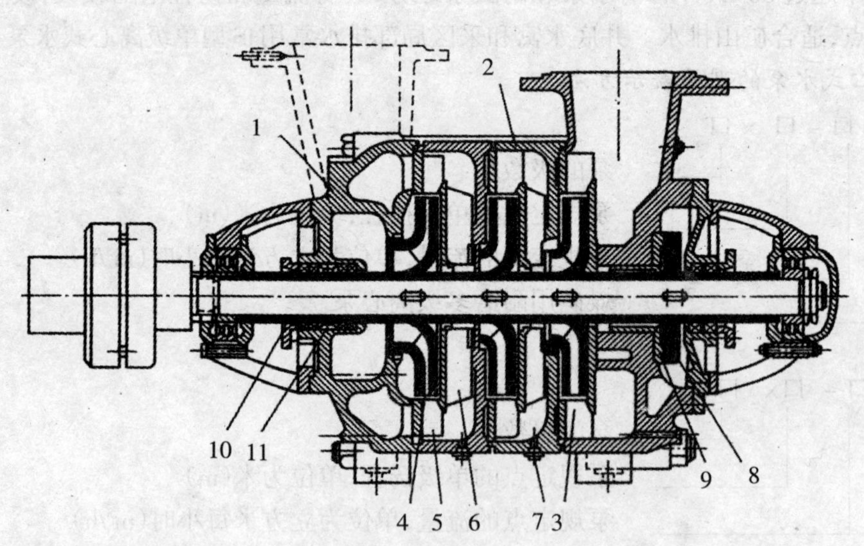

图2-6 D型多级离心式水泵结构图

1——进水段;2——中间段;3——出水段;4——第一级叶轮;5——导水圈叶片;6——返水圈叶片;7——放水孔;8——平衡盘;9——平衡座;10——填料压盖;11——水封环

(一)转动部分

主要由泵轴、叶轮、平衡盘和轴承组成,叶轮和平衡盘装在泵轴上,泵轴支撑在两端的轴承上,在电动机的带动下一起转动。

1.泵轴

泵轴主要用来传递扭矩,与叶轮和平衡盘用键连接。为防止泵轴锈蚀,泵轴与水接触的部分装有轴套,轴套锈蚀和磨损后可更换新的,从而延长泵轴的使用寿命。

2.叶轮

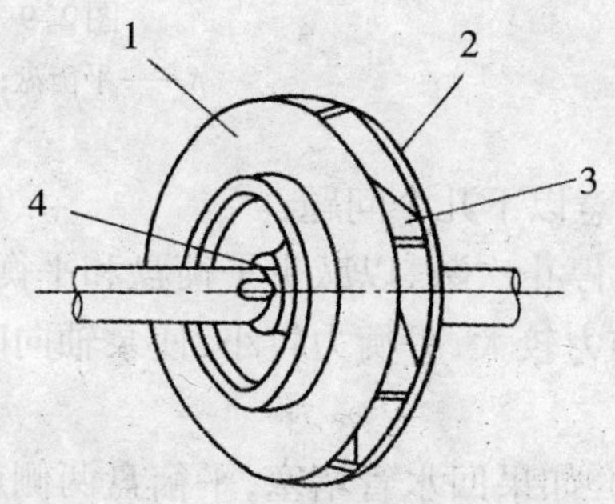

图2-7　叶轮结构示意图

1——前轮盘;2——后轮盘;3——叶片;4——轮毂

叶轮是离心式水泵的主要部件,通过它把电动机的机械能转化成水的压力能和动能。如图2-7所示,叶轮由前轮盘、后轮盘、叶片和轮毂组成。叶片有前弯、径向、后弯3种型式,因后弯叶片的叶轮效率高,所以离心式水泵大都采用后弯叶片的叶轮。第一级叶轮的入口直径比其他叶轮的入口直径要大,这样可以减小水进入首级叶轮的速度,提高水泵的抗汽蚀性能。

3.平衡盘

如图2-8所示,从叶轮流出的高压水,一部分会通过叶轮与泵壳之间的空腔,作用在叶轮的前、后轮盘上,由于前、后盘面积不同,因此作用力不平衡,将叶轮推向吸水口方向,因此产生向吸水侧的轴向推力。由于轴向力很大,如不进行平衡,水泵将不能工作。

平衡盘和平衡座是用来平衡叶轮产生的轴向推力的。平衡盘用键固定在泵轴上,平衡座用螺钉固定在出水段。平衡盘的作用是消除水泵的轴向推力。它通过键固定在最后一级叶轮后面的泵轴上,与叶轮与泵轴组成一体。如图2-9所示,平衡盘与平衡座之间L_2为平衡室,经窜水间隙L_1与最后一级叶轮的高压水相通。平衡盘的平衡原理如图所示,最后一级叶轮排出的高压水经轴隙L_1进入平衡盘左腔,然后经过L_2流入平衡盘右腔与低压区或大气相通,因此在平衡盘的左右形成压差,产生平衡力。当平衡力小于轴向推力时,转子向吸水侧移动,盘隙L_2减小,平衡室压力升高,平衡力增大。当平衡力大于轴向推力时,转子向出水侧移动,盘隙L_2增大,平衡室内压力降低,平衡力减小。由此可见,平衡盘可以根据轴向推力的大小自动进行平衡调节。

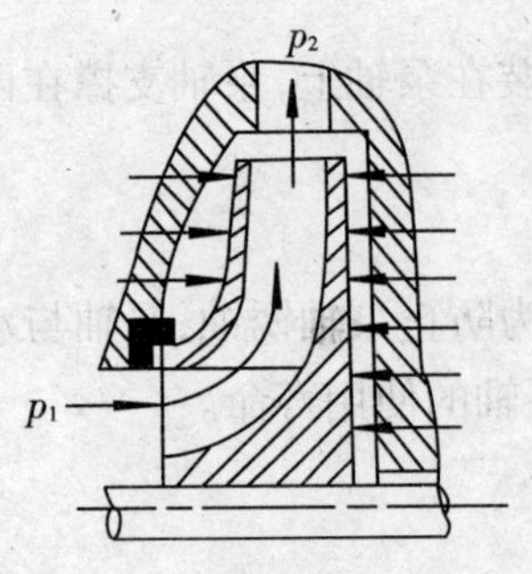

图2-8　轴向推力的产生

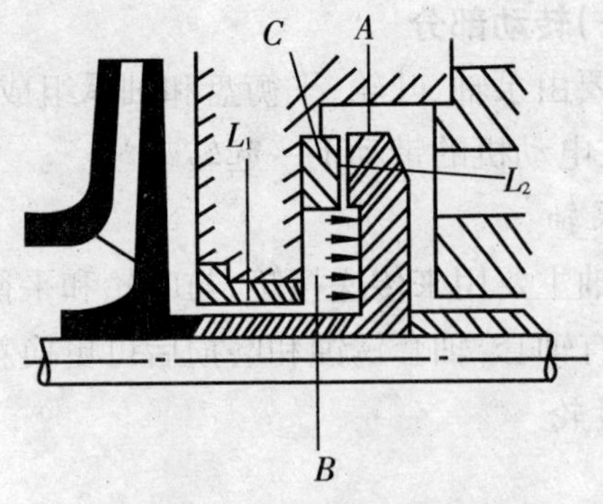

图2-9　平衡盘工作原理

A——平衡盘；B——平衡室；C——平衡座

平衡盘平衡轴向推力应注意以下几个问题：

(1)尽量减少水泵的启动、停止次数，以减少平衡盘和平衡座的磨损。因为水泵在启动过程中流量小、扬程大，轴向推力较大，平衡力较小，使泵轴向吸水侧窜动，造成平衡盘与平衡座接触而磨损。

(2)要保证回水管的通畅。如果回水管堵塞，平衡盘两侧就没有压力差，平衡盘将失去作用。

(3)泵轴应有1~4mm的轴向窜量，因平衡盘在轴向推力的过程中会随泵轴左、右移动，所以泵轴要有一定的轴向窜量，以保证平衡盘能自动平衡轴向推力。

除了用平衡盘来平衡轴向推力外，还可采用开平衡孔、使用止推轴承、采用双吸叶轮、采用对称布置叶轮等方法来平衡轴向推力。

4.轴承

D型离心式水泵的轴承采用单列向心滚柱轴承，用润滑脂润滑。这种轴承允许有少量的轴向位移，以利于平衡盘平衡轴向推力。轴承两侧用“O”形耐油橡胶密封圈和挡水圈防水，由于采用了滚动轴承，减少了摩擦损失。

(二)固定部分

固定部分主要包括进水段、中间段和出水段等部件，用拉紧螺栓连接。

1.进水段

进水段主要是接受由吸水管来的水，使水均匀地导入第一级叶轮入口，降低流动损失。

2.中间段

中间段又称导叶，主要由导水叶片和返水叶片组成，两种叶片数相等。中间段的叶片数和叶轮叶片的数目相差一个，以避免水流的脉动产生的冲击和振动。导水叶片的导水流道和返水叶片的返水流道把上一级叶轮流出的高压水以最小的损失导入下一级叶轮入口。

3.出水段

出水段位于最后一级叶轮的后面，其作用是将导水圈中的水以最小的损失均匀地引至出水口。D型离心式水泵的出水段呈螺壳形，水在流动中损失小，并有一部分动压转变为静压，效率较高。

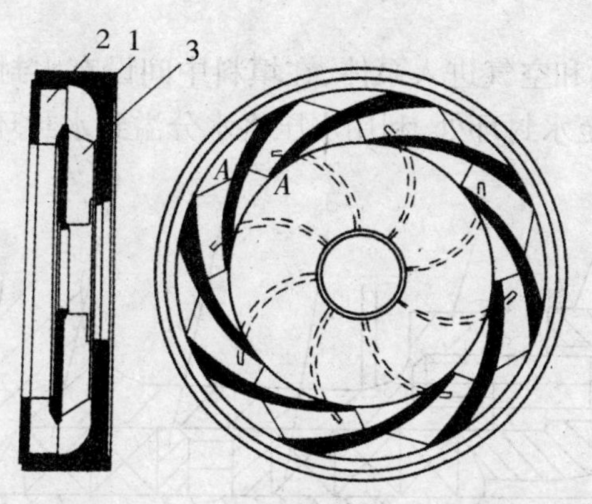

图2-10 D型离心式水泵中间段

1——中间段;2——导水圈叶片;3——返水圈叶片

(三)密封部分

水泵的密封包括各固定段结合面间的密封、转动部分与固定部分之间的密封。前者采用纸垫密封,后者则是采用密封环、填料来密封。

1.密封环

叶轮的吸水口和水泵固定部分之间、叶轮尾端轮毂与中间段内孔之间都有环形缝隙。高压区的水经过这些缝隙进入低压区并形成循环流,从而使叶轮实际排入次级的流量减少,并会消耗部分能量。

密封环的作用就是减小水泵转动部分与泵壳之间的间隙,它们分别装在叶轮入口处和叶轮轮毂处的泵壳上。装在叶轮入口处泵壳上的密封环的直径较大,所以叫大密封环(大口环),其作用是减少水从叶轮出口返流到入口的循环流。装在叶轮轮毂处泵壳上的密封环的直径较小,叫做小密封环(小口环),其作用是减少多级泵级间的窜流。D型离心式水泵的密封环为圆柱形,用螺栓固定在泵壳上。因为承受着同转子间的摩擦,所以密封环是水泵的易损零件之一。当这些密封环被磨损到一定程度后,水在泵腔内的窜流量会增大,使水泵的排水量和效率显著下降,故应及时更换。

2.填料箱

填料箱是泵轴与泵壳之间的密封装置。由于水泵轴穿过进水段处有间隙,外侧是大气压,内侧是首级叶轮入口的低压,如不进行密封,外部大气将进入泵内,影响水泵的正常吸水,使水泵的流量减少,严重时产生断流。而在泵穿过出水段处,如不进行密封,高压水将沿泵轴向外泄漏,使水泵的流量减少。填料箱的作用不仅是在吸水侧防止空气进入泵体和在出水侧减少压力水的泄漏,还能部分起到支承水泵转子的作用,并可引水润滑,冷却泵轴。

填料箱主要由压盖、填料、填料环(水封环)、填料座等组成,如图2-11所示。填料缠绕在泵轴上,每圈接头要错开,粗度要合适,用填料座和压盖将它压紧。填料被压紧的程度要适当,其标志是水泵运行中盘根处滴水不成线。填料一般采用浸油石棉绳。在水泵运转时填料经常受到磨损,因此,每日、每班要检查填料,并做到及时更换和添加。排水侧填料密封的目的是防止高压水的泄漏,对其要求没有吸水侧的密封高,故没有设置水封环,其他结构与吸水侧相同。

为有效防止填料发热和空气进入泵体，在填料中间设有水封环，它是金属制品，周圈有眼，由引水管将压力水引至水封环处，利用水压将水分溢到水封环两侧成滴状外漏。

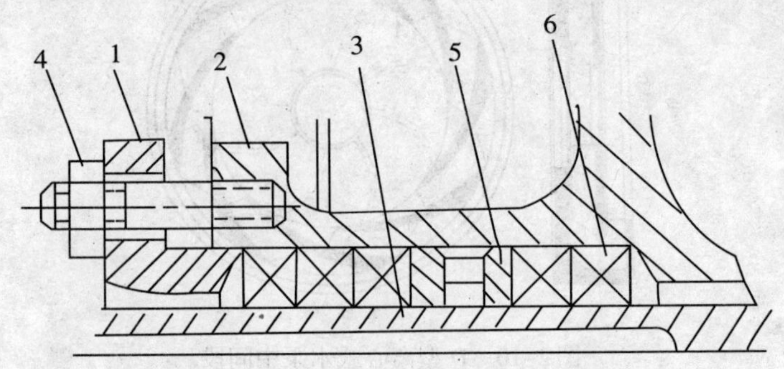

图2-11 D型泵吸水侧填料密封结构图

1——填料压盖；2——进水段；3——轴套；4——压盖螺栓；5——水封环；6——填料

三、离心式水泵的性能参数

1.流量

水泵在单位时间内所排出水的体积，称为水泵的流量。用符号Q表示，单位为m^3/s、m^3/h。

2.扬程

单位质量的水通过水泵后所获得的能量，称为水泵的扬程。用符号H表示，单位为m。水泵扬程的大小与叶轮直径、叶轮个数和叶轮转速有关，并且扬程的大小还随着流量的改变而改变。通常所说的水泵扬程或铭牌上标明的扬程，一般是指该水泵在最高效率点运转时所产生扬程的数值，也就是水泵的总扬程。

(1)吸水扬程(吸水高度)：水泵轴心线到吸水井水面之间的垂直高度，称为吸水扬程。用符号H_X表示，单位为m。

(2)排水扬程(排水高度)：水泵轴心线到排水管出口中心线之间的垂直高度，称为排水扬程。用符号H_P表示，单位为m。

(3)实际扬程(测地高度)：从吸水井水面到排水管出口中心线间的垂直高度，称为实际扬程，即吸水扬程与排水扬程之和。用符号H_C表示，单位为m。

(4)总扬程：总扬程H为实际扬程H_C、损失扬程H_W和水在管路中以速度v流动时所需的(速度水头)扬程($\frac{v^2}{2g}$)之和，称为水泵的总扬程。用符号H表示，单位为m。即

$$H=H_C+H_W+\frac{v^2}{2g}$$

3.功率

水泵在单位时间内所做的功的大小叫做水泵的功率。用符号P表示,单位为kW。水泵的功率分为轴功率和有效功率。

(1)水泵的轴功率:水泵在工作时,电动机传给水泵轴的功率,即水泵的轴功率(输入功率),用符号N表示,单位为kW。

(2)水泵的有效功率:水泵实际传递给水的功率,即水泵的有效功率(输出功率),用符号Nx表示,单位为kW。

$$Nx=\frac{\gamma QH}{1000}$$

式中 γ——矿水的重力密度,一般取$10^4 N/m^3$;

Q——水泵的流量,m^3/s;

H——水泵的总扬程,m。

4.效率

水泵的有效功率与轴功率之比,叫做水泵的效率,用符号η表示。

$$\eta=\frac{\gamma QH}{1000N}\times100\%$$

5.转速

水泵轴每分钟的转数,叫做水泵的转速。用符号n表示,单位为r/min。

6.允许吸上真空度和允许汽蚀余量

离心式水泵在工作时,能够吸上水的最大吸水扬程,叫作水泵的允许吸上真空度,通常用符号Hs表示,单位为m。Hs过去由泵制造厂通过汽蚀实验测定,但现在新的水泵样本已废除此参数。

水泵的汽蚀余量是指水泵吸水口处单位重量的水所具有的超过水的汽化压力的富余能量,用符号($NPSH$)表示,单位为m。为避免汽蚀现象发生,离心泵入口处压力不能过低,应有一最低允许值$P_{允}$,此时所对应的汽蚀余量称为汽蚀余量,符号$(NPSH)r$表示。$(NPSH)r$一般由泵制造厂通过汽蚀实验测定,并作为离心泵的性能列于泵产品样本中。泵正常工作时,实际汽蚀余量必须大于必需汽蚀余量$(NPSH)r$,标准中规定应大于$0.5m$。

我国生产的D型泵,旧型号水泵铭牌上标定的是Hs值,新型号水泵标定的是$(NPSH)r$值。两者之间的关系可以用下式表示:

$$Hs=\frac{P_a-P_v}{\rho g}-(NPSH)r+\frac{v^2}{2g}$$

式中 P_a——一个大气压,N/m^2;

P_v——水在相应温度下的汽化压力,N/m^2;

ρ——矿井水的密度,kg/m^3;

v——离心泵入口处水的流速,m/s。

第三节 离心式水泵的性能与工况分析

一、离心式水泵的性能曲线

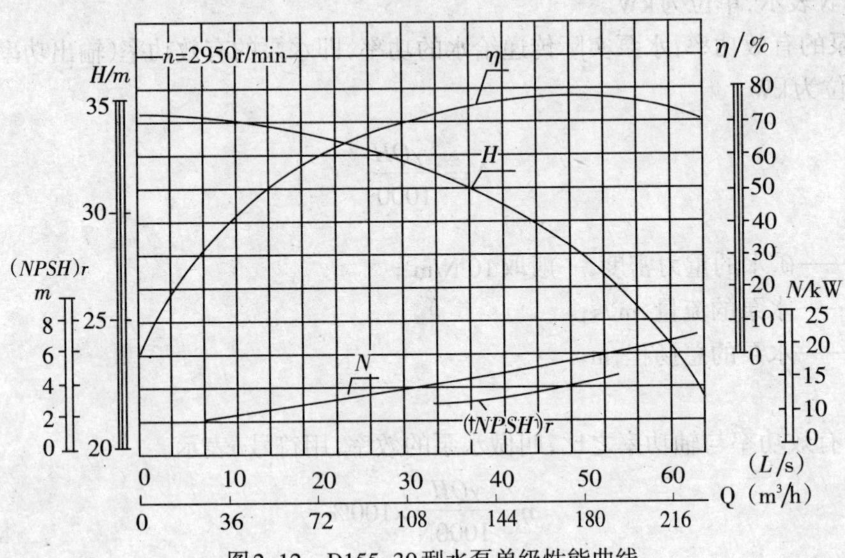

图2-12 D155-30型水泵单级性能曲线

从水泵的铭牌或产品样本上所查得的流量、扬程、轴功率、效率和汽蚀余量等性能参数，是指水泵在额定转速（设计转速）下，其效率最高时所对应的各个性能参数。若水泵的转速改变，流量、扬程、轴功率等性能参数都会随之改变。流量变化时，水泵的其他参数也要发生变化。

建立一个直角坐标系，以横坐标代表流量Q，纵坐标代表扬程H、功率N、效率η和汽蚀余量$(NPSH)r$。在一定转速下，厂家通过实验数据在此坐标上绘制出反映这些性能参数之间变化规律的关系曲线，叫做离心式水泵的性能曲线，如图2-12所示。

1.扬程特性曲线（$Q—H$）

水泵的流量和扬程之间的关系曲线，称为流量—扬程曲线，简称扬程特性曲线。从图中可以看出，当流量为0时，扬程最大。这时的扬程叫初始扬程或零流量扬程，用符号Ho表示。随着流量的增大，扬程缓慢下降。

2.功率特性曲线（$Q—N$）

水泵的流量和功率（无特殊说明时，N为轴功率）之间的关系曲线，称为流量—功率曲线，简称功率特性曲线。从图中可以看出，水泵的功率是随着流量的增大而逐渐增大。当流量为零时，功率最小。因此离心式水泵要求在调节闸阀全部关闭的情况下启动，以减小启动功率。

3.效率特性曲线（$Q—\eta$）

水泵的流量和效率之间的关系曲线，称为流量—效率曲线，简称效率特性曲线。从图2-12中可以看出，当流量为0时，水泵的效率也是0，随着流量的增大，效率便急剧增加。当流量增加到一定值后，效率反而下降了。水泵效率的最大值称作最高效率点。水泵获得最高效率时相对应的各项参数称为额定参数，也就是水泵铭牌上的参数。

4.必需汽蚀余量曲线（$Q—NPSH)r$

水泵的流量和必需汽蚀余量之间的关系曲线，称为流量—必需汽蚀余量曲线。必需汽蚀余量曲线反映了水泵抗汽蚀能力的大小，也决定了吸入式水泵的吸水高度。从图中看出，水泵的汽蚀余量随着流量的增加而增大，也就是水泵的抗汽蚀能力下降，水泵的吸水高度就要降低，必需汽蚀余量是合理确定水泵吸水高度的重要参数。

二、离心式水泵的管路性能曲线

当水泵和管路联合工作时，水泵产生的扬程不仅用于提高水位，还要用于克服水在管路中流动的损失(沿程损失和局部损失)。因此，水泵的工作状况不仅与水泵本身的性能有关，而且与管路的阻力大小有关。因此同一台水泵所连接的管路的阻力不同，则水泵所产生的流量和扬程也不同。

水泵的管路性能曲线是表示在一定的管路阻力下，流过该管路的流量与所需扬程之间的关系曲线。当管路阻力变化时，流量和扬程之间的关系将随之改变。因此，管路性能曲线直接影响水泵的工作性能。

水泵的管路特性方程为：

$$H=H_C+H_W+\frac{v^2}{2g}$$

对于一般的排水管路系统来说，可以认为实际扬程H_C是不变的或变化不大的，而损失扬程h_W则随着管路中的流量Q的变化而变化。

即

$$H=H_C+RQ^2$$

式中 H——水泵的扬程，m；

H_C——测地高度，m；

v——排水管出口速度，m/s；

h_W——总阻力损失，m；

Q——管路中的流量，m^3/s；

R——管路阻力损失系数。它与管路的沿程阻力系数和局部阻力系数、管路长度和直径等有关，当管路系统确定后，管道直径、长度、粗糙度以及管道附件等都是不变值，所以R为常数。

根据管路特性方程式，可以绘制出管路特性曲线，如图2-13所示为一条顶点在纵坐标轴上Hc处的二次抛物线。管路阻力越大，管路性能曲线越往上陡曲；管路阻力越小，管路性能曲线越往下平直。

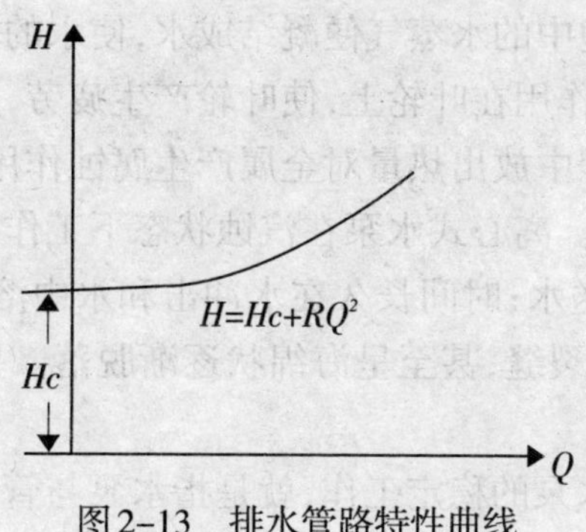

图2-13 排水管路特性曲线

三、离心式水泵的工况点

1.工况点

因为水泵和管路是联合工作的,水泵的流量就是管路中水的流量,水泵的扬程要全部消耗在管路中,包括提高水位、管路中的阻力损失和动能。D型泵的扬程是一条单调下降的曲线,而管路的特性曲线是单调上升的曲线,在同一坐标下两条曲线交于一点,在该点处水泵的流量等于管路中的流量,水泵的扬程等于能量在管路中的全部消耗。该交点就叫水泵的工况点。

简单地说,把水泵的性能曲线和管路性能曲线按同一比例画在同一坐标图上,所得的交点*M*就是水泵的工况点,如图2-14所示。过工况点作横坐标的垂线,得该点所对应参数称为工况参数。

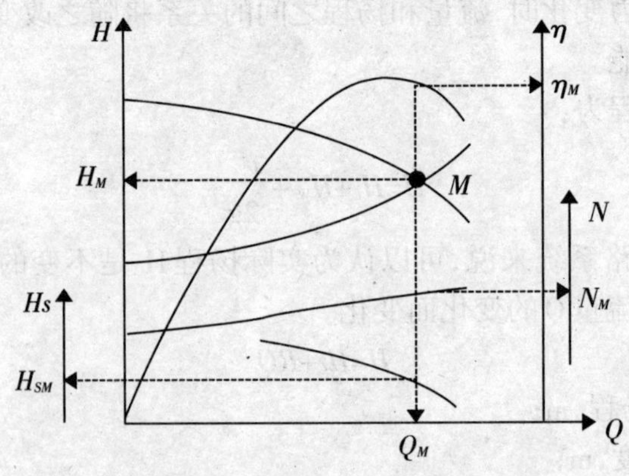

图2-14 水泵的工况点

2.工业利用区

工业利用区是水泵工作时在特性曲线上允许使用的区段。在这个区段内工作,水泵应在不发生汽蚀的同时,满足稳定工作条件和经济工作条件。

(1)不发生汽蚀条件:水泵吸水是依靠大气压力把吸水井中的水通过吸水管压入水泵。但水泵入口处的压力不能太低,因为压力如果低于当时温度下水的饱和蒸汽压时,水就会产生汽化,溶解在水中的气体也会逸出,形成蒸汽与逸出气体混合的小气泡。这些小气泡进入叶轮后,由于压力增大,小气泡中的水蒸气便凝结成水,使水的体积急剧缩小,对周围的压力水产生很大的冲击力,并不断作用在叶轮上,使叶轮产生疲劳,并使表面金属脱落。同时,从水中逸出的气体在凝结的过程中放出热量对金属产生腐蚀作用,使叶轮出现蜂窝状麻点,逐渐形成空洞,这种现象叫汽蚀。离心式水泵在汽蚀状态下工作会使泵体振动并发出噪音;压头、流量下降,严重时不能输送水;时间长久在水冲击和水中溶解氧对金属化学腐蚀的双重作用下,叶片表面出现斑痕和裂缝,甚至呈海绵状逐渐脱落。要使水泵不发生汽蚀,就必须有一定的汽蚀余量。

(2)稳定工作条件:所谓水泵的稳定工作,就是指水泵与管路联合工作时,只有一个确定的工况点,也就是只对应一个确定的流量和一个确定的扬程。但是用异步电动机拖动的水

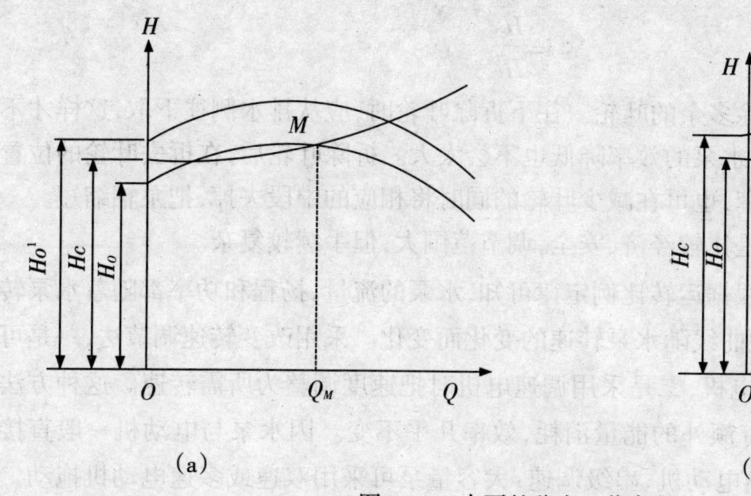

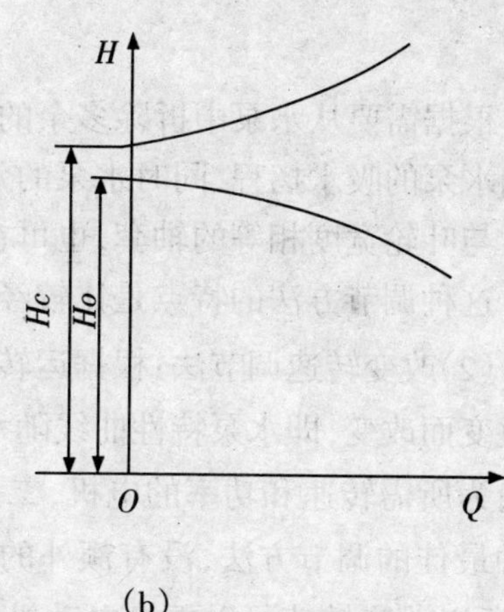

图2–15 水泵的稳定工作条件

泵，由于电网电压的下降，电动机和水泵的转速都将下降，水泵的性能曲线也将按比例下移。当水泵的初始扬程 $H_0 < H_C$ 时，可能会出现两种情况：一种情况是2曲线有2个交点，如图2–15(a)所示，在这种情况下，水泵流量会忽大忽小，扬程曲线上下浮动，工作极不稳定；另一种情况是2曲线无交点，即无工况点，如图2–15(b)，此时流量为零，水泵不排水。因此，为了保证水泵的稳定工作，必须保持H0 > HC。考虑到电网电压下降可能会使水泵转速下降2%~5%，从而扬程下降5%~10%，因此水泵的稳定工作条件就是水泵的初始扬程H0与实际扬程HC之间必须满足下列关系：

$$HC \leqslant (0.9\sim0.95)H_0$$

(3)经济工作条件：矿用多级离心式水泵的功率较大，它的经济运行有着重要的意义。要求水泵的工况效率不得低于最高效率的85%~90%。即：

$$\eta_M \geqslant (0.85\sim0.9)\eta_{max}$$

四、离心式水泵工况点的调节

在矿井排水工作中，往往需要根据现场的实际情况对水泵的工况点进行调节。工况点的调节可以使水泵在运转过程中的工况点在工业利用区范围内，还可以使水泵的流量和扬程满足实际工作需要。由于水泵的工况点是由水泵的性能曲线和管路性能曲线的交点确定的，所以，水泵工况点的调节可以从改变水泵特性曲线和改变管路特性曲线两方面入手。

1.改变水泵特性曲线调节法

(1)改变叶轮数目调节法：因为水泵的扬程基本与叶轮数目成正比，因此，根据所需扬程不同可以决定叶轮的数目，从水泵中拆除多余的叶轮。这样，水泵的性能曲线就会变化，其流量和扬程也相应随之变化。

如果水泵排水所需的扬程为 H，每一叶轮产生的扬程为 Hi，则可求得水泵所需叶轮数 i 为：

$$i=\frac{H}{Hi}$$

根据需要从水泵中拆除多余的叶轮。往下拆除叶轮时,应从排水侧往下取,这样才不会影响水泵的吸水扬程,同时水泵的效率降低也不会太大。拆除叶轮后,在拆去叶轮的位置上加上与叶轮宽度相等的轴套,也可在减少叶轮的同时将相应的中段去掉,把泵轴缩短。

这种调节方法的特点是比较经济、安全,调节范围大,但手续较复杂。

(2)改变转速调节法:根据运转比例定律可知,水泵的流量、扬程和功率都随着水泵转速的改变而改变,即水泵特性曲线随水泵转速的变化而变化。采用改变转速调节法,一是可以更换为所需转速和功率的电机,二是采用调速电机时把速度调整为所需转速。这种方法是一种最佳的调节方法,没有额外的能量消耗,效率几乎不变。因水泵与电动机一般直接联接,所以改变转速可以更换电动机、串级调速,大容量泵可采用双速或多速电动机拖动。这种方法费用比较高,因此,中小型水泵一般很少使用。

(3)削短叶轮叶片长度调节法:当叶轮叶片被削短后,水泵的性能便按照一定的规律发生变化,这种变化规律的表达式叫做叶轮叶片的切削规律。

$$Q' = Q\frac{D_2'}{D_2}$$

$$H' = H\frac{D_2'}{D_2}$$

$$P' = P\frac{D_2'}{D_2}$$

式中 D_2.D_2' ——叶轮叶片削短前、后的直径;

H 、H' ——叶轮叶片削短前、后的扬程;

Q 、Q' ——叶轮叶片削短前、后的流量。

叶轮叶片长度的削短要在车床上进行。实践证明,当叶片长度削短10%时,水泵效率要降低1%,因此叶片长度的削短极限为 $D_2' = 0.8 D_2$。若过分地削短叶轮叶片长度,则水泵效率急剧下降。所以,一般可削短叶片长度的8%~10%。这种调节方法的特点是经济效果好,但过程复杂,并且只能应用在要求同时降低流量和扬程的条件下。通常单级水泵除标准叶轮外,还备有两三种不同直径的叶轮供用户使用。

2.改变管路性能曲线调节法

(1)闸门节流法:闸门节流法是通过开闭排水管路上的调节闸阀,改变管路阻力的大小,从而改变管路的特性曲线,以达到改变水泵工况点的目的。如图2-16所示,当闸阀开大时,管路阻力减小,管路性能曲线变为平直,由1变为2,其工况点由 M_1 变为 M_2,管路中的扬程有所降低($H_2 < H_1$),但流量却有所上升($Q_2 > Q_1$);反之,当闸阀关小时,管路阻力增大,管路性能曲线变为陡曲,由1变为3,其工况点由 M_1 变为 M_3,管路中的扬程有所上升($H_3 > H_1$),但流量却有所下降($Q_3 < Q_1$),因而达到了调整流量的目的。

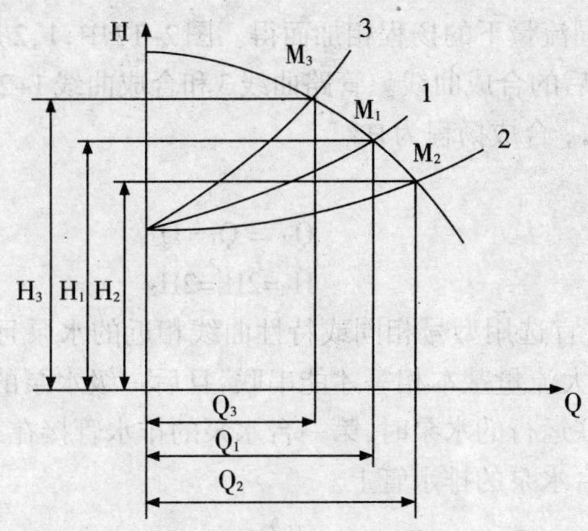

图2-16　闸阀节流法的调节原理

这种方法操作简单，得到广泛应用，但其缺点是不经济。由于调节闸阀所产生的阻力增加了扬程损失，多消耗了动力，因此，利用闸阀进行工况点的调节，主要是为了工作需要，并不是从经济效果来考虑的。如工况点超出了工业利用区造成电机过载、水泵扬程不够等时，为在更换电机、水泵之前继续排水，可用该方法作为临时措施。

(2)管路并联调节法：《煤矿安全规程》规定"矿山的固定排水设备必须有工作和备用的水管"。因此，在矿井排水工作中，可以将工作管路和备用管路并联工作，以增大过流断面，降低管路的阻力，使工况点右移，从而增大流量，这种方法叫管路的并联调节法。在使用这种调节方法时，要防止电动机过负荷和水泵发生汽蚀。因为管路并联后，水泵的工况点右移，使流量增大，轴功率也必将增大，若原配电动机的功率备用量不大，就有可能造成电动机过负荷；同时，随着工况点的右移，水泵的允许吸上真空度将减小，当减小到某一值时，水泵就有可能发生汽蚀。因此，管路并联的趟数不宜太多。

这种调节方法既不加大投资，又能降低排水费用，是当前水泵节能的主要措施之一。

第四节　排水设备的经济运行

一、离心式水泵的运行方式

当一台离心式水泵不能满足排水流量或扬程时，可采用两台或多台串联或并联工作。在串联或并联时，一般采用同型号的水泵。

(一)离心式水泵的串联运行

采用串联运行的目的是为增大扬程。当井筒较深时，现有水泵的扬程不能满足要求，可采用2台或多台串联运行。如图2-17所示，当水泵串联运行时，2台水泵的流量相等，等于管道中的流量，2台水泵的扬程之和为管道所需要的扬程。因此，串联特性曲线就是把它们的单独特性曲线在相同流量下的扬程相加而得。图2-17中，1、2是2台相同水泵1、2的特性曲线，曲线1+2是串联后的合成曲线。管路曲线3和合成曲线1+2的交点M为串联后的工况点，此时合成流量为Q_M，合成扬程为H_M。

由图中可知：

$$Q_M = Q_1 = Q_2$$

$$H_M = 2H_1 = 2H_2$$

要实行串联运行，宜选用型号相同或特性曲线相近的水泵且2台水泵的流量应基本相等，至少2台水泵的最大流量基本相等才能串联，且后一级水泵的强度应能承受2台水泵的压力总和。在安装串联运行的水泵时，第一台水泵的排水管接在第二台水泵的吸水管上，调节闸阀应安装在第二台水泵的排水管上。

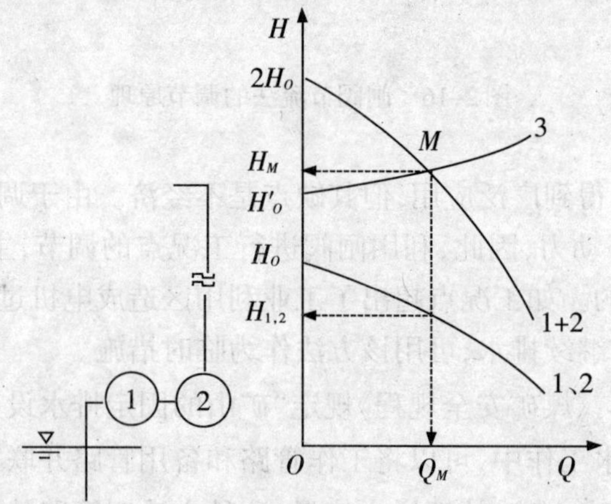

图2-17 同性能两台水泵的直接串联

(二)离心式水泵的并联运行

采用并联运行的目的是为了增大流量。当矿井涌水量较大，一台水泵不能担负排水任务，而现有的排水管路又少于水泵的工作台数时，则可采用2台水泵并联运行。如图2-18所示，两台相同的水泵并联运行后，其扬程和2台水泵的扬程相等，流量为2台水泵流量的2倍。图中1、2是水泵1、2的特性曲线，在同一扬程下，把曲线1和2的横坐标相加，即得并联后的合成曲线1+2。管路曲线3和合成曲线1+2的交点M为并联后的工况点，此时合成流量为Q_M，合成扬程为H_M。

由图中可知，2台相同水泵并联运转时，每台水泵的流量和扬程为：

$$\frac{Q_M}{2} = Q'_1 = Q'_2$$

$$H_M = H'_1 = H'_2$$

当2台水泵单独在此管路中工作时，其工况点为$M_{1.2}$，流量为$Q_{1.2}$，扬程为$H_{1.2}$。显然，2台相同水泵并联时的合成流量Q_M大于每台水泵单独运转时的流量$Q_{1.2}$，而小于每台水泵单独运转时的流量之和Q_1+Q_2，即

$$Q_{1,2} < Q_M < (Q_1 + Q_2)$$

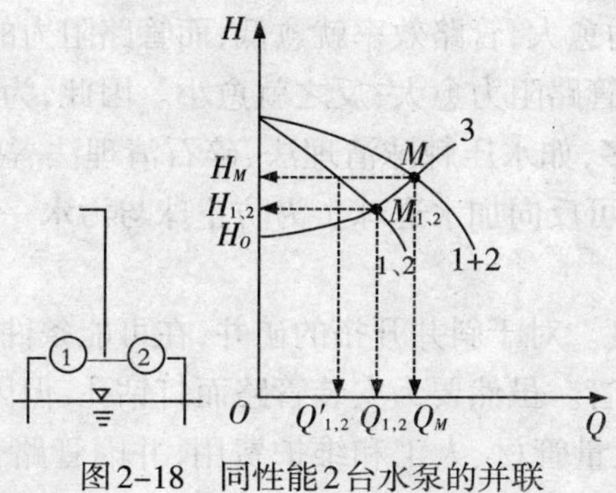

图2-18 同性能2台水泵的并联

二、矿井排水设备的经济运行

矿井排水设备是矿井的主要设备之一,也是煤矿的用电大户,其耗电量约占全矿耗电量的30%,对于涌水量较大的矿井可达50%~60%,甚至更多,所以排水设备运行的效率高低,直接影响全矿的耗电量。

1.煤矿排水设备运行的经济指标

排水设备的能耗高低可用"吨百米电耗"来衡量,它是指排水设备将1吨水提高100m所消耗的电能,简称"吨百电耗"。在煤炭行业和其他生产部门都以"吨百电耗"为衡量排水设备运行经济性的指标。"吨百电耗"与排水设备效率成反比,即与水泵效率、传动效率、电动机效率和管道效率的乘积成反比,它反映了排水设备各个环节的效率,是一种能够比较科学和全面地比较排水设备运行情况的经济指标。由于排水设备效率随工况变化而变化,因此"吨百电耗"也随工况的变化而变化,"吨百电耗"随工况而变的规律称作"吨百电耗"特性。

2.提高排水设备经济运行的措施

(1)提高水泵的运行效率:

①尽量使用高效水泵。使用新型高效水泵以替换老、旧、杂的低效水泵,使水泵各工况点效率全面提高。

②合理调节水泵运行工况,使水泵在最佳工况点运行。当水泵产生的扬程过大时,可根据不同情况分别采用"减少叶轮数目法"和"削短叶轮片长度法",除去富裕扬程,降低水泵扬程曲线,使工况点得到合理调节。

③提高水泵的检修和装配质量。水泵检修和装配质量的好坏,直接影响水泵本身的性能。在检修和装配时要注意大、小口环的间隙,平衡座的间隙,水泵的窜量是否符合要求,轴承润滑是否良好。注意疏通叶轮和流通部件,防止叶轮堵塞,对新配叶轮应尽可能清除流道中的毛刺。

(2)减小排水管路的阻力损失:

①降低管路损失系数。在保证电动机不过载和水泵不发生汽蚀的情况下,启用备用管路与工作管路并联应用,排水管路和排水断面积加大,管路阻力系数降低,管路效率提高。但值得注意的是并联排水管路并不是越多越好,要根据实际情况实测确定水泵与排水管路

匹配的最佳运行方式，只有这样才能达到降低能耗的目的。

②清除管路积垢。水泵工作时所产生的扬程，一部分用于提高水的位能，另一部分则用于克服管路阻力。管路阻力愈大，管路效率就愈低，而管路阻力的大小与管壁上所附着的积垢层厚度有关。积垢愈厚，管路阻力愈大；反之就愈小。因此，为提高管路效率，应定期清理管路。清理管路的方法很多，如水压棘球清理法、碎石清理法、盐酸清洗法等。用水压棘球法清理管路时遇到卡球时，可反向加水退球。为防止球与污水一起喷出不易发现，可在出口处设一捕捉网，拦截棘球。

③缩短排水管路的长度。对于斜井开拓的矿井，在可能条件下，可采用钻孔立管排水技术，将斜排水管改为立排水管。虽然要为安装管路而打钻孔，但因大大减少了管路长度和不需要进行维护，还可节省大量管材、人工和维护费用，并因管路长度的缩短，使管路阻力减少，从而节省电能。

(3)改善吸水管路的特性：

改善吸水管路的特性，主要是降低吸水阻力，节约电耗，增大吸水高度（在高原地区特别重要），减少吸水管路的故障等。主要有选择直径较大的吸水管、采用无底阀排水、正确安装吸水管路、使用高水位排水等方法。

其中无底阀排水减小了吸水阻力，降低了吸上真空度，增大水泵的汽蚀余量，同时减少了底阀引起的故障。高水位排水是在保证矿井排水安全的前提下，保持高水位排水，降低泵的吸水高度，不仅避免了汽蚀发生，还减小了吸水阻力，提高了泵的效率，使工况点朝流量加大了方向移动。但是流量的增加量微乎其微，所以实行高水位排水对降低能耗作用不是很大。

(4)加强排水设备的运行管理：

在排水设备运行过程中，由于多种因素影响，可能使特性恶化，设备效率下降，吨百电耗上升。因此，维护设备的性能是保证其可靠和经济运行的重要措施。

①简化排水系统。简化排水系统的主要内容是将几个排水系统尽量合并，并在充分利用水头的基础上，将多段排水系统改为单段排水。如某矿原为四阶段排水，改为二阶段排水后，吨水百米电耗从原来的0.9619kW·h降为0.4243kW·h，节电效果非常明显。

②定期清理水仓、及时清理吸水井。按规程要求每年及时清理水仓，除去沉淀物，以增加容积，减少泵的开动和水泵的磨损。这样不但可以避免电机频繁启动，还可以避免杂质流入泵内，降低水泵运转效率，并能减小吸水管路的堵塞，减小吸水阻力，提高效率。

吸水井中常有泥、砂、煤等杂物，如不经常清理，易堵塞滤网或堵塞叶轮流道，从而增加吸水阻力，加速叶轮磨损，降低排水效率。因此各矿应根据具体条件，制定吸水井的清理制度，定期清理。

③合理确定水泵的开、停时间。确定开、停水泵时间的原则是尽量减少日负荷曲线的波动，使大容量用电设备躲过高峰而在低谷负载时运行。矿井应根据涌水量的大小和负载变化情况，分别确定出高峰和低谷时开启水泵的台数，以及吸水井中的最高、最低水位，以便在用电高峰之前将水排到最低水位。高峰负荷时，停泵或少开水泵并保持高水位排水。

第五节　矿井排水设备的安装与调试

离心式水泵的安装，是合理使用水泵的一个重要环节。尽管选型和配套都合理，若安装不当，不但会降低水泵的效率和使用寿命，甚至根本不能工作。所以不管大泵还是小泵，固定方式还是移动方式，长期使用还是临时使用，都要正确安装，才能正常工作。

一、D型离心式水泵的安装工艺

1.水泵基础硐室工程

按设计要求，由矿建施工队承担水泵房硐室的砌碹及喷浆、水泵基础、水仓及吸水井工程及斜巷等基础工程。

2.水泵基础检查验收

(1)埋设标高点和固定中心挂架。按水泵房巷道腰线测出中心线和标高点。

(2)挂上中心线，按中心线标高点检查验收基础标高、基础孔位置。

3.垫板位置

(1)按实测的基础标高，对比设计标高，计算出应垫的垫板厚度，按质量标准规定放置好垫板组。

(2)用普通水平尺对垫板进行找平找正，并铲好基础的麻面。

4.设备的开箱检查

(1)按装箱单和设备说明书清查设备及零件的完好情况和数量。

(2)清洗机械及零部件表面的防腐剂。

5.零部件加工

按施工设计图纸及实际需用量安排吸水管路、排水管路、水仓蓖子，吸水井操作架及平台和各种法兰盘等零部件的加工。

6.水泵预安装

(1)在井上机修车间，对水泵及电动机进行一次全面细致的检查与预安装工作。

(2)在预安装中发现的问题要在井上全部处理完毕。

7.水泵运搬

(1)按井下泵房的位置，排好运搬顺序(应以水泵房最里面1台泵为首)，装在平板车上依顺序运至井下泵房或备用巷道中。

(2)运搬时将其他零部件装箱同时运至泵房中。

8.水泵整体吊装

(1)按施工图纸位置和顺序，采用合适的起吊工具，将水泵(包括电机和机座)整体放在基础垫板平面上。

(2)穿好地脚螺栓并戴好螺母。

9.水泵整体安装

(1)挂上纵、横中心线,下垂线坠进行找正。

(2)按基准点、标高点,用水准仪进行找平。

(3)找平找正后即可进行二次浇灌。

10.吸水管安装

(1)按施工图纸将各台水泵吸水管、底阀与水泵的吸水口进行连接。

(2)安装吸水井的平台、操作架和阀门。

11.排水管安装

(1)安装各台水泵的排水管路、闸板阀、逆止阀、三通阀、旁路管。

(2)安装排水主干管及托架(包括斜巷排水管)。

12.水仓零部件安装

(1)安装水仓蓖子、水仓闸门。

(2)安装闸门关闭操纵架及平台。

13.水泵的附属部件、零件安装

(1)安装真空表、压力表。

(2)安装水封管、回水管、放气阀、注水漏斗(以上零件防止运搬及吊装时损坏,在机修车间预安装时将泵体上的丝孔用丝堵堵住)。

14.水泵试运转工作

(1)检查各阀门动作是否灵活。

(2)按规定时间对水泵进行负荷运转。

15.设备粉刷工作

(1)对设备进行粉刷,涂油漆工作。

(2)对管路涂油漆。

16.移交生产使用

(1)清扫水泵房。

(2)整理各种技术资料。

(3)办理移交手续。

二、水泵的试运转

(一)试运转前的准备工作

水泵运行前需检查项目如下:

(1)清除泵房内一切不需要的东西。

(2)检查电动机绕组的绝缘电阻,并要盘车检查电动机转子转动是否灵活。

(3)检查并装好水泵两端的盘根,其盘根压盖受力不可过大,水封环应对准尾盖的来水口。

(4)滑动轴承要注合格的机械油,注油量一定要合乎规定要求。

(5)检查闸阀是否灵活可靠。

(6)电动机空转试验,检查电动机的旋转方向。

(二)试运转

(1)装上并拧紧联轴器的联接螺栓,胶圈间隙不许大于0.5～1.2mm。

(2)用手盘车检查水泵与电动机能否自由转动,检查后通过注水漏斗向水泵及吸水管内灌水,灌满后关闭放气阀(设有喷射器装置时,可用其灌引水)。

(3)关闭排水管路上的调节闸阀,起动电动机,当电动机达到额定转数时,再逐渐打开闸阀。

(4)水泵机组运转正常的标志。

(5)试运转初期,应经常检查或更换滑动轴承油箱的油,加油量不能大于油盒高度的2/3,但要保证能够使油环带上油,同时要注意油环转动是否灵活。

(6)水泵停机前,先把闸阀慢慢关闭,然后再停止电动机。

(三)试运转时间及转交

(1)水泵试运转时间为每台泵连续排水运转2h后,停机检查。而后再起动另一台水泵,排水运转时间也为2h。交替运转,每台达到8h后,经检查无异常现象,可移交给使用单位。

(2)试运转时要作好各种记录,如机体声音、轴承温度、压力、电动机温度、电流、电压等,运转时间、检查部位均要详细记载。

第六节　离心式水泵的操作与运行

一、水泵的启动

(一)启动前的检查工作

为了保证水泵的安全运转,在水泵起动前应对以下各项进行全面检查:

1.全部螺栓、管路连接是否完好、紧固;

2.全部仪表、仪器及阀门是否正常;

3.润滑油(脂)是否正常;

4.电动机的接线、转向是否正确;

5.转动泵的转子,检查转子是否灵活。

(二)水泵的启动

1.向水泵内灌注引水。如果排水泵有底阀,应先打开灌水阀和放气阀,向泵体内灌水,直至泵体内空气全部排出(放气阀的排气孔见水)然后关闭以上各阀。如果是无底阀排水泵,用射流泵或真空泵向水泵充灌引水,引水是否灌满,应观察真空表,当达到要求的真空度时(真空表稳定在相应的读数上),再停止真空泵或射流泵。

2.关闭排水管上的调节闸阀,以减小启动功率。

3.启动电动机,待水泵压力达到正常时,慢慢将排水管上的闸阀打开,向管路供水。同时注意压力表、真空表、电流表的读数是否正常。如果根据声音及仪表指示判断水泵没上水，应停止电动机，重新启动。要注意在闸阀关闭的情况下运转时间不应超过3min。因为如果时间太长，水会因不断在泵壳内循环流动而发热，致使水泵某些零部件发生损坏。

二、水泵运行中的注意事项

1.只能允许水泵在规定的参数范围内运行，特别是流量不能超出工业利用区右侧，否则会使电机过载，也易发生汽蚀；

2.经常注意观察电压、电流是否正常。当电流、电压的变化超出5%时，应停车检查原因，并进行处理；

3.检查轴承温度是否正常，润滑是否良好，轴承温度一般不超过75℃，或按厂家规定。电动机温度不得超过额定温度。

4.经常观察压力表、真空表的指示是否正常，以确定水泵的扬程是否满足要求，水泵是否有汽蚀现象；

5.注意声音及振动情况，检查螺栓及连接部分是否有松动，是否有汽蚀噪声；

6.检查水泵的填料密封情况，检查填料箱的温度是否正常，填料压紧程度是否合适；

7.检查回水管是否畅通、水量是否正常，检查吸水井水位变化情况，底阀或滤水器应在水面以下0.5m；

8.准确填写运行记录，并定期总结。

三、离心式水泵的停泵

1.正常停泵步骤

(1)逐渐关闭排水管上的调节闸阀。

(2)关闭压力表和真空表旋塞。

(3)切断电动机电源，电动机停止运行。

(4)如有吸入阀的水泵，当泵停稳后关闭吸入阀。

2.水泵在运行中应紧急停机的情况

(1)水泵不上水。

(2)电动机冒烟、冒火。

(3)水泵和电动机发生异常振动或有故障性异常响声。

(4)泵体漏水或闸阀、法兰喷水。

(5)启动时间过长，电流不返回。

(6)电流值明显超限。

(7)电源断电。

(8)其他紧急事故。

紧急停泵时，不需进行正常停机各步骤，而直接停止电机即可。

3.停泵后注意事项

如果水泵短期内不工作，应将泵内的水放空，以免锈蚀和冬季冻裂；如果长期停用，应对水泵进行油封。同时分开联轴器，每隔一定时期，让电机空转一次，以免电机受潮。

第七节 水泵的维修与常见故障处理

一、有关排水设备的相关规定

(一)《煤矿安全规程》对固定排水设备的要求

1.必须有工作、备用和检修的水泵。工作水泵的能力,应能在20h内排出矿井24h的正常涌水量(包括充填水及其他用水)。备用水泵的能力应不小于工作水泵能力的70%。工作和备用水泵的总能力,应能在20h内排出矿井24h的最大涌水量。检修水泵的能力应不小于工作水泵能力的25%。水文地质条件复杂的矿井,可在主泵房内预留安装一定数量水泵的位置。

2.必须有工作和备用的水管。工作水管的能力应能配合工作水泵在20h内排出矿井24h的正常涌水量。工作和备用水管的总能力,应能配合工作和备用水泵在20h内排出矿井24h的最大涌水量。

3.应同工作、备用以及检修水泵相适应,并能够同时开动工作和备用水泵。

4.主要泵房至少有2个出口,一个出口用斜巷通到井筒,并应高出泵房底板7m以上;另一个出口通到井底车场,在此出口通道内,应设置易于关闭的既能防水又能防火的密闭门。泵房和水仓的连接通道,应设置可靠的控制闸门。

(二)主排水泵的完好标准

1.泵体与管路

(1)泵体无裂纹。

(2)泵体与管路不漏水,防腐良好,排水管路每年进行一次清扫,水垢厚度不超过管内径的2.5%。

(3)吸水管管径不小于水泵吸水口径。主要水泵如吸水管管径大于吸水口径时,应加偏心异径短管接头,偏心部分在下。

(4)水泵轴向窜量符合有关技术文件规定,部分多级泵参见表2-1。单级水泵轴向窜量不大于0.5mm。

(5)盘根不过热,漏水不成线。

(6)真空表、压力表指示正确,每年校验一次。

表2-1　D型泵轴向窜量(mm)

水泵型号	平衡盘组装后	
	正常轴向窜量	允许最大轴向窜量
80D30	1~2.0	3.5
100D45	2~3.0	5.0
150D30	2~3.5	6.0
200D65	2~4.0	6.0
250D40	3~5.0	7.0
12GD200	4~6.0	8.0
	3~5.0	8.0

2.闸板阀、逆止阀、底阀

(1)齐全、完整、不漏水。

(2)闸阀操作灵活、动作可靠。

(3)吸水井(坑)无杂物、底阀不淤埋和堵塞、不漏水,自灌满引水起5min后能启动水泵,无底阀水泵的引水装置应能在5min内灌满水启动水泵。

3.运转与出力

(1)运转正常,无异响,无异常振动。

(2)水泵主闸阀应能全部敞开。

(3)电动机温度正常。

(4)主水泵每年进行一次技术测定,排水系统效率不低于50%。

(5)测定记录有效期一年。

(6)吸水高度不超过水泵设计允许值。

4.资料

泵房内有排水管路系统图、供电系统图。

二、水泵的维修

水泵的维护修理工作分为小修、中修及大修3种。

(一)小修

小修的目的是消除水泵在使用过程中,由于零件磨损和维护不良所造成的局部损伤,调整或更换易损零件,恢复设备的工作能力和技术状况,保证设备的正常运转。其主要内容包括:

(1) 检查或更换密封装置的各零件;

(2) 清洗、检查轴承,并更换润滑油;

(3) 检查调整联轴器的间隙;

(4) 检查各部螺栓的紧固情况;

(5) 检查调整水泵的轴向窜动量;

(6) 检查修理冷却水管及油管;

(7) 调整平衡盘尾部垫片;

(8) 更换平衡盘环和填料(盘根);

(9) 检查处理漏水漏气部分;

(10) 调整各种仪表。

(二)中修

中修需要较周密详细地拆卸设备,检查其重要零件的状况,更换和修复使用寿命较长的零件,解决在小修中不可能消除的缺陷。其主要内容包括:

(1) 小修的全部内容;

(2) 更换联轴器;

(3) 检查水泵各零件的磨损、腐蚀和汽蚀情况,必要时进行修理或更换;

(4) 检查、修理轴承,必要时进行更换;

(5) 检查、调整水泵与电机的水平度与平行度;

(6) 更换叶轮口环,中段轴承;

(7) 更换平衡环、串水套;

(8) 检查轴和机座;

(9) 更换其他不能保持到下一次中修的零件。

(三)大修

大修的作用是完全恢复水泵的正常状况和工作能力。拆卸水泵的全部零部件,仔细检查、清洗、修理或更换全部磨损零部件,调整机座或重新找正联轴节,光轴、校直轴或更换轴等。此外还修理或更换部分使用期限等于修理循环的大零件。其主要内容包括:

(1) 中修的全部内容;

(2) 校正、修理或更换泵轴;

(3) 修理或更换泵体;

(4) 修补或重新浇灌基础,必要时更换机座;

(5) 泵体除锈、喷漆;

(6) 进行水压试验和技术鉴定。

三、水泵常见故障及处理方法

排水设备发生故障时,势必影响排水工作的进行,严重时影响正常生产。因此,必须学会诊断故障的基本方法,以求准确、迅速地排除故障。

排水设备的故障可分为两类,一类是泵本身的机械故障,一类是排水系统的故障,但能在泵上反映出来。下面对各方面的故障加以综合分析。

1.判断故障的基本方法

判断故障的基本方法是观察泵工作时压力表和真空表读数的变化,了解泵是否发生了故障。

出口压力表和进口真空表的值分别为:

$P_{\infty} \approx r(H_p+\Delta H_p)$

$P_i \approx r(H_x+\Delta H_x)$

式中　　ΔH_p——排水管路损失;

　　　　ΔH_x——吸水管路损失。

如果在工作中排水高度不变,而压力表读数却发生了变化,说明ΔH_p发生了变化,ΔH_p的变化说明了排水管路有可能堵塞和流量发生了变化。如果工作中吸水高度未变,真空度却发生了较大的变化,同样也可以了解泵的工作是否正常。

由此可见,要想用仪表判断泵的故障,首先要了解泵正常工作时压力表和真空表的读数。除此之外,还可以从听声、看电流表的变化等方法帮助判断故障。

造成泵故障的原因很多，归纳起来有4个方面：泵内有气、吸水管堵塞、排水管堵塞和排水管破裂，也可归纳为3个字：气、堵、裂。

2.泵和排水系统的故障分析与处理方法

水泵发生故障时的特点是压力表和真空表读数同时变化，这是因为泵的流量和扬程是相互影响的，吸入部位发生故障，影响排出过程；同样，排出部位发生故障也会影响吸入过程。所以，在判断水泵故障时不能只看一个表的读数就下结论。现逐一分析如下：

(1)泵内有气。两表特征：真空表和压力表读数都比正常小，常常不稳定，甚至降到零，这是因为泵进入空气之后，压头显著降低，流量也急剧下降。

图2–19所示是人为把空气引入吸水管内，测得水泵扬程特性变化的情况，图中符号q表示引入的空气量与排气量之比值。试验结果表明，各种水泵可引入的空气量都有一定限量，引入太多则会使吸水管中水流中断。

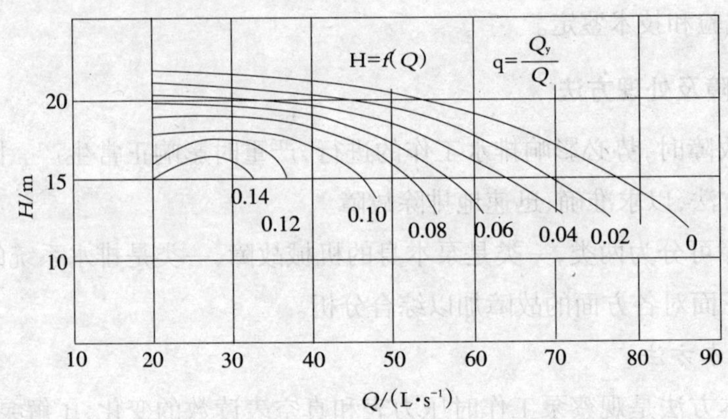

图2–19　泵内有气对扬程特性的影响

泵内有气是由吸水系统不严密引起的。容易发生漏气的部位及原因有吸水管系统连接处不严、填料箱密封不严、真空表接头松动和吸水口淹没水中过少等。

此外，当吸水管和泵安装不合适时(图2–20)，由于吸水管最高处不能完全充满水，有空气憋在里面，泵也可能不能正常工作。

应特别注意，离心泵转速降低或反转，也有类似征兆，两表读数偏小，但比较稳定。

(2)吸水管堵塞。两表特征：真空表读数比正常大，压力表读数比正常小。因为吸水管堵塞，吸水管阻力增加，也就加大了吸上真空度，所以真空表读数比正常大。同时，由于流量

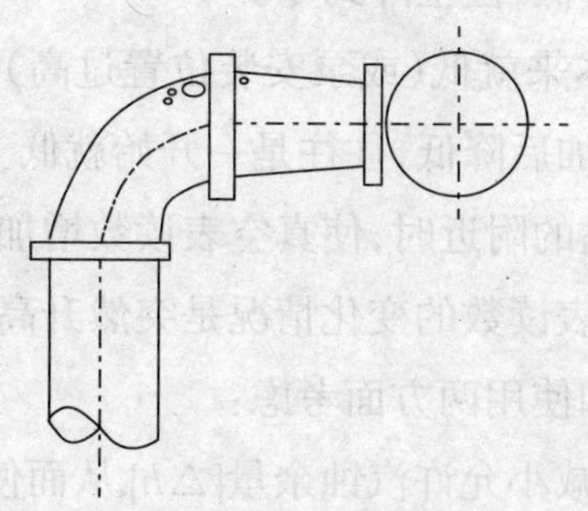

图2-20　不正确的吸水管安装

减小,排出阻力便减小,因此压力表读数比正常小。

吸水管堵塞容易发生的部位及原因有:吸水管插入太深,由于吸水井淤泥太多,没有及时清理,底闸与泥接触;滤网太脏;底阀未能全打开等。

(3)排水管堵塞。两表特征:压力表读数比正常大,真空表读数比正常小。因为排水管堵塞,便排水管阻力增大,因而压力表读数上升。又因排水管阻力增大,使流量减小,故真空度下降。

排水管堵塞使排出系统发生故障,容易发生该类故障的部位及原因是排水闸阀未打开或开错阀门。

(4)水泵叶轮堵塞。两表特征:压力表和真空表读数均比正常读数小。这是因为叶轮堵塞后,都会使扬程曲线明显收缩,则工况点向流量减小的方向移动,扬程减小,故压力表和真空表的读数均比正常读数小。

(5)排水管破裂。两表特征:一般是压力表读数下降,真空表读数突然上升。这是因为排水管破裂后,排水管阻力减少,使流量增大,从而造成真空度上升。

从两表读数来看,同吸水管堵塞时真空度增大、压力表下降一样,但是排水管破裂往往是突然发生的,因此两表读数变化比吸水管堵塞时要快一些。另外,流量增大会引起负荷增加,可从声响、电流表读数的变化与吸水管堵塞引起负荷降低的情况加以区别。在这种情况下,应立即停泵,查明原因。

排水管路破裂的原因主要是管路焊接质量不高、钢管锈蚀严重、操作中猛开猛关闸阀而引起水击等。但是,最根本的原因是思想上麻痹大意。只要严格执行操作规程,认真检查管路的锈蚀情况并定期试压,就能避免事故的发生。

(6)泵产生汽蚀。一般来讲,泵产生汽蚀时,真空表和压力表读数常常不稳定,比正常小,有时甚至降到零。但由于引起泵产生汽蚀的直接原因不同,所以两表的变化规律也不完全相同。

①若吸水管严重堵塞时,使真空表读数增大,但真空度过大,超过泵的允许吸上真空度

时，便会引起汽蚀，这时真空度降低，甚至降到零。

②若泵的允许吸上真空度本来就低（或泵安装位置过高），刚打开排水闸阀就可能产生汽蚀，这时真空度不一定是先增加后降低，往往是一开始就低下来，甚至为零。

③若排水管破裂发生在泵站的附近时，使真空表读数增加太多，超过了泵的最大允许吸上真空度而产生汽蚀，这时真空表读数的变化情况是突然升高然后又下降。

防止和消除汽蚀应从设计和使用两方面考虑：

①从泵的设计上看，应尽量减小允许汽蚀余量[Δh]，从而使 Hs 值增大。

②从吸水装置的设计上看，一是尽量减小吸水管路水头损失，即减少吸水管长、减小吸水管附件（如底阀）、增大吸水管径；二是减小实际安装高度。

③从操作使用上看，减少吸水管损失，具体方法是关小泵排水闸阀，使系统的流量减小，吸水管的水头损失随之减小。

下面将离心式水泵其他常见故障、产生故障的原因及处理方法列于表2–2。

表2–2　离心式水泵常见故障原因及处理方法

故障现象	产生原因	处理方法
引水灌不满	1.吸水底阀被卡没有关闭 2.吸水管路漏水	1.拆卸底阀清理被卡杂物 2.处理漏水
水泵不吸水，压力表和真空表的指数剧烈振动	1.启动前灌水不足 2.吸水管或真空表漏气 3.吸水管没有浸在水中	1.停泵，将泵内灌满水 2.检查吸水管和仪表 3.降低吸水管，使之浸入水中
水泵吸不上水，真空表的指针剧烈振动	1.吸水底阀被卡，滤水器被淤塞 2.吸水管被沉淀物堵塞 3.吸水高度太高	1.清除淤塞和被卡的底阀 2.清除吸水管内的堵塞物 3.降低吸水高度
水泵不出水	1.未灌满引水或底阀泄露 2.吸水管、吸水侧填料箱或真空表连接处漏气 3.底阀未开或滤水器堵塞 4.水泵转速不够 5.水泵转向不对 6.吸水高度过大	1.重新灌满水，消除泄露 2.处理漏气处，重新安装真空表 3.检查底阀，清理滤水器 4.检查电源电压 5.重新接线 6.降低吸水高度，使吸水高度降到允许值

故障现象	产生原因	处理方法
水泵起动后，只出一股水就再不上水了	1.吸入的水中有过多气泡 2.吸水管中存有空气 3.吸水管或吸水侧填料不严密 4.底阀有杂物堵塞	1.检查滤水器是否浸入水面0.5米以下 2.排除空气 3.处理水管漏气，拧紧吸水管连接螺栓或压紧填料压盖 4.清除杂物
水泵排水量不足，排水压力降低	1.转速不足 2.吸水管漏气或滤水器堵塞 3.填料箱漏气或水封管堵塞 4.叶轮堵塞或损伤 5.叶轮与导叶中心未对正 6.密封环磨损太大，泵内水泄露过多	1.调整电压 2.消除漏气，清洗滤水器 3.更换填料，疏通水封管 4.清洗更换叶轮 5.重新调整叶轮与导叶 6.更换密封环
压力表显示有压力但排水管不出水	1.水泵转向不对 2.叶轮流道堵塞 3.电动机转速不足 4.排水管阻力过大	1.电动机换向倒转 2.清理叶轮堵物 3.提高转速达到额定转速 4.清理管路
起动负荷过大	1.起动时未关闭调节闸阀 2.填料压得太紧，润滑水进不去，或水封管不通水 3.叶轮与平衡盘安装不正，或有摩擦现象 4.平衡盘导水管堵塞 5.轴与轴承接触面润滑不良 6.泵轴弯曲	1.关闭闸阀，重新启动 2.放松填料，疏通润滑水路 3.重新检修调整 4.清理堵塞 5.检查修理泵轴接触面 6.调直或更换泵轴
运转中消耗功率过大	1.轴承磨损 2.填料压得过紧或填料箱体内不进水 3.泵轴弯曲或轴心未对正 4.叶轮与泵壳或叶片与密封环发生摩擦 5.排水管路破裂，排水量增加	1.更换轴承 2.放松填料压盖或疏通水封管 3.校直、调正 4.调整、修理或更换 5.检修排水管路
轴承过热	1.轴承损坏 2.油量不足，油质不良 3.使用润滑油时，油量加得太多 4.轴承装配不良 5.泵轴弯曲或联轴器不正 6.叶轮平衡孔堵塞、轴向推力得不到平衡 7.平衡盘失去作用	1.更换轴承 2.加油、换油 3.去掉一些油脂 4.重新装配 5.矫正泵轴，找正联轴器 6.疏通平衡孔 7.检查水管是否堵塞，平衡盘与平衡环是否磨损。若堵塞则疏通，损坏则更换
填料过热	1.填料压得太紧 2.填料失水 3.轴表面有损伤 4.填料质量太差	1.适当放松填料 2.松弛填料，或检查水封管是否堵塞，并调正、疏通 3.修理轴表面损伤处 4.更换填料
水泵振动	1.基础螺栓松动 2.电动机和水泵中心线未对正 3.泵轴弯曲 4.轴承磨损过大 5.转动部分有擦碰现象 6.水泵转子或电动机转子不平衡	1.拧紧螺栓 2.重新找正 3.矫直或更换 4.修理或更换轴承 5.查明原因，消除擦碰 6.检查修理

故障现象	产生原因	处理方法
水泵有噪声，流量、扬程突变或中断排水	1.流量太大 2.吸水管阻力太大 3.吸水高度太大 4.水温过高	1.适当关闭调节闸阀 2.检查吸水管路、滤水器和底阀 3.适当降低吸水高度 4.降低水温或降低吸水高度
泵壳局部发热	1.水泵在调节闸阀关闭状态下运转了较长时间 2.平衡盘回水管堵塞	1.水泵起动后，应及时打开调节闸阀 2.清理回水管

第二部分　专业核心知识点

1.水泵工况点的调节方法。

2.矿井排水设备的安装与调试。

3.离心式水泵的操作与运行。

4.矿井排水设备的日常维护与检修。

5.矿井排水设备的故障分析及处理。

第三部分　专业技能训练

技能一　离心式水泵的开启与停止

一、技能训练目的

通过对水泵的开启与停止，熟练掌握水泵开启前的检查工作、启动程序、水泵开启后的注意事项；熟练掌握正常停泵的步骤、紧急停泵的情况及停泵后的注意事项。

二、技能训练内容

技能训练可在实训室或现场进行。训练内容参照第六节离心式水泵的操作与运行，靠动作无法表现的步骤需要用手指口述的方式进行。

技能二　离心式水泵的拆装与检查

一、技能训练目的

通过对离心式水泵的拆装，了解离心泵的拆卸、装配方法与顺序。进一步了解和掌握离心式水泵的构造，以及各零件的结构、作用，加深对离心式水泵基本知识、基本理论的理解和掌握，提高实际动手能力，为今后的工作打下一定的基础。

二、技能训练内容

教师带领学生在实训室分组进行此项训练。拆卸与装配前，应准备好地点、拆卸与装配工具、清洗材料（如煤油、汽油、棉布、棉纱、刮刀等）、支撑中段的木楔以及保护、装配用保护油、润滑脂等。如在现场进行拆装，首先要拆去妨碍拆卸的附属管路，并放掉泵壳内的水，拆开联轴器，移去电动机等。拆卸时，一定要注意保护零件，应分类放置，不能乱丢、乱放，以免零件损坏和丢失。对一些重要部件拆卸前应做好记号，以备装配时定位。

（一）离心式水泵的拆卸

1.拆去联轴器、平衡管、水封管等；

2.拆去出水侧轴承端盖上的螺栓和出水段、尾盖、轴承体3个部件之间的联接螺栓，卸下轴承端盖、轴承体等轴承部件；

3.拧下轴上圆螺母并依次卸下轴承内圈、轴承压盖和挡圈后，卸下填料体（包括填料压盖、填料环、填料等）；

4.依次卸下轴上的“O”形密封圈、轴套、平衡盘和键后，卸下出水段、末导叶、平衡环套等；

5.卸下末级叶轮和键后，卸下中段、导叶，按此依次卸下各级叶轮、中段和导叶，直到卸下前级叶轮为止；

6.拧下进水段和轴承体的联接螺母和轴承压盖上的螺栓后，卸下进水段侧轴承部件；

7.将轴从进水段中抽出，拧下轴上固定螺母，依次将轴承内圈、“O”形密封圈、轴套等卸下；

8.采用滑动轴承的大型水泵，其拆卸顺序与采用滚动轴承的水泵基本相同，仅在拆卸轴承部件处略有不同。

(二)水泵清洗检查

1.水泵零部件的清洗

水泵拆卸完毕，应将其零部件用煤油进行清洗。大件可单独进行，用毛刷沾上煤油涂在表面上清洗脏物及防腐油；小件可放在煤油盆中用刷子逐件进行清洗。清洗后用棉纱擦干净，而后涂一层润滑油，防止生锈。

2.水泵零部件的检查

(1)叶轮的检查：叶轮遇有下列缺陷之一时，应予换新。

①表面出现较深的裂纹。

②表面因腐蚀而出现较多的砂眼或穿孔。

③轮壁因腐蚀而显著变薄，影响了机械强度。

④叶轮进口处有较严重的磨损而又难以修复。

⑤叶轮已经变形。

(2)泵壳的检查：泵壳在工作中，往往因机械应力或热应力的作用出现裂纹。检查时可用手锤轻轻敲泵壳，如出现破哑声，则表明泵壳已有裂纹，必要时可用放大镜查找。裂纹找到后，可先在裂纹处浇以煤油，擦干表面，并涂上一层白粉，然后用手锤轻敲泵壳，使裂纹内的煤油因振动而渗出，浸湿白粉，从而显示出一条清晰的黑线，借此可判明裂纹的走向和长度。如裂纹出现在承受压力的地方，则应进行补焊，也可用环氧树脂修补。如裂纹出现在不受压力和不起密封作用的地方，即可在裂纹两端各钻一个3mm的小圆孔，以消除局部应力集中，防止裂纹继续扩大。如果泵壳已无修补的价值，应予以换新。

(3)泵轴的检查：泵轴拆洗后外观检查，如有下列情况之一，应予以更换。

①泵轴已产生裂纹。

②表面严重磨损或腐蚀面出现较大的沟痕，以致影响轴的机械强度。

③键槽扭裂扩张严重。

泵轴要求笔直，不得弯曲变形，拆洗后可在车床上检查，将泵轴一端装于车床卡盘中，在卡盘处注意垫好铜片。另一端用尾架顶针顶住泵轴中心孔，将百分表架置于车库中拖板上，装好后将顶针顶于泵轴中间的外圆柱面上，用手慢慢转动卡盘，观察百分表指针的变化，记录下最大值和最小值及轴面上的位置，百分表读数的最大值和最小值之差的一半即为轴的弯曲量。上述检查也可在平板上进行，在平板上放置2块U型铁，将泵轴两端置于其上，将百分表架放在平板上，装好百分表，慢慢转动泵轴，方法同上。

(4)轴承的检查：对于滚动轴承，检查时发现松动，转动不灵活等缺陷或运行时间已达到运行周期则应换新。

一般来说，滚动轴承磨损严重，其运转时噪声较大，主要是因磨损后其径向和轴向间隙变大所致。一般轴承的内径为30~50mm时，径向间隙不大于0.035~0.045mm。

滚动轴承径向间隙的测量方法为：将轴承平放于板上，磁性百分表架置于平板上，装好百分表，然后将百分表顶针顶在轴承外圆柱面上(径向)，一只手固定轴承内圈，另一只手推动轴承的外圈，观察百分表指针的变化量，其最大值与最小值之差即这轴承的轴向间隙。轴承的间隙超过要求时，应更换。

(5)检查叶轮密封环间隙是否合适：测量叶轮密封环间隙，通过测量叶轮口外圆和密封环内圆上下、左右2个位置的直径，分别取平均值，其差值的一半为其间隙，如间隙太大时必须进行修复，方法是先把叶轮入口外径光车，然后配一个合适的密封环镶嵌在入口泵盖上。

(三)水泵的装配顺序及注意事项

泵的装配顺序一般按拆卸顺序相反方向进行。装配时应注意以下几点：

1.应保护好零件的加工精度和表面粗糙度，不允许有碰伤、划伤等现象，紧固螺钉和螺栓应受力均匀；

2.叶轮出口流道与导叶进口流道的对中性是依各零件的轴向尺寸来保证，流道对中性的好坏直接影响泵的性能，故泵的尺寸不能随意调整；

3.泵装配完毕后，在未装填料前，用手转动泵转子，检查转子在泵中是否灵活，轴向窜动量是否达规定要求；

4.检查合格后压入填料，并注意填料环在填料腔中的相对位置。

技能三　离心式水泵常见故障的处理

一、技能训练目的

水泵在运行中，产生故障是不可避免的，正确判断和处理常见故障，对保证水泵的安全、正常运行具有重要意义。这也是从事矿山机电设备技术工作必须掌握的基本知识和应具备的基本技能。通过实训，使学生加深对水泵工作理论的理解，掌握水泵常见故障现象、产生原因及处理方法，培养学生分析解决实际问题的能力。

二、技能训练内容

技能训练可在实训室或现场进行。在实训室指导教师可参考本章第七节表(2-1)中所列出的水泵常见故障类型并根据实际情况，设置常见故障，让学生分析、判断，并进行处理。现场中，针对水泵现场出现的故障，学生应在教师或技术人员的指导下，进行分析、处理，要保证人员、设备的安全，并不影响生产。总之，应根据实际情况进行实训，既要达到实训目的，又要保证安全。

复习题

1.排水设备在煤矿中的作用是什么?

2.排水设备主要由哪些部分组成？其作用分别是什么?

3.简述离心式水泵的组成及工作原理。

4.为什么平衡盘可以自动平衡轴向推力?

5.离心式水泵的工况点所在区域应符合哪些条件?

6.离心式水泵的运行方式有哪些？各有何特点?

7.离心式水泵如何启动?

8.水泵运行中的注意事项有哪些?

讨论题

1.搜集学生所在煤矿使用的水泵的型号,了解其结构与工作原理,对使用中的常见故障进行分析讨论,总结出发生故障的原因并制定出防范措施。

2.水泵运行中的注意事项有哪些?

3.离心式水泵的工况点如何调节?

第三章 矿井通风设备

第一部分 系统理论知识

第一节 概 述

一、矿井通风设备的作用

地下开采的煤矿,在生产过程中由于井下有毒有害气体的不断涌出、生产中产生的矿尘的飞扬、井下有机物的腐烂、煤炭氧化等因素的影响,井下空气在化学成分和物理状态上发生了一系列变化。另外,由于生产场所的增加、矿井的延伸,井下温度也随之升高。为了确保井下工作人员的身体健康和安全生产,就必须使井下污浊的空气与地面新鲜空气不断地进行交流,实行矿井通风。

矿井通风方法依据风流获得的动力来源不同,可分为自然通风和机械通风两种。自然通风是依靠进、回风井口海拔标高的差距使进、回风侧空气温度不同所产生的自然风压而对矿井进行通风的一种方法。由于自然风压受空气温度的影响,随季节的变化而变化,所以造成通风系统极不稳定。不仅难以完成向井下各工作场所连续不断地供给新鲜空气、稀释和排出有毒有害气体的矿井通风任务,而且容易发生重大灾害事故。因此,《煤矿安全规程》规定:“矿井必须采用机械通风。”机械通风是利用矿井通风机的连续运转所产生的风压,对矿井实施通风的一种方法。显然,矿井通风设备的作用就是向井下输送足够的新鲜空气,稀释和排除有毒、有害气体,调节井下所需要的风量、温度和湿度,改善劳动条件,保证矿井安全生产。由此可见,矿井必须保证通风设备的安全运转,加强对矿井通风设备的维护、检修和管理。

二、矿井通风系统

矿井通风系统是由通风机和通风网路2部分组成。风流由入风井口进入矿井后,经过井下各用风场所,然后进入回风井,由回风井排出矿井,风流所经过的整个路线称为矿井通风系统。矿井通风系统按矿井通风机的布置方式不同,可分为以下几种:

(一) 中央式通风系统

进、回风井均位于井田走向中央,风流在井下沿走向折返流动,因而边远采区与中央采区风阻相差悬殊。边远采区风路长,阻力大,风量可能不足,通过中央采区及采空区的漏风较大。按进、回风井沿倾斜方向相对位置的不同,它又可分为中央并列式和中央分列式(中央边界式)两种。

1.中央并列式通风系统

进、回风井大致并列位于井田的中央(即在中央工业场地内)。主要通风机安设在回风井，多由主井兼做回风井。中央并列式的主要优点是初期开拓工程量小，投资少，投产快；地面建筑集中，便于管理；两个井筒集中，便于开掘和井筒延深；井筒安全煤柱少，易于实现矿井反风。缺点是矿井通风路线是折返式，风路较长，阻力较大，特别是当井田走向很长时，边远采区与中央采区风阻相差悬殊，边远采区可能因此风量不足；由于进、回风井距离近，井底漏风较大，容易造成风流短路；安全出口少，只有2个；工业广场受主要通风机噪声影响和回风风流的污染。

中央并列式适用于井田走向长度小于4km，煤层倾角大，埋藏深，瓦斯与自然发火都不严重的矿井。

2.中央分列式（中央边界式）通风系统

其进、回风井在沿倾斜方向上相隔一段距离。回风井通常位于井田浅部边界沿走向的中央，不在工业广场内。优点是安全性好；通风阻力比中央并列式小，矿井内部漏风小，有利于瓦斯和自然发火的管理；工业广场不受主要通风机噪声的影响和回风流的污染。缺点是增加了一个风井场地，占地和压煤较多；风流在井下的流动路线为折返式，风流路线长，通风阻力大。

中央分列式适用于井田走向长度小于4km，煤层倾角较小，埋藏浅，瓦斯与自然发火都比较严重的矿井。

（二）对角式通风系统

与中央式相比，安全出口较多，风流单向流动，边远采区的通风路线短，阻力和漏风较小。但采用抽出式通风时，管理相对分散，发生事故时全矿反风较困难，当公用进风段阻力较大时，通风机工作不稳定，容易造成一翼或各个采区风量不足。

1.两翼对角式

进风井位于井田中央，两翼各布置一个回风井，称为两翼对角式。优点是风流在井下的流动路线为直向式，风流路线短，通风阻力小；矿井内部漏风小；各采区间的风阻比较均衡，便于按需分风；矿井总风压稳定，主要通风机的负载较稳定；安全出口多，抗灾能力强；工业广场不受回风污染和主要通风机噪声的危害。缺点是初期投资大，建井期长；管理分散；井筒安全煤柱压煤较多。

两翼对角式适用于井田走向长度大于4km、需要风量大、煤易自燃、有煤与瓦斯突出的矿井。

2.分区对角式

进风井通常位于井田走向的中央，在每个采区各布置一个回风井，不布置总回风巷，矿井总风阻小，风量大。优点是各采区之间互不影响，便于风量调节；建井工期短；初期投资少，出煤快；安全出口多，抗灾能力强；进回风路线短，通风阻力小。缺点：风井多，占地压煤多；主要通风机分散，管理复杂；风井与主要通风机服务范围小，接替频繁；矿井反风困难。

分区对角式适用于煤层埋藏浅或因煤层风化带和地表高低起伏较大，无法开凿浅部的总回风巷，在开采第一水平时，只能采用分区式。另外，井田走向长，多煤层开采的矿井或井田走向长、产量大、需要风量大、煤易自燃、有煤与瓦斯突出的矿井也可采用这种通风方式。

（三）区域式

在井田的每个生产区域均开凿进、回风井，分别构成独立的通风系统。具有通风路线短,通风阻力小,风流易于控制,便于选择合适的主要通风机,安全出口多,安全性好等优点。缺点是通风设备多,管理分散,管理难度大。

区域式适用于特大矿井或因地质原因需要将井田划分成若干独立生产区域的矿井。

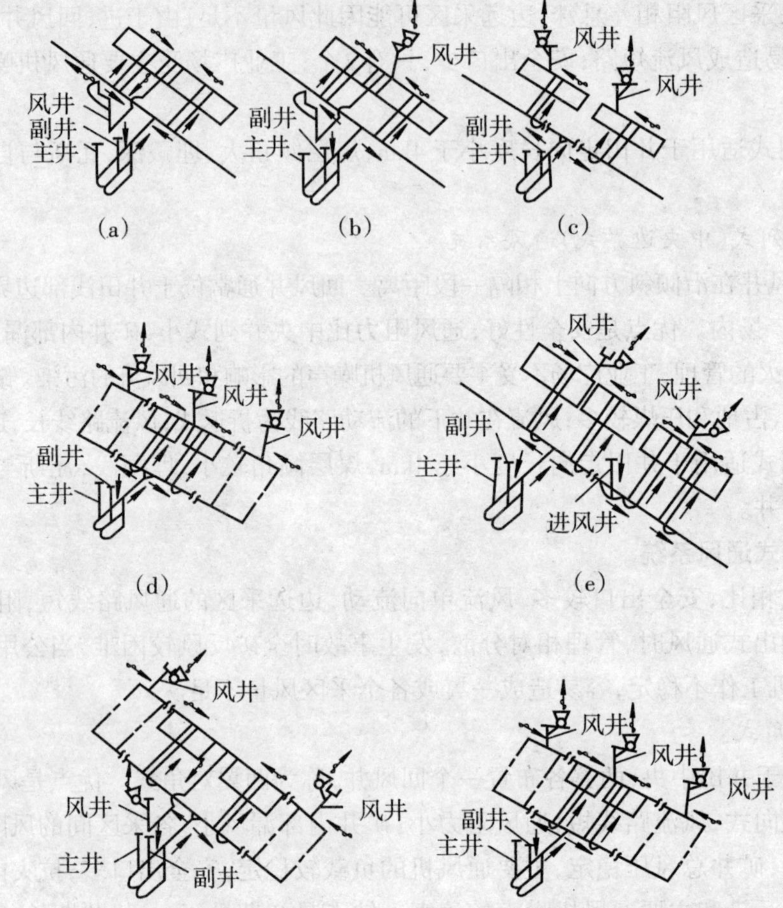

图3-1　矿井通风方式

a——中央并列式;b——中央分列式;c——两翼对角式;d——分区式;e——区域式;

f——中央并列与两翼对角混合式;g——中央分列与两翼对角混合式

(四)混合式

由上述几种方式混合而成。比如中央并列与两翼对角混合式,中央分列与两翼对角混合式等。优点:有利于矿井的分区分期建设,投资省,出煤快,效率高;回风井数目多,通风能力大;布置灵活,适应性强。但混合式通风系统的网路结构复杂,不可避免地出现了多角联子系统,造成风流不够稳定,减弱了抗灾能力,降低了通风系统的可靠性,也增加了技术管理的难度。

混合式适应于地质和地表地形复杂,井型和井田范围扩大,生产水平延伸,瓦斯涌出量和地温增高,原有通风系统不能满足需要的矿井。

三、通风机的类型

矿用通风机主要从以下几个方面分类：

1.按照服务范围分

(1)主要通风机：负责全矿井或某一区域通风任务的通风机。

(2)局部通风机：负责掘进工作面或加强采煤工作面通风的通风机。

2.按照空气在通风机内流动方向分

(1)离心式风机：空气沿轴向进入叶轮，在叶轮内转为径向流出。

(2)轴流式风机：空气沿轴向进入叶轮，经叶轮后沿轴向流出。

3.按照叶轮数目分

(1)单级：通风机只有1个叶轮。

(2)双级：通风机有2个叶轮。

第二节　矿井通风机的结构及工作原理

一、轴流式通风机

(一)轴流式通风机的结构

如图3-2所示，轴流式通风机由叶轮、整流器、进风口、扩散器及传动装置等部分组成。

1.叶轮

叶轮由叶片和轮毂组成，为中空机翼形，其作用是对气体做功，增加气体的全压。叶轮外径、轮毂比(即轮毂直径与叶轮外径之比)、叶片数、叶轮结构和叶片的叶形都对通风机的性能有较大影响。叶片的安装角度可以根据风量和风压的需要来调整大小。安装角的定位是以叶片两侧尖端的连线与轮毂上的刻度位置对齐来实现的。安装角越大，压力和风量越大。每个叶片的角度都应保持一致，否则会引起气流不均匀，甚至出现脱流。

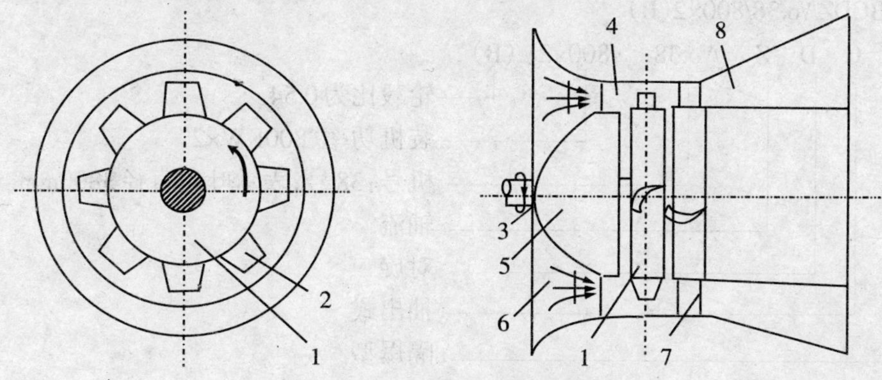

图3-2　轴流式通风机结构简图

1——叶轮；2——叶片；3——轴；4——外壳；5——流线体；6——集风器；7——整流器；8——扩散器

2.整流器

整流器是由导叶组成的固定圆筒，圆筒内径与叶轮轮毂直径相同，沿圆筒表面均匀排列的导叶是等宽的，并以一定的角度固定不动。根据叶轮与导叶的相对位置分为前导叶、中导叶、后导叶。在第一级叶轮前的导叶叫前导叶,最后一级叶轮后的导叶叫后导叶,两级叶轮间的导叶叫中导叶。导叶的作用是用来改变前一级的气流方向,把动压变为静压。为了避免气流通过时产生同期扰动引起的强烈噪声,导叶叶片数与叶轮叶片数应互为质数。导叶的叶形可采用机翼形,也可采用等厚的圆弧板形。

3.进风口

进风口由集风器和流线体组成,集风器是一个断面逐渐缩小的喇叭形圆筒,流线体表面是流线形的罩子。集风器的作用是使气体均匀地由轴流入叶轮,以减少气流冲击损失,提高通风机效率。

4.扩散器

扩散器装在通风机出口末端,是一个逐渐扩大的筒体。气流通过它时速度降低,动压减小。扩散器一般用砖砌成,用拉筋板与扩散芯筒连接。扩散器的作用是将一部分动压转变为静压,减少空气动压损失,提高通风机效率。

5.传动装置

传动装置由轴承、传动轴、主轴和联轴器4部分组成。通风机转子装在前后2个双列调心的滚子轴承上,承受通风机主轴、传动轴和叶轮质量而引起的径向载荷。由于叶轮前后压力差而产生的轴向推力由后端的三个单列径向推力轴承来承担,传动轴的两端用联轴器分别与电机、主轴连接。

(二)轴流式通风机的工作原理

当叶轮被电动机拖动旋转时,由于叶片与叶轮旋转平面间有一定的角度,叶片将推动空气向前运动。这时,在叶轮出口侧气体形成具有一定流速和压力的高压区,在入口侧形成一个低压区,外部空气在大气压力的作用下,经集流器、流线体、叶轮、整流器和扩散器排出形成连续风流。风流由轴向进,轴向出,故称之为轴流式。

(三)风机型号及含义

例:FBCDZ*N*o.38/800×2(B)

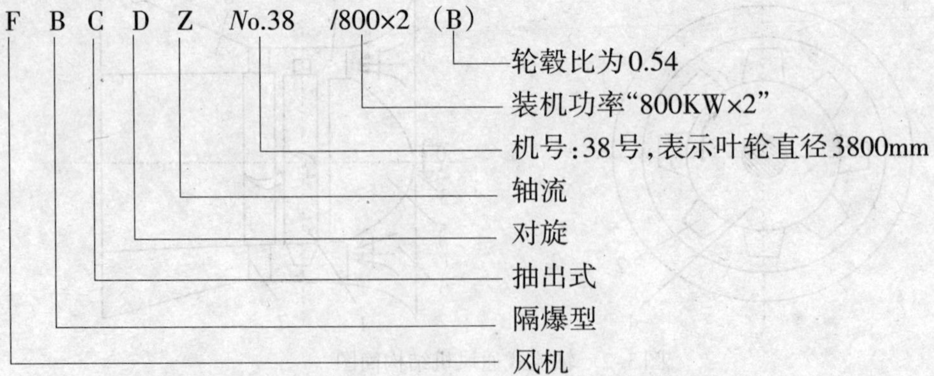

轮毂比表示法:"A"表示0.40,"B"表示0.54,"C"表示0.60,"D"表示0.65。

图3–3　FBCDZ系列风机外形图

FBCDZ型煤矿地面用防爆抽出式轴流通风机主要安装在煤矿作为矿井主要通风机使用，在结构上采用三维扭曲正交型叶片，具有驼峰小、风压平稳、喘振小等特点。性能曲线高效运行范围大，可根据所需风压风量的大小调节叶片角度，满足工况点。叶轮采用直联传动，提高了通风机运行效率。该系列通风机高效、节能、低噪声、运行平稳以及结构简单、安装便捷、维修方便，在煤矿中得到了广泛使用。

1. FBCDZ系列通风机的结构及性能特点

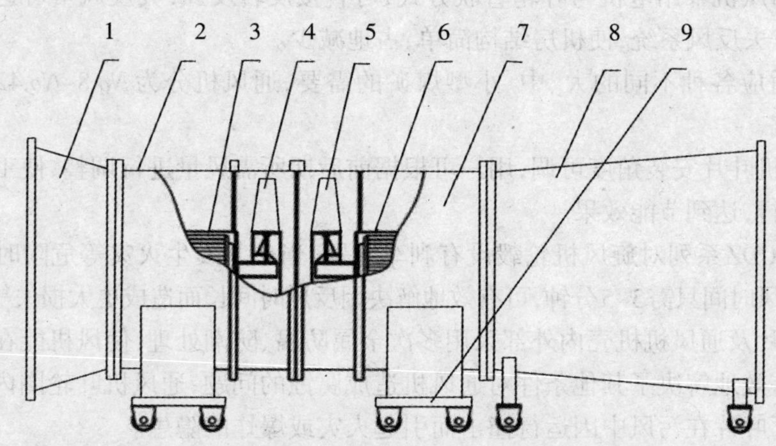

图3–4　FBCDZ系列通风机外形结构示意图

1——集流器；2——一级机壳；3——一级风机隔流腔；4——一级叶轮；5——二级叶轮；
6——二级风机隔流腔；7——二级机壳；8——扩散器；9——底座

FBCDZ系列通风机的结构如图3–4所示，它具有以下特点：

(1)风机轴向组合依次有收敛形集流器、一级风机、二级风机、扩散器、圆变方接头、扩散塔等部件，风机底座设有托轮，在预设的轨道上可沿轴向推动，各部件间用螺栓连接，便于检修。

(2)风机的叶片为机翼扭曲式，FBCDZ型防爆抽出式对旋轴流通风机比两台型号相同的单级轴流通风机串联运转风量可增加20%，风压可增加45%，对旋风机与单级风机比较，风量可增加40~70%，风压可提高100~190%，对中高风阻的矿井增加效果更为显著。

(3)风机的两级工作叶轮按相反的方向旋转，一、二级叶片互为导叶，省去了导叶部分的能量损耗，简化了结构。且叶轮采用了互为质数、安装角可调的弯掠组合三维扭曲正交型叶片，可针对矿山通风网络的工况，及时调整叶片的安装角，从而使风机始终在高效区域内运行，大大提高了风机的运行效率。

(4)风机选用隔爆型电动机，电机置于风机的隔流腔内。隔流腔具有一定的耐压性能，保证了电机流道中含瓦斯的污风相互隔绝，同时起到了散热导流的作用。风流管使电机周围与大气相通，既增加了电机的防爆性能，又使电机的热量散发到大气中，增加了风机运行的安全性。

(5)风机设置了不停机加油装置和排油装置，可以在运行中加注润滑油；停机时，可将排油口盖打开弃去废油。

(6)电机的轴承座及定子绕组间埋置了测温元件。测温元件、仪表及型号根据用户的要求选择。该装置在机房内可遥测电动机轴承座及定子的温度。

(7)该通风机正常工作条件：

①海拔不超过1000m

②温度：-20~40℃

③湿度：95%（温度在25℃时）

④可输送-20℃~40℃的井下空气，输送气体中允许含有甲烷等爆炸性气体。

(8)因通风机采用电机与叶轮直联方式，可直接反转反风，其反风量可达正风量的60%以上，从而省去反风系统，使机房结构简单，占地减少。

(9)为适应各种不同的大、中、小型煤矿的需要，通风机分为*No*.8~*No*.42共35个机号，100多个规格。

(10)风机叶片安装角度可调，用户可根据前后期所需风量进行调整，使工况点始终保持在高效区运行，达到节能效果。

(11)FBCDZ系列对旋风机轮毂设有刹车装置，当矿井发生火灾等危险时，可快速制动，进行反转反风时间只需3~5分钟，可有效地解决因反风时间长而造成更大损失等一系列问题。

(12)叶片及通风机机壳内外部采用多次金属防腐、防潮处理，使风机能在潮湿环境下长时间运行，有效地解决了其他条件对通风机造成腐蚀的问题，通风机叶轮圈内镶有H62铜保护环，解决了叶片在污风中因运行撞击而引起火灾或爆炸的隐患。

(13)风机配有钢板制成的扩散器及流线型扩散塔。可将风机出口气流的部分动压转变为静压，提高了风机的静压效率。

二、离心式通风机

(一)离心式通风机的结构

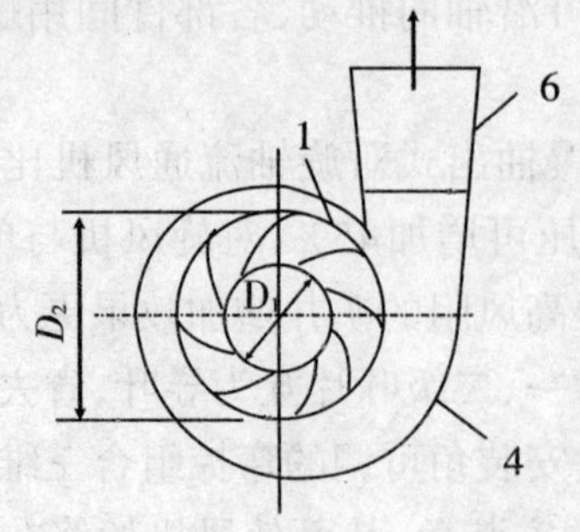

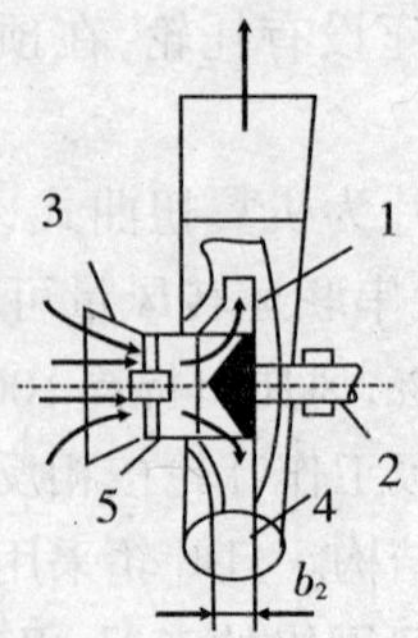

图3-5　离心式通风机结构简图

1——叶轮；2——轴；3——进风口；4——机壳；5——前导器；6——扩散器

如图3-5所示，离心式通风机由叶轮、轴、机壳、扩散器等组成。各部分的作用分别是：

1.叶轮

它是离心式通风机的关键部件，由前盘、后盘、叶片和轮毂等零件焊接或铆接而成。前盘的结构形式有平前盘、锥形前盘、弧形前盘等几种。

其中平前盘叶轮制造工艺简单，但因气流进入流道时转弯过急，能量损失较大。弧形前盘叶轮则相反，虽制造工艺复杂，但因气流流动无突变而效率高。锥形前盘叶轮的工艺性及效率均居中。

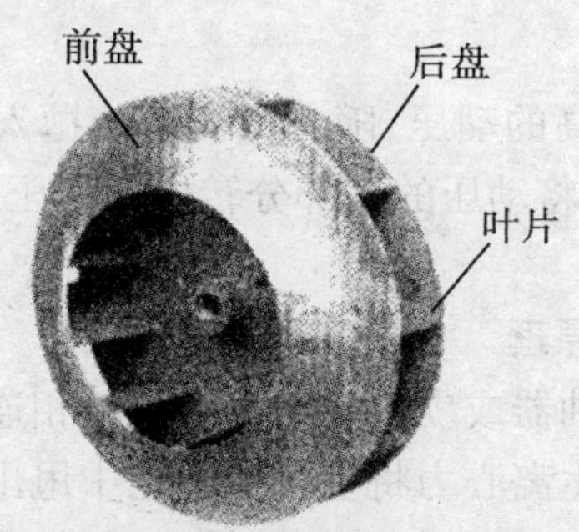

图3-6　离心式通风机叶轮外形图

叶片的作用是将机械能转变为气体的压力能。根据叶片出口安装角不同，叶片可分为前倾式、径向式和后倾式三种。前倾式叶片的形状与空气在离心力作用下的运动方向完全相反，空气与叶片之间撞击剧烈，因此能量损失和噪音都较大，故效率就低。但前倾式叶片能使空气以较高的流速从叶轮中甩出，从而使空气在风机出口处获得较大的静压。后倾式叶片与前倾式不同，叶片的弯曲度较小，而且符合气体在离心力作用下的运动方向，空气与叶片之间的撞击很小。因此能量损失和噪音较小，效率较高。但后倾式叶片只能使空气以较低的流速从叶轮甩出，空气所获得的动压较低。径向式叶轮的特点介于前倾式和后倾式之间。大型主要通风机均采用后倾式，出口安装角在15°~72°之间。叶片的形状大致可分为平板形、圆弧形和机翼形几种，目前多采用机翼形。叶片数目与叶片安装角度以及叶轮轮外径和内径的比值有关，通过试验可以找到某一最佳值，数目一般为6~18片。

2.进气箱

进气箱一般用于大型离心式通风机进口之前需接弯管的场合（如双吸式离心式通风机）。因气流转弯，会使叶轮进口截面上的气流很不均匀，若在进口集流器之前安装进气箱，则可改善气流状况。其横断面积与叶轮进口面积之比为1.75~2.0时适宜，与风机出口的夹角90°为最好。

3.进口导流器

大型离心式通风机为了扩大使用范围和提高风量调节性能，可在集流器前或进气箱内装设进口导流器，有轴向和径向两种。通过改变其叶片开启度的大小来控制进风量大小和叶轮进口气流方向，以满足调节风量要求。导流叶片数目一般为8~12片。

4.集流器

离心式通风机一般均装有进口集流器，它可保证气流均匀地进入叶轮，使叶轮得到良好的进气条件，减少流动损失和降低进口涡流噪声。其开口有筒形、锥形、弧形和组合形等几种。其中大型离心式通风机多采用弧形或锥弧形集流器，以提高风机效率和降低噪声；中、小型离心式通风机多采用弧形集流器。

5.机壳

机壳的作用是汇集从叶轮流出的气流，导至风机的出口，并将气体的部分动能转变为静压。其结构是由一个截面逐渐扩大的螺旋形流道和一个扩压器组成，机壳截面形状为矩形，扩压器向舌部扩散。舌部的作用是防止部分气体在蜗壳内循环流动，其结构形式常见的有深舌、短舌和平舌3种。

6.扩散器

风机外壳出口处气流有较高的动压，随着气流直接抛入大气的同时，其动压散失于大气，无益于通风。若利用扩散器将动压的一部分转换为静压，可以减少能量损失，扩散角一般小于15°。

(二)离心式通风机的工作原理

离心式通风机的轴通过联轴器或皮带轮与电动机轴相连。当电动机转动时，风机的叶轮随着转动。叶轮在旋转时产生离心力将空气从叶轮中甩出，空气从叶轮中甩出后汇集在机壳中，然后由扩散器排出。当叶轮中的空气被排出后，就形成了负压，吸气口外面的空气在大气压作用下又被压入叶轮中。因此，叶轮不断旋转，空气也就在通风机的作用下不断地沿叶轮径向排出，形成连续风流。风由轴向进，径向出，故称之为离心式。

离心式风机装有前导器，通过前导器可使通风机叶轮进口处产生气流的扭曲，用来改善通风机的工作性能。

(三)风机型号及含义

以K4-73-01No.32型通风机为例：

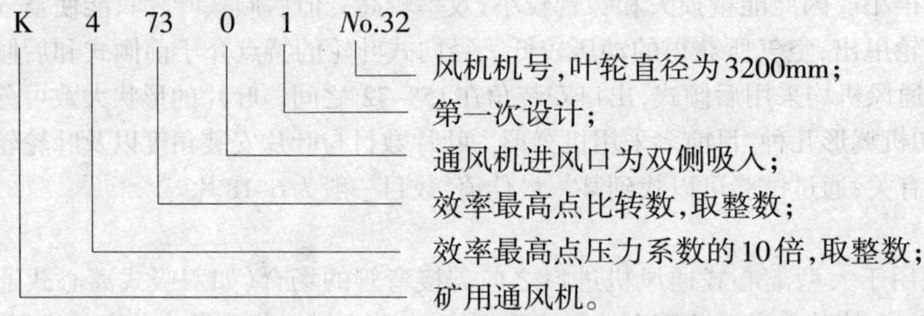

第三节　通风机的性能参数及工况分析

一、通风机的性能参数

1.风量

通风机在单位时间内输送气体的体积称为风量。用符号Q表示，单位为m^3/s，m^3/min，m^3/h。

2.风压

通风机的风压分为静压、动压和全压。

(1)静压:单位体积的空气流过通风机后所获得的压力能(或势能),用来克服通风系统的阻力。用符号Hj表示,单位为Pa。

(2)动压:单位体积的空气流过通风机后所获得的动能,使空气在通风机出口断面内以一定的速度流动。用符号Hd表示,单位为Pa。

(3)全压:指单位体积的空气流过通风机后所获得的总能量,等于静压与动压之和。用符号H表示,单位为Pa。

3.功率

(1)轴功率:电动机传递给通风机的功率,即通风机的输入功率。用符号N表示,单位为kW。

(2)有效功率:单位时间内空气自通风机所获得的能量,即通风机的输出功率。用符号Nx表示,单位为kW。

$$Nx=\frac{QH}{1000}$$

4.效率

(1)全效率:通风机的有效功率与轴功率之比。用符号η表示。

$$\eta=\frac{Nx}{N}=\frac{QH}{1000N}$$

(2)静效率:在上式中如用静压Hj代替全压H,所得效率为静效率。用符号η_j表示。

$$\eta_j=\frac{QHj}{1000N}$$

5.转速

通风机的转速指通风机每分钟的转数。用符号n表示,单位为r/min。

二、通风机的特性曲线

通风机的风量、风压、轴功率和效率等几个性能参数之间存在着一定的依存关系。在额定转速、最高效率下运行时,通过试验绘制出反映这些性能参数之间变化规律的关系曲线,叫做通风机的性能曲线。它是选择与研究通风机的重要依据。

(一)轴流式通风机的特性曲线

1.风量—风压性能曲线

通风机的风量和风压之间的关系曲线称为风量—风压性能曲线,简称风压曲线(Q—H曲线)。由于叶片在轮毂上的安装角不同,每个安装角对应一条风压曲线,此曲线为一条鞍状的性能曲线,而且同一台通风机的驼峰区随叶片装置角度的增大而增大。驼峰点右侧的特性曲线为单调下降区段,是稳定工作段;驼峰点左侧是不稳定工作段,风机在该段工作,有时会引起风机风量、风压和电动机功率的急剧波动,甚至机体发生振动,发出不正常噪音,产生所谓喘振(或飞动)现象,严重时会破坏风机。

2.风量—功率性能曲线

通风机的风量和功率之间的关系曲线称为风量—功率性能曲线,简称功率曲线(Q—N曲线)。叶轮的每个安装角对应一条功率曲线。随着风量的增加,功率缓慢上升后又缓慢下降,并且风量为零时,功率并不是最小。因此,轴流式通风机应在半开或全开闸门的情况下启动。

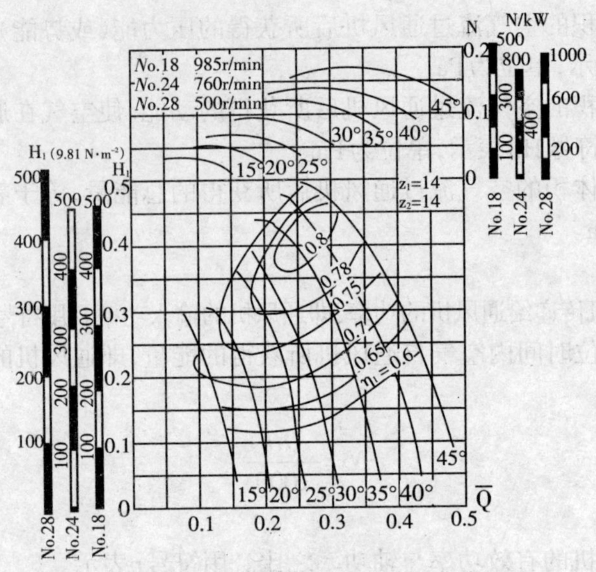

图3-7　轴流式通风机的特性曲线

3.风量—效率性能曲线

通风机的风量和效率之间的关系曲线称为风量—效率性能曲线,简称效率曲线(Q—η曲线)。该曲线上的每点效率都相等,因此,也称等效率曲线。随着风量的增加,其效率也逐渐增加。

在产品样本中,大、中型矿井轴流式通风机给出的大多是静压特性曲线,而离心式通风机大多是全压特性曲线。

(二)离心式通风机的特性曲线

离心式通风机与离心式水泵的工作原理完全相同,区别仅是通风机的工作介质是空气,而水泵的工作介质是水。因此,离心式通风机的性能曲线和离心式水泵的性能曲线相似。同类型的通风机必有其共同特性,反映同类型通风机共同特性的曲线,称为类型特性曲线,也称为无因次特性曲线。离心式通风机可采用无因次特性曲线,如图3-8所示。由于矿井使用离心式通风机较少,在此不作详细介绍。

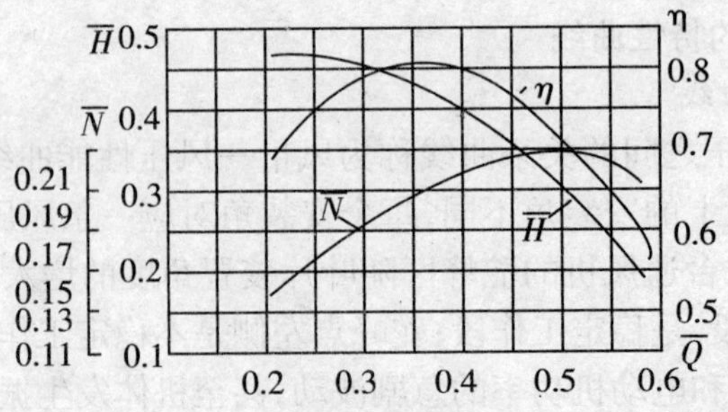

图3-8　K4-73-01型离心式通风机无因次特性曲线

三、通风机在通风网路上的工作分析

(一)矿井通风网路特性曲线

通风网路特性曲线是表示在一定通风网路的阻力下,流过该网路的风量与风压之间的关系曲线。当通风网路阻力改变时,风量与风压之间的关系也随着改变。

通风时的网路性能曲线方程和排水时的管路性能曲线方程基本相似,故可以利用排水时的管路特性曲线方程式,求得需要通风机传给气流的全压。

由上一章可知,排水管路特性方程式是 $H=H_C+RQ^2$,因为在矿井通风中,通风机的出口和进风道之间的高差很小,取 $H_C=0$,因此,矿井通风网路的性能曲线方程式为:

$$H=RQ^2 \tag{3-1}$$

式中　H——通风机的风压,Pa;

R——通风网路的阻力常数。

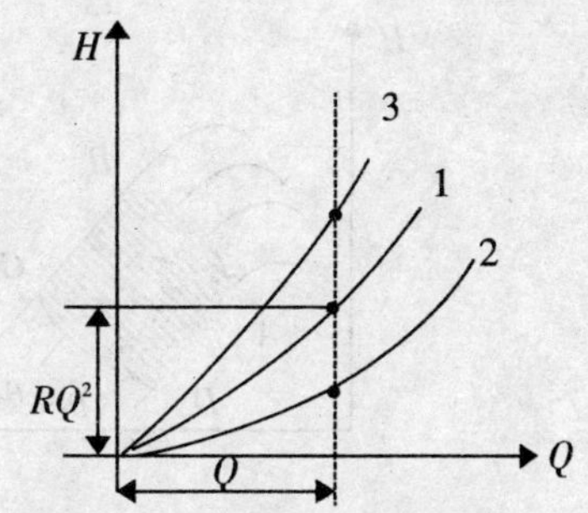

图3-9　通风网路性能曲线

根据式3-1所绘制出的通风网路性能曲线,是一条通过坐标原点的抛物线,如图3-9所示。当通风网路的阻力一定时,其性能曲线为1;当通风网路阻力减小时,该曲线变平直,如曲线2所示;当通风网路阻力增大时,该曲线变陡,如曲线3所示。

(二)通风机工况点及工业利用区

1.通风机工况点

通风机是和一定的矿井通风网路连接在一起工作的。因此,通风机所产生的风量等于通过网路的风量,而风量通过该网路时,对应的阻力即等于通风机的风压。也就是说,矿井的通风工作是由网路与通风机的配合来完成的,通风机所供给的能量和巷道阻力所消耗的能量是平衡的。所以,通风机的工况由通风机特性与网路特性共同决定。

将通风机的风压特性曲线与网络特性曲线画在同一坐标中,两曲线的交点就是通风机工况点。工况点所对应的各项参数称为通风机的工况参数。

2.工业利用区

通风机的工业利用区是在通风机的特性曲线上,划定一个既满足稳定工作条件又满足经济工作条件的工作范围,此范围就称为工业利用区。

(1)稳定工作条件。

风机的稳定性是指风机与网路的能量供求关系的平衡状况。当外界条件发生变化后仍能建立起新的平衡时,这种工作就是稳定的。反之,在新的条件下不能建立起这种平衡关系,致使流量和压力发生剧烈波动,这种工作就是不稳定的。

从稳定性考虑,离心式通风机工作稳定性较好。而一般的轴流式通风机特性曲线呈马鞍形,且有驼峰点,如果具有这种特性曲线的风机在网路中工作时,就有可能使风机的流量发生忽大忽小的剧烈变化,从而引起强烈的机械振动,这种现象称为喘振。发生喘振时,风机的工作显然不稳定。为防止喘振,使风机稳定工作,就必须使工况点始终位于驼峰(压力最高点)的右侧。

因此,规定风机的稳定工作条件为通风机工况的风压不得超过最高静压的90%,即:

$$H_M \leqslant 0.90\mathrm{H}_{\mathrm{j,max}}$$

除此之外,还必须保证只有单一工况点。

(2)经济工作条件。

从经济性考虑,由于通风机功率大,耗电多,因此要求工况点静效率大于或等于通风机最大静效率的0.8倍,但不得低于0.6,即

$$\eta \geqslant 0.8\eta_{j,max} \qquad \eta_M \geqslant 0.6$$

根据稳定工作条件和经济工作条件的要求，轴流式通风机的工业利用区如图3-10所示，ABCD所限定的范围即工业利用区。AB线为不同的安装角时，静压特性曲线上的0.9倍最大静压值各点的连线；CD为静效率等于0.6时的等效率曲线。离心式通风机的工业利用区如图3-11所示，阴影部分表示的是工业利用区，其中H、N、η分别为离心式通风机的静压、轴功率和静效率特性曲线。

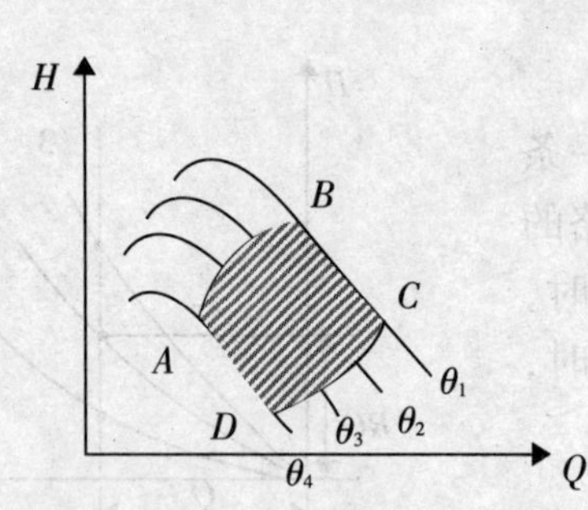

图3-10 轴流式通风机的工业利用区

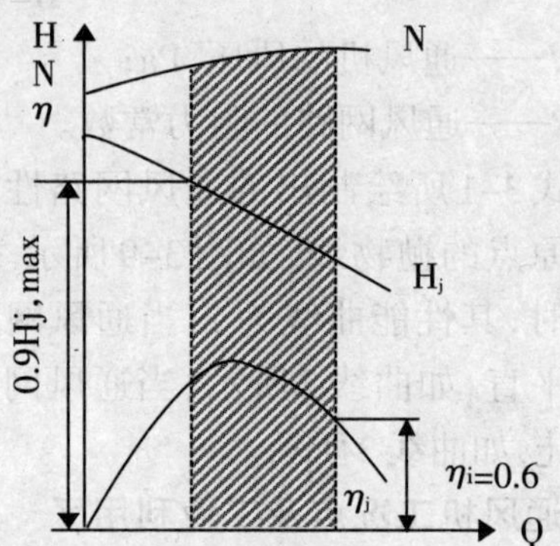

图3-11 离心式通风机的工业利用区

(三)通风机工况点的调节

在矿井开采过程中通风网路的阻力不断发生变化，风量和风压也随之变化，从而使得通风机的工况点也发生改变。为了保证矿井通风所需的风量和风压，使通风机运行在安全、高效的状态，就要对通风机的工况点进行调节。工况点的调节方法有两种：改变网路特性曲线法和改变通风机性能曲线法。

1.改变网路特性曲线

改变网路特性曲线采用闸门节流法，其原理是通过调节通风网路闸门的开度来改变网路的特性曲线，从而达到改变工况点的目的。如图3-12所示，在开采初期，通风网路的阻力较小，网路特性曲线较平直，这时的风量大于矿井需要的风量，如不进行调节将会造成能量损失。适当关闭闸门可以使工况点左移，风量减小，轴功率也减小。而随着开采深度的增加，通风阻力的加大，闸门逐渐开大。

这种方法操作简单，但额外消耗的功率较大、不经济，因此多用作调节量不大的辅助调节。

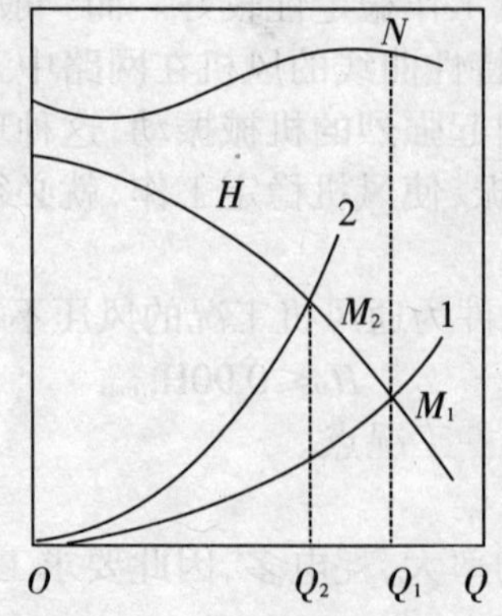

图3-12 闸门节流阀工况点示意图

2.改变通风机性能曲线法

(1)改变叶轮转速调节法。

当矿井通风网路的阻力发生变化时,相应地改变通风机的转速使风压特性曲线发生改变,可达到调整工况点的目的。需要的转速可以根据比例定律计算得出。

比例定律:

$$\frac{Q'}{Q}=\frac{n'}{n} \qquad \frac{H'}{H}=\left(\frac{n'}{n}\right)^2 \qquad \frac{N'}{N}=\left(\frac{n'}{n}\right)^3$$

式中 Q、Q' ——分别为调节前、后的风量,m^3/s;

H、H' ——分别为调节前、后的风压,N/m^2;

N、N' ——分别为调节前、后的轴功率,kW;

n、n' ——分别为调节前、后的转速,r/min。

改变通风机的转速后,特性曲线将向上、向下移动。

改变通风机转速的方法有:

①更换带轮:对于用带传动的通风机可通过更换带轮来改变传动比。

②更换不同转速的电动机或采用多速电动机:用联轴器传动时,可更换不同转速的电动机或采用多速电动机,实现有级调速。这种方法比较简单,设备也比较便宜。但负荷变化较大时,会出现大马拉小车的情况,使电动机本身的运转效率下降,经济性变差。

③转子串电阻调速:绕线式异步电动机的速度调节,可以在转子回路中串接附加电阻,从而改变其转差率以达到调速的目的。该方法简单方便,但也存在一些问题:调速范围不平滑,是有级调速;低速时转速波动大;转子电阻及其开关设备体积大,属于有触点控制,带电流切换电阻时故障率高;转差功率均消耗在附加电阻上,电动机运行能耗大、效率低、不经济。

④串级调速:串级调速采用有源逆变的原理,用一套有源逆变设备代替转子电阻及相应的开关设备,把原来消耗在附加电阻上的功率发送到电网,用改变逆变角的方法来改变转速。这种方法虽然提高了效率,节省了部分电能,但系统设备复杂,投资大。

⑤变频调速:利用变频器调速是一种比较先进的调速方法,变频器是一种静止的频率变换器,可将电网电源的50 Hz恒定频率变成可调频率的交流电,作为电动机的电源装置。使用变频器可以节能、提高调速质量和劳动生产率。且具有以下特点:

取消挡板调节,降低了设备的故障率,节电效果显著。

实现了电机的软启动。延长了设备的使用寿命,避免了对电网的冲击。

电机将在低于额定转速的状态下运行,减少了噪音对环境的影响。

安装时可不破坏原有的配电设施及环境,不影响生产。

只需调节电位器旋钮即可调整风量,操作方便。

安装变频器时,原设备、供电系统、电动机等都不需要变动,只是把变频器接入电路,再进行相应的软件设置即可。所需时间短,可靠性强,使用维修方便。

若把变频器的控制系统与瓦斯探测系统联网,还可以在瓦斯涌出量增大时自动增大通风量,冲淡瓦斯,防止事故的发生。

通风机采用变速调节效率不变或变化很小,故可保证通风机高效运转。它是所有调节方法中经济性最好的一种。

(2)前导器调节法:前导器是安装在叶轮入口前的一种导流装置。改变前导器的叶片安装角可以改变气流进入叶轮的旋绕速度,从而改变风机的特性,达到调节风量的目的。带有前导器的离心式风机和轴流式风机都可采用此方法进行风量调节。其方法是把前导器叶片的角度逆着叶轮旋转方向转动一个角度,使风压增高(即风压曲线上升);反方向调节,则风压曲线下降。这种方法操作方便,还可在不停机的情况下调节,易实现自动控制。但调节范围窄,适用于辅助调节。其经济性比变速调节差,但比闸门调节优越。

(3)改变叶片安装角调节法:改变叶片安装角调节风机特性的方法多用于轴流式通风机。叶轮上的叶片安装角变化时,出口旋绕速度也随之变化,进而使风量、风压变化,从而达到调节通风机风压特性曲线的目的。安装角增大时,通风机产生的风压增大;安装角减小则通风机产生的风压降低。

厂家一般都给出在不同安装角度下的特性曲线,把通风网路特性曲线绘在通风机的特性曲线上,和不同的风压特性曲线相交。根据矿井需要的风量,把叶片安装角调节到需要的角度。

如图3-13所示,在开采初期,通风机在叶片安装角θ_1工况点Ⅰ的情况下工作就满足了所需风量,但网路阻力稍有变化就会造成风量减少。为防止风量减少,在开采初期将安装角调节到θ_2,随着开采的进行,安装角可逐渐调到θ_3、θ_4等,直到工况点移到Ⅶ为止。

改变叶片安装角的方法很多。最原始的是在停机后松开锁紧螺母,然后将叶片转到所需角度,最后锁紧螺母。如此逐一完成所有叶片的调节,不仅工作量大,而且也难以保证调节精度。目前,有些新型通风机在停机情况下,可采用专门的叶片安装角调节机构对叶片安装角进行调节。这样,不仅可同时改变全部叶片的安装角,而且能保证各叶片角度相等。有的通风机还能够在运转中任意改变叶片安装角。

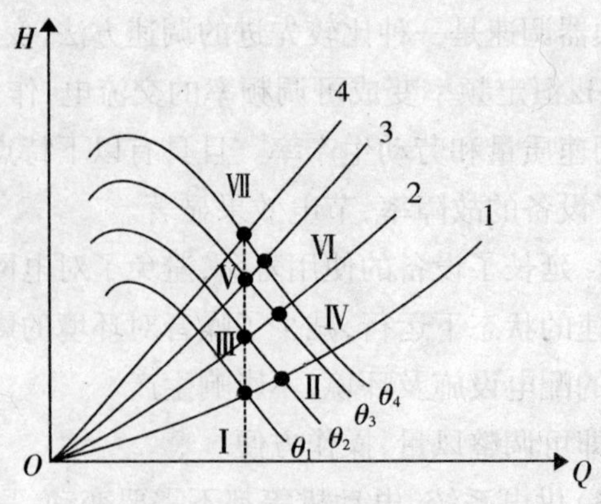

图3-13　改变叶片安装角度法示意图

下面介绍FBCDZ系列对旋轴流式通风机叶片调节方法。

调节示意图如下：

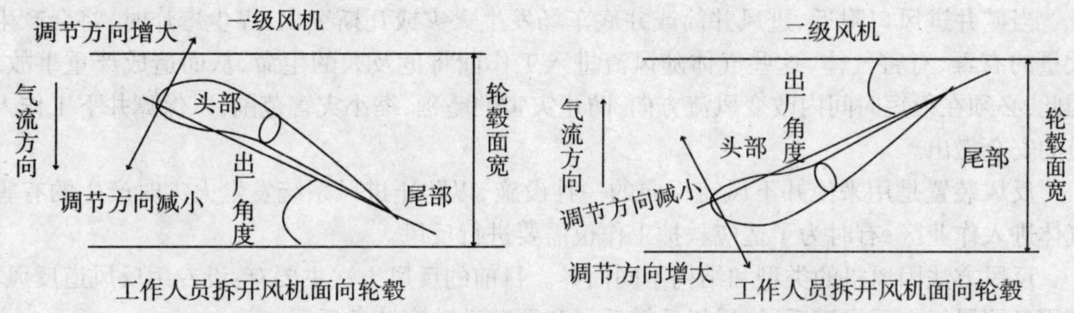

图3-14　FBCDZ系列对旋轴流通风机叶片调节示意图

调节步骤：

①根据风机现运行的风量和负压值及工作所需求的工况风量和负压，按照说明书提供的风机性能曲线，计算需要调节的叶片安装角度。

②拆开一、二级风机间的连接螺栓，向后移动风机，2主机间隔至少80cm，便于工作人员现场操作。

③卸下轮毂盖板，松开叶片的紧固螺母。

④确定叶片调节角度后，按照轮毂面上厂家出厂时预做的角度标记进行调节。

⑤按上图示意的调节方向，增大或减小叶片角度，若增大角度，叶片头部向气流来向偏转，增大叶片升力从而增大风量反之减小风量。一、二级叶片调节方法雷同，调节方向正好相反。

⑥依次将每个叶片角度调节完毕后再逐一检查是否调节到位和紧固完好，然后盖上盖板。

⑦检查风机流道中是否遗留下工具或杂物，清理干净后将一、二级风机联接紧固，开机运行。

这种方法调节范围大，效率较高，广泛应用于轴流式通风机。

(4)改变轴流式通风机叶轮级数和叶片数目调节法：在矿井开采初期，若通风机产生的风压大大超过实际需要，而矿井用的是两级轴流式通风机时，可以把后一级叶轮去掉，使通风机的性能曲线下降，达到调节工况点的目的。在通风机的叶片数目为偶数时，也可将叶片均匀对称地拿掉几片，使通风机的特性曲线下降，调节工况。但采用此方法时，必须注意通风机的平衡问题。

改变通风机级数的调节范围比改变叶轮叶片数目调节范围大，但两种方法都会降低效率，并且都需要在停机的情况下进行。

第四节　反风装置及其功能

当矿井进风口附近、进风井筒或井底车场发生火灾或瓦斯突出、煤尘爆炸时，将会产生大量的有毒、有害气体，这些气体随风流进入工作面将危及人的生命，从而造成严重事故。因此，必须在很短时间内改变风流方向，防止灾害的蔓延，缩小灾害范围，以保障井下工作人员的安全撤出。

反风装置是用来使井下风流反向的一种设施，以防止进风系统发生火灾时产生的有害气体进入作业区；有时为了适应救护工作也需要进行反风。

反风方法因风机的类型和结构不同而异。目前的反风方法主要有：设专用反风道反风；利用备用风机作反风道反风；风机反转反风和调节动叶安装角反风。

一、设专用反风道反风

设专用反风道反风稳妥可靠，在反风时间和风量上都能满足要求。但需要较长的反风道和风门等设备，基建投资较大，在北方的严冬季节有冻住风门的危险。

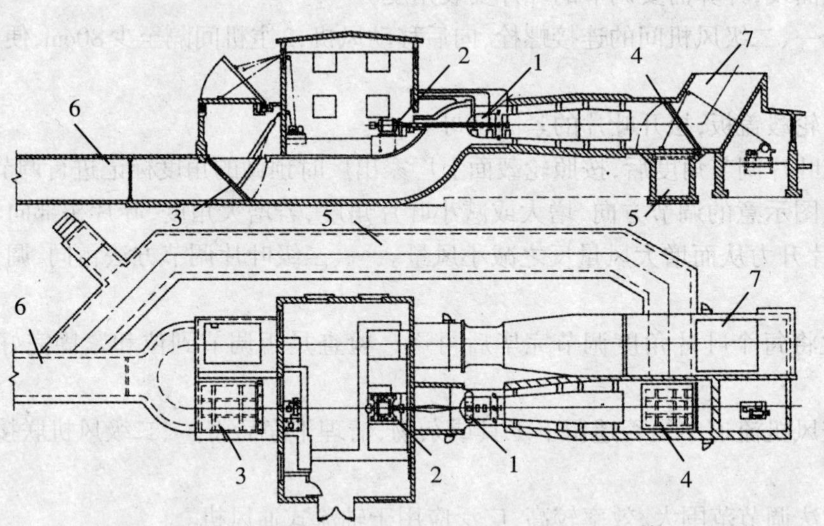

图3-15　轴流式通风机作抽出式通风时利用专用反风道反风示意图

1——通风机；2——电动机；3.4——反风闸门；5——反风绕道；6——风硐；7——扩散器

1. 轴流式风机利用专用反风道反风

如图3-14所示，2台风机并排安装，一台工作，一台备用。各风门均用钢丝绳通过滑轮与小绞车相接，多数绞车集中在机房内用电动(或手动)操作。正常工作时，反风闸门3提到上方位置，使通风机与风硐6联通，同时把反风闸门4放到下面，使风机出口与反风绕道5隔绝，和扩散器7联通。这样，从井下来的风流经风硐6、通风机1和扩散器7排到大气中。反风时，先使通风机停止运转，放下反风闸门3，关闭了通风机入口与风硐6的通道，再提起闸门4，一方面关闭了风机出口与扩散器出口的通道，同时又打开了与反风绕道5的通道，然后开动风机1，这时，空气从闸门3上方敞开的闸门进入通风机1，经过反风绕道5和风硐6被压入井下，达到反风目的。

这种反风方法建设费用较高，不仅需要做反风绕道，而且为了启动几个闸门还需要购置绞车等设备，同时，对反风设备须经常维修，因为反风门和反风绕道有时会引起大量漏风。但这种反风方法反风后的风量较大，可靠性较好，故被广泛采用。

2. *离心式风机利用反风道反风*

图3–15是2台离心式通风机作为矿井主要通风设备及反风系统布置图。

2台通风机对称布置，一台左旋，一台右旋，扩散器由屋顶穿出。正常通风时，井下空气沿出风井经进风道进入通风机，然后由通风机经扩散器排出，风流按实线箭头方向流动。

反风时，关闭垂直风门12，打开水平风门13，关闭反风门6，堵塞扩散器出口，使通风机和反风道相通。此时，大气由水平风门进入进风道和通风机，通风机排出的空气流动方向改变90°进入反风道，然后下行压入风井，实行矿井反风。风流在此反风过程中按虚线箭头方向流动。

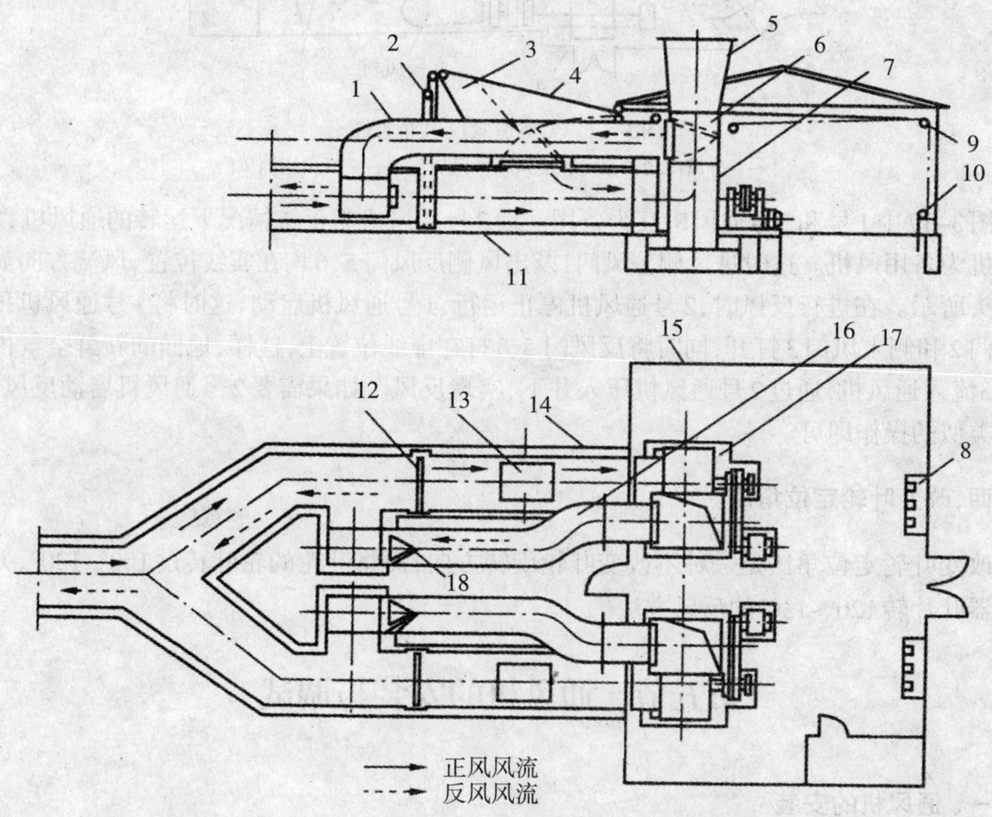

图3–16　离心式通风机作抽出式通风时利用反风道反风示意图

1.16——反风道；2.12——垂直风门；3——闸门架；4——钢丝绳；5——扩散器；6——反风门；7.17——通风机；8.10——手摇绞车；9——滑轮组；11.14——进风道；13——水平风门；15——通风机房；18——检查门

二、轴流式通风机反转反风

轴流式通风机可以利用通风机叶轮反转进行反风。先停转风机，由于通风机和转子的惯量较大,为防止通风机停转的延续时间太长,应使用刹车装置紧急停车。反风时,合上制动轮倒转的电闸,改变电机及通风机叶轮的转动方向,风流方向便反转过来。这种方法不需要做反风绕道,基建费较小,反风方便,比较经济,同时漏风也少,但反风量较小。

三、无地道反风(利用备用风机的风道反风)

无地道反风是2台轴流式通风机用一个引风道,反风时,利用分风门使一台通风机引风道隔断,并打开反风侧门,使通风机入口与大气相通,然后关闭反风门,即关闭扩散器,工作通风机的风流通过另一台通风机进入井下,实现反风。这种方法反风操作复杂,反风阻力大。

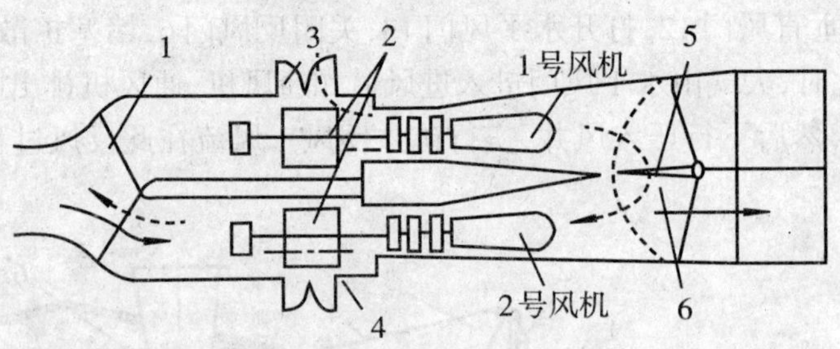

图3-17 无地道式反风布置图

1——分风门;2、3、4——反风用进风门;5、6——反风用挡风门

图3-17中1号和2号通风机互为备用。设2号通风机为正常情况下运转的通风机,1号通风机为备用风机。这时进风侧分风门1及出风侧反风门5、6均在实线位置,风流方向如实线箭头所示。在进行反风时,2号通风机停止运行,1号通风机启动,这时将1号通风机顶盖入风门2和侧入风门3打开,同时将反风门5、6打在虚线位置上,这样,地面的新鲜空气由风门2、3流入通风机,通过2号通风机压入井下,实现反风。如果需要2号通风机启动反风,则进行类似的操作即可。

四、改变叶轮定位角法

改变叶轮定位角法是一种不改变叶轮旋转方向,而将叶轮的轮叶转过100°~120°,并将整流器叶片转120°~130°的反风方法。

第五节 通风机的安装与调试

一、通风机的安装

(一)风机安装前的准备工作

1.风机开箱前应检验包装是否完整无损,风机的铭牌参数是否符合要求,各随带附件是否完整齐全。

2.仔细检查风机在运输过程中有无变形或损坏,坚固件是否松动或脱落,叶轮是否有擦碰现象,并对风机各部分零件进行检查。如发现异常现象,应待修复后再使用。

3.用500V兆欧表测量风机外壳与电机绕组间的绝缘电阻，其值应大于0.5兆欧，否则应对电机绕阻进行烘干处理，烘干时温度不许超过120℃。

4.准备好风机安装所需的各种材料、工具及场地。

（二）风机的安装

1.全面熟悉风机的样本，熟悉风机的规格、形式、叶轮旋转方向和气流进出方向等等；风机安装前应检查叶轮有无擦碰现象，并对各部件进行全面检查，确认附件是否完整，部件联接是否紧固。认真检查风叶有否因运输损坏或变形，若有应待修复后方可安装。

2.联接风机进出口的风管应当单独支撑，不允许将管道重量加在风机的部件上，风机安装时应注意风机的水平位置，对风机与地基的结合面和出风管道的联接应调整，使之自然吻合，不得强行联接。

3.风机安装后，用手或杠杆拨动叶轮，检查是否有过紧或擦碰现象，有无妨碍转动的物品，在无异常现象下，方可进行试运转，风机传动装置的外露面部分应有防护罩（用户自备），如风机进风口不接管道时，也需添防护网或其他完全装置（用户自备）。

4.风机接线必须正确可靠，风机外壳应妥善接地，接地必须可靠。供给风机的电源必须完整，并符合相关要求。电机接线必须有专业知识的电工接线。

5.风机全部安装后应检查风机的内部是否有遗留的工具和杂物。

二、通风机的调试

1.风机允许全压启动或降压启动，但应注意，全压启动时的电流约为5~7倍的额定电流，降压启动转矩与电流平方成正比，当电网容量不足时，应采用降压启动（当功率大于11KW时，宜采用降压启动。）

2.风机试车时，应认真阅读产品说明书，检查接线方法是否同接线图相符；应认真检查供给风机电源的工作电压是否符合要求，电源是否缺相或同相位，所配电器元件的容量是否符合要求。

3.试车时人数不少于2人，一人控制电源，一人观察风机运转情况，发现异常现象应立即停机检查。首先检查旋转方向是否正确；风机开始运转后，应立即检查运转电流是否平衡、电流是否超过额定电流；若有不正常现象，应停机检查。运转5分钟后，停机检查风机是否有异常现象，确认无异常现象再开机运转。

4.双速风机试车时，应先启动低速，并检查旋转方向是否正确；启动高速时必须待风机静止后再启动，以防高速反向旋转，引起开关跳闸及电机受损。

5.风机达到正常转速时，应检测风机输入电流是否正常，风机的运行电流不能超过其额定电流。若运行电流超过其额定电流，应检查供给风机的电压是否正常。

6.风机所需电机功率是指在一定工况下，对离心风机和风机箱，进风口全开时所需功率较大。若进风口全开进行运转，则电机有损坏的可能。风机试车时最好将风机进口或出口管路上的阀门关闭，运转后将阀门渐渐开启，达到所需工况为止，并注意风机的运转电流是否超过额定电流。

第六节 通风机的操作运行

启动和停止是通风机运行中的重要环节，正确的启动和停止方法，对保证风机正常运转十分必要。

一、通风机的启动

（一）通风机启动前的准备工作

通风机启动前应对下列部位进行检查：

1.轴承润滑油油量合适，油质符合规定，油圈完整灵活。

2.各紧固件及联轴器防护外罩齐全，坚固牢靠。传动带松紧适度和无裂纹。

3.电动机炭刷完整，接触良好。滑环清洁无烧伤。

4.继电器整定合格，各保险装置灵活可靠。

5.电气系统各种按钮、开关、刀闸、操作手把灵活可靠，接线良好，无松脱、烧痕等现象。

6.各指示仪表，保护装置齐全可靠。

7.各启动开关手把都处于断开位置。

8.电压要求10KV以下时，电压在额定电压的±7%范围内，380V时电压在额定电压的7%~10%范围内（GB12325-1990）。

9.风道内无杂物，以防吸入风机造成事故。

10.无漏电、漏油、漏风等现象。

11.刹车装置灵活可靠。

（二）正确选择启动工况

启动前选择启动工况应从两方面考虑：一是启动工况点的功率最小，二是启动过程中避免出现不稳定现象。因此，对风压特性曲线单调下降的离心式风机应关闭风门启动，这样启动功率最小。对呈驼峰或马鞍形特性曲线的轴流风机，为避免启动过程中工况点通过不稳定区，应半开或全开风门启动，半开风门时的流量约为正常流量的30%~40%。

具体方法是：启动轴流式风机前应将通往井下的进风门关闭，同时将地面进风门打开，并要支撑牢靠，以防吸地面风时自动吸合关闭。而启动离心式通风机前应将通往井下的风门和地面进风门全部关闭。

（三）启动操作

1.采用磁力站自动、半自动启动装置时，应按设计说明书操作。

2.绕线式异步电动机采用变阻器手动启动时，电动机滑环手把应在启动位置，将电阻全部接入，启动器手把在“停止”位置，待启动电流开始回落时，逐步扳动手把缓缓切除电阻，直至全部切除，将转子短路，电动机进入正常转速，然后将电动机滑环手把打到“运行”位置，再将启动器手把返回“停止”位置。

3.鼠笼型异步电动机采用电抗器启动时,启动前电动机定子应接入全部电抗。启动后,待启动电流回落后,立即手动(或自动)切除全部电抗,使电动机进入正常运行状态。

4.同步电动机异步启动后,在达到额定异步转速后及时励磁牵入同步,不宜过早。励磁调至过激时,直流电压、电流要符合所用励磁装置工作曲线。同步电动机允许连续启动2次,如需进行第3次启动,必须查明前2次未能启动的原因及设备状况后,再决定是否启动。

5.通风机启动后,风门的操作:如果是轴流式通风机,打开通往井下的风门,同时关闭地面进风门;如果是离心式风机,则打开通往井下的风门。

二、通风机的停止

(一)正常停机操作步骤

1.将所开风机高压开关柜油开关拉开,使电机断电,然后将同一高压柜的隔离开关拉开,需要时再将仪变、站变、母联络线、避雷器、电源进线等隔离开关打开,最后操纵刹车装置,将风机停稳。

2.根据停车及具体情况,将各有关的自动开关、转换开关刀闸、调节旋钮、按钮等操作到停机位置。

3.按主管部门决定开、闭所停风机、风道、风门。

4.根据停机命令决定是否开备用风机,若开,按上述规定的开机前准备及操作运行程序进行操作。不开备用风机则要打开井口防爆门和有关风门,以充分利用自然通风。

(二)主要通风机如果有下列情况时,应采取紧急停机

1.各主要传动部件有故障性异响或意外振动。

2.电动机启动时间长,启动电流不返回。电机扫膛、冒烟、滑环火花成圈。

3.电控部分失效,电气元件失灵,动作不正常。

4.电机外壳温度超过80℃,滑动轴承温度超过65℃,滚动轴承温度超过75℃。

5.风道闸门掉落关闭、操作失灵,动作不正常。

6.其他紧急故障。

(三)紧急停机操作步骤

1.将所开风机油开关拉开,停电机,然后再拉开上下隔离开关。

2.将低压部分各有关开关、刀闸操作到停机位置。

3.根据实际情况关闭和开启有关风门。

4.电源失压自动停机时,先拉掉油开关,后拉开隔离开关。

5.严格按照操作规定,尽快启动备用通风机运转,恢复矿井正常通风。

三、启动、运转和停机时的注意事项

1.各温度表、温度计、电流表、电压表、压差传感器、水柱压差计等指示情况,并定时进行记录。特别是通风机的电流,不仅是通风机负荷的标志,也是一些异常事故的预报。

2.各传动部位的声响与振动情况,注意各部分零件有无摩擦、碰撞声,机体有无振动、有

无异常气味，发现异声与剧烈振动后立即停车。

3.电机的运转和电控设备的工作情况。按时检查电动机的温升，不得超过铭牌规定。

4.电机轴承和各部轴承的润滑情况。使轴承温度不超过规定值。

5.风门绞车电控部分失灵，采用手动摇把调节风道闸门时，必须先把绞车电源切断，然后再进行手摇操作，操作完毕应将摇把取下。

6.对备用主通风机，正常情况下应每月倒换一次。

四、通风设备的相关规定

（一）《煤矿安全规程》对通风设备的规定

1.矿井必须采用机械通风。

主要通风机的安装和使用应符合下列要求：

（1）主要通风机必须安装在地面；装有通风机的井口必须封闭严密，其外部漏风率在无提升设备时不得超过5%，有提升设备时不得超过15%。

（2）必须保证主要通风机连续运转。

（3）必须安装2套同等能力的主要通风机装置，其中1套备用，备用通风机必须能在10min内开动。在建井期间可安装1套通风机和1部备用电动机。生产矿井现有的2套不同能力的主要通风机，在满足生产要求时，可继续使用。

（4）严禁采用局部通风机或风机群作为主要通风机使用。

（5）装有主要通风机的出风井口应安装防爆门，防爆门每6个月检查维修1次。

（6）至少每月检查1次主要通风机。改变通风机转数或叶片角度时，必须经矿技术负责人批准。

（7）新安装的主要通风机投入使用前，必须进行1次通风机性能测定和试运转工作，以后每5年至少进行1次性能测定。

2.生产矿井主要通风机必须装有反风设施，并能在10min内改变巷道中的风流方向；当风流方向改变后，主要通风机的供给风量不应小于正常供风量的40%。

每季度应至少检查1次反风设施，每年应进行1次反风演习；矿井通风系统有较大变化时，应进行1次反风演习。

3.严禁主要通风机房兼作他用。主要通风机房内必须安装水柱计、电流表、电压表、轴承温度计等仪表，还必须有直通矿调度室的电话，并有反风操作系统图、司机岗位责任制和操作规程。主要通风机的运转应由专职司机负责，司机应每小时将通风机运转情况记入运转记录簿内，发现异常，立即报告。

4.因检修、停电或其他原因停止运转主要通风机时，必须制定停风措施。

变电所或电厂在停电以前，必须将预计停电时间通知矿调度室。

主要通风机停止运转时，受停风影响的地点，必须立即停止工作、切断电源，工作人员先撤到进风巷道中，由值班矿长迅速决定全矿井是否停止生产、工作人员是否全部撤出。

主要通风机停止运转期间，对由1台主要通风机担负全矿通风的矿井，必须打开井口防爆门和有关风门，利用自然风压通风；对由多台主要通风机联合通风的矿井，必须正确控制风流，防止风流紊乱。

5.矿井通风系统中，如果某一分区风路的风阻过大，主要通风机不能供给其足够风量时，可在井下安设辅助通风机，但必须供给辅助通风机房新鲜风流；在辅助通风机停止运转期间，必须打开绕道风门。

严禁在煤（岩）与瓦斯（二氧化碳）突出矿井中安设辅助通风机。

（二）《煤矿矿井机电设备完好标准》对通风设备的规定

1.机体

（1）机体防腐良好，无明显变形、裂纹、剥落等缺陷。

（2）机壳接合面及轴穿过机壳处，密封严密，不漏风。

（3）轴流式通风机：

①叶轮、轮毂、导叶完整齐全，无裂纹，叶片、导叶无积尘，至少每半年清扫1次。

②叶轮保持平衡，可停在任何位置。

③叶片安装角度一致，用样板检查，误差不大于±1°。

（4）离心式通风机：

①叶轮铆钉不松动，焊缝无裂纹，拉杆紧固牢靠。

②叶轮与进风口的配合符合厂家规定。如无规定应符合下列要求：

a.搭接式：搭接长度不小于叶轮直径的1%；径向间隙不大于叶轮直径的3‰。

b.对接式：轴向间隙不大于叶轮直径的5‰。

③叶轮应保持无积尘，至少每半年清扫1次。

④叶轮应保持平衡，可以停在任何位置。

2.反风装置、风门

（1）反风门及其他风门开关灵活，关闭严密，不漏风。

（2）风门绞车应能随时启动，运转灵活。

（3）钢丝绳固定牢靠，涂油防锈，断丝数每捻距内不超过25%。

（4）导绳轮转动灵活。

3.仪表

有水柱计及轴承温度计，每年校验1次。

4.运转与出力

（1）运转无异响，无异常振动。

（2）每年进行1次技术测定，在符合设计规定的风量、风压情况下，风机效率不低于设计效率的90%，测定记录有效期为1年。

5.设备环境

（1）风机房内不得用火炉取暖，附近20米内不得有烟火或堆放易燃物品。

（2）风道、风门无杂物。

6.记录资料

有通风系统图、反风系统图和电气系统图。

第七节 通风机的维护与常见故障处理

一、通风机的维护

(一)日常维护

运转中的主要通风机应每小时检查1次,并作好记录。一般包括下列内容:

1.各种紧固件是否齐全紧固,转动部件有无异样响声。

2.注意观察轴承温度指示仪表指示是否正常。

对于油环润滑的轴承,温度应不超过80℃;对于循环油润滑的轴承应不超过65℃;对于滚动轴承应不超过95℃。

3.电动机温度是否在规定范围,电动机和电器接地是否符合规定。

运转的电动机要注意各部分的温度,查看量热仪表读数。当周围环境温度小于35℃时铁芯和绕组的温升:对于A级绝缘应不超过65℃,滑环温度不准许超过周围环境温度70℃。每小时检查并记录1次。

4.各润滑部位润滑油量是否合适,有无漏油现象,必要时应予补充。

5.注意水柱表、电流表、电压表、功率表等仪表是否指示正常。

水柱计液面的压差值是需要经常监视的一个重要参数。它既反映巷道阻力,也代表通风机的静压。当液面有较大跳动,说明风硐内的风流发生了变化,可能是巷道发生冒顶或其他堵塞事故;水柱计液面的变化还往往是由于通风机转数变化,或三角带打滑引起转速下降。有时,负压值失真或波动是由水柱计本身的缺陷造成的,如胶管与水柱计的接头松动或胶管本身破损产生漏气等。因此,当负压有较大增减时,应立即检查连接管路有无破损,无损坏时,须立即向矿调度室值班员汇报。

6.联轴器零部件是否齐全。齿轮联轴器润滑状况怎样,有无漏油;弹性柱销联轴器的胶圈是否磨损。

7.各风门是否严密。

8.风门绞车零部件是否齐全,润滑状况是否良好。

9.风门牵引钢丝绳是否磨损,有无断丝及严重锈蚀情况。

10.通风机外壳有无严重锈蚀变形或强烈振动。

(二)检查维护

检查维护应在停机的情况下进行,检查维护内容如下:

1.离心式主要通风机的检查维护

(1)清扫动叶上的煤尘,应擦拭干净,包括擦拭叶轮外周及轮毂。

(2)检查动叶有无裂纹及严重锈蚀情况。

(3)检查叶轮平衡状况,看看叶轮是否可停在任何位置。

(4)检查叶轮与进风口的径向间隙及搭接长度是否符合规定。

(5)清扫干净进风口内圆表面的煤尘。

2.轴流式主要通风机的检查维护

(1)清扫动叶、导叶上的积尘,并擦拭干净。

(2)检查动叶、导叶、轮毂有无裂纹及严重锈蚀,如发现有的动叶已有损坏,则应更换。

(3)动叶顶部与外壳的间隙、根部与轮毂的间隙,可用塞尺检查,应符合规定。

(4)检查叶轮的平衡状况,叶轮应能停在任何位置,采用手扳动或用短时开机的方法均可。

二、通风机常见故障的原因及消除

通风机的故障,可分为机械故障和性能故障。通风机的机械故障又包括机械故障、机械振动、润滑系统故障和轴承故障等几个方面。一般地说,通风机的机械故障,是由通风机的装配与安装以及通风机的制造质量所引起的,而通风机的性能故障,往往与通风机工作的网路系统相联系。

通风机常见故障的原因及处理方法

(一)机械故障

常见故障	产生故障的原因	处理方法
叶轮损坏或变形	1.叶片表面或铆钉头腐蚀或磨损 2.铆钉和叶片松动 3.叶轮变形后歪斜过大,使叶轮径向跳动或端面跳动过大	1.如系个别损坏,应更换个别零件;如系过半损坏,应换叶轮 2.用小冲子紧住,如仍无效,则需更换铆钉 3.卸下叶轮后,用铁锤矫正,或将叶轮平放,压轴盘某侧边缘
机壳过热	在阀门关闭的情况下,通风机运转时间过长	停车,待冷却后再开车
密封圈磨损或损坏	1.密封圈与轴套不同心,在正常运转中磨损 2.机壳变形,使密封圈一侧磨损 3.转子振动过大,其径向振幅之半大于密封径向间隙 4.密封齿内进入硬质杂物,如金属屑、焊渣等 5.推力轴衬熔化,使密封圈与密封齿接触而磨损	先消除外部影响因素,然后更换密封圈,重新调整和找正密封圈的位置
皮带滑下或皮带跳动	1.两皮带轮位置没有找正,彼此不在一条中心线上 2.两皮带轮距离较近或皮带过长	1.重新找正皮带轮 2.调整皮带的松紧度,可以调整两皮带轮的间距,或更换适合的皮带

(二)机械振动

常见故障	产生故障的原因	处理方法
转子静不平衡与动不平衡,通风机和电动机发生同样的振动,振动频率与转速相符合	1.轴与密封圈发生强烈的摩擦,产生局部高热,使轴弯曲 2.叶片重量不对称,或一侧部分叶片腐蚀或部分磨损严重 3.叶片附有不均匀的附着物,如铁锈、积灰或沥青等 4.平衡块重量与位置不对,或位置移动,或检修后未找平衡 5.双级通风机的两侧进气量不等(由于管道堵塞或两侧进气口挡板调整不当)	1.应换新轴,并须同时修复密封圈 2.更换坏的叶片,或调换新叶轮,并找平 3.清扫和擦净叶片上的附着物 4.重找平衡,并将平衡块固定牢固 5.清扫进气管道灰尘,并调整挡板,使两侧进气口负压相等
轴的安装不良,振动为不定性的,空转时轻,满载时大(可用减低转速方法查出)	1.联轴器安装不正,通风机轴和电动机轴中心未对正。基础下沉 2.皮带轮安装不正,两皮带轮轴不平行 3.减速机轴与通风机轴和电动机轴在找正时,未考虑运转时位移的补偿量,或虽考虑但不符合要求	1.进行调整,重新找正 2.进行调整,重新找正 3.进行调整,留适当的位移补偿称量
转子固定部分松弛,或活动部分间隙过大,发生局部振动现象,主要在轴承箱等活动部分,机体振动不显著,与转速无关,偶有尖锐的敲击声或杂音	1.轴衬或轴颈磨损致油隙过大;轴衬与轴承箱之间的紧力过小或有间隙而松动 2.转子的叶轮、联轴器或皮带轮与轴松动 3.联轴器的螺栓松动或活动;滚动轴承的固定圆螺母松动	1.补焊轴衬合金,调整垫片,或刮研轴承箱中分面 2.修理轴和叶轮 3.拧紧螺母
基础或机座的刚度不够或不牢固;产生机房邻近的共振现象;电动机和通风机整体振动,而在各种负荷情形时表现都是一样	1.基础的灌浆不良,地脚螺母松动,垫片松动,机座连接不牢固,联接螺母松动 2.基础或基座的刚度不够,增加转子的不平衡度,引起剧烈的强制共振 3.管道未留膨胀余地,与通风机连接处的管道未加支撑或安装固定不良	1.查明原因后,施以适当的补修和加固,拧紧螺母,填充间隙 2.查明原因后,施以适当的补修和加固,拧紧螺母,填充间隙 3.进行调整和修理,加装支撑装置
通风机内部有摩擦现象;发生不规则振动,且集中在某一部分;噪声和转速相符合;在启动和停车时,可以听到金属弦音	1.叶轮歪斜与机壳内壁相碰,或机壳刚度不够,左右晃动 2.叶轮歪斜,与进气口圈相碰 3.推力轴衬歪斜、不平或磨损 4.密封圈与密封齿相碰	1.修理叶轮和推力轴衬 2.修理叶轮和进气口圈 3.修补推力轴衬 4.更换密封圈,调整密封圈与密封齿间隙
润滑系统不良;轻微振动;在运转中带有噪音,且振动频率与转速不相符合	1.油膜不良,给油不足或完全停止,轴承密封不良 2.轴承润滑的入口油温过低(水冷却过度) 3.润滑油质量不良,或不适宜于转数的要求	1.查明原因,进行清洗和修理,加润滑油 2.调节冷却水量,使油温升高到规定范围 3.调换优质油,并定期化验

(三)润滑系统故障

常见故障	产生故障的原因	处理方法
齿轮油泵轴承和外壳过热	1.油泵轴承孔与齿轮轴间的间隙过小，外壳内孔与齿轮间的径向间隙过小 2.齿轮端面与轴承端面的侧盖端面的间隙过小 3.轴承孔心与齿轮轴心不同心度的偏差过大 4.齿轮两端轴的泵壳与侧盖上缺少卸荷槽，或卸荷槽位置不当和污塞 5.轴承的进油槽或出油槽制作不当或污塞 6.轴承内残留或落进污物、砂粒、漆片等 7.润滑油质量不良，粘度大小不合适，或水分过多 8.壳体振动过大，或管道堵塞，使油压过高	1.进行修刮内孔 2.修刮端面或调整侧盖与壳之间的垫片 3.修刮轴承内孔进行校正 4.进行补修和清洗 5.进行补修和清洗 6.进行彻底清洗 7.更换润滑油 8.清除振动及管道故障
齿轮油泵产生振动、噪音及杂音	1.两齿轮轴心线歪斜度过大，齿型误差过大或磨损，使齿轮接触不良和行程不稳定 2.齿轮未按标志安装，使齿轮碰触外壳，或工作情况恶化 3.齿轮齿面剥落，两齿间或齿轮与泵壳间落入杂物而楔住，使齿轮损坏或折断	1.进行修刮或更换 2.按标志重新安装 3.更换齿轮
管道上机件损坏或失效	1.管法兰螺栓未拧紧，法兰间垫片破坏，油管破裂或管道堵塞、积垢过多 2.逆止阀开度不足、卡住、堵塞或漏油 3.安全阀卡住或漏油 4.油过滤器或过滤网太密、堵塞或安装不当 5.油压表由于导管堵塞或表内机件损坏而指示不准或失灵 6.温度计损坏失效	1.拧紧螺栓，更换破损件，清洗管路通道 2.进行修理和调整 3.进行修理和调整 4.更换或重新安装油过滤器，进行清洗 5.清洗污垢，修理或更换油压表 6.更换温度计
油压过低、供油量减少或中断，轴承油温升高	1.油环轴承箱内油量过多或过少，或油环制造质量过劣，使油环不能转动或带油过小 2.油箱内油面下降，低于最低油位 3.油泵或油管中的润滑油在停车过程中冻结 4.油泵或管道上机件发生故障	1.调节油量，修理或更换油环 2.立即加油，使油面升高 3.更换和清洗冻结的润滑油 4.检查油泵或管道上的机件，排除故障。

(四)轴承故障

常见故障	产生故障的原因	处理方法
轴衬磨损、损坏或质量不良	1.轴与轴承歪斜,主轴与直联电动机轴不同心,推力轴承与支承轴承不垂直,使磨损过多,顶隙、侧隙和端隙过大 2.刮研不良,使接触弧度过小或接触不良,上方及两侧有接触痕迹,间隙过大或过小,下半轴衬中分面处的存油沟斜度太小 3.表面出现裂纹、破损、夹、擦伤、剥落、溶化、裂纹及脱壳等缺陷 4.合金成分质量不良或浇注不良	1.进行焊补或重新浇注 2.重新刮研找正 3.重新浇注或进行焊补 4.重新浇注
轴承安装不良或损坏	1.轴承与轴的安装位置不正,使轴衬磨损或损坏 2.轴承与轴承箱孔之间的过盈太小,或有间隙而松动,或轴承箱螺栓过紧或过松,使轴衬与轴的间隙过小或过大 3.滚动轴承损坏,轴承保护架与其他机件碰撞 4.机壳内密封间隙增大使转子轴向推力增大	1.重新找正 2.调整轴承与轴承箱孔间的垫片,和轴承箱盖与座之间的垫片 3.修理或更换滚动轴承 4.修复或更换密封片
油脂质量过劣	1.润滑油脂质量不良或变质,粘度过大或过小,或杂质过多 2.润滑油含有过多水分或抗乳化度较差	更换润滑油或润滑脂,消除冷却器漏水故障

(五)性能故障

常见故障	产生故障的原因	处理方法
转速符合,压力过高,流量减小	1.通风机旋转方向相反 2.气体温度过低,或气体含有杂质,使气体重度增大 3.进风管道或出风管道堵塞 4.出风管道破裂或法兰不严 5.叶轮入口间隙过大或叶片严重磨损 6.通风机轴与叶轮松动 7.导向器装反 8.通风机选择时,全压不足	1.改变转向,改变电动机电源接法 2.提高气体温度,降低气体的重度 3.消除堵塞 4.修补管道,紧固法兰 5.调整叶轮入口间隙或更换叶轮 6.检修紧固叶轮 7.重装导向器 8.改变通风机转速,进行通风机性能调节,不能调节时,需重选通风机
转速符合,压力偏低,流量增大	1.气体温度过高,气体重度减小 2.进风管道破裂或法兰不严	1.降低气体温度 2.修补管道,紧固法兰

通风机出力降低	1.管道阻力曲线改变,阻力增大,通风机工作点改变 2.通风机制造质量不良或通风机严重磨损 3.通风机转速降低 4.通风机在不稳定区工作	1.调整管道阻力曲线,减小阻力,改变通风机工作点 2.检修通风机 3.提高通风机转速 4.调整通风机工作区
噪音大	1.无隔音设施 2.管道、调节阀安装松动	1.加设隔音设施 2.紧固安装
通风系统调节失误	1.压力表失灵,阀门失灵或卡住,以致不能根据需要来进行流量和压力的调节 2.由于需要流量减小、管道堵塞、流量急剧减小或停止,使通风机在不稳定区工作,产生逆流反击通风机转子的现象	1.修理或更换压力表,修复阀门 2.如系需要流量减小,应打开旁路阀门,或减低转速,如系管道堵塞应进行清扫

第二部分　专业核心知识点

1.通风机工况点的调节。

2.通风机的安装与调试。

3.通风机的日常维护与检修的内容。

4.通风机的常见故障原因分析及处理。

第三部分 专业技能训练

通风机的检查与维护

一、技能训练目的

通过对主通风机的观察，进一步了解和掌握通风机的构造，以及各部分的结构、作用，加深对通风机基本知识、基本理论的理解和掌握，并通过对通风机的日常维护训练，提高实际动手能力，为今后的工作打下一定的基础。

二、技能训练内容

此项训练由教师带领学生到煤矿主通风机房进行，共2项内容：

1.让学生到主通风机前，手指口述通风机的结构组成及各部分的作用。

2.对通风机进行日常检查与维护，包括以下几方面内容：

(1)检查各种紧固件是否齐全紧固，转动部件有无异样响声。

(2)注意观察轴承温度指示仪表指示是否正常。

(3)观察电动机温度是否在规定范围，电动机和电气接地是否符合规定。

(4)检查各润滑部位润滑油量是否合适，有无漏油现象，必要时应予以补充。

(5)注意水柱表、电流表、电压表、功率表等仪表是否指示正常。

(6)联轴器零部件是否齐全；齿轮联轴器润滑状况怎样，有无漏油；弹性柱销联轴器的胶圈是否磨损。

(7)各风门是否严密，风门绞车零部件是否齐全，润滑状况是否良好。

(8)风门牵引钢丝绳是否磨损，有无断丝及严重锈蚀情况。

(9)通风机外壳有无严重锈蚀变形或强烈振动。

复习题

1.矿井通风设备的作用是什么？

2.矿井通风系统有哪几种类型？各适用于什么条件？

3.轴流式通风机的组成及各部分的作用。

4.离心式通风机组成及各部分的作用。

5.通风机的工况点应符合哪些条件？

6.矿井反风装置有哪几种？各有何特点？

7.通风机日常维护的内容。

讨论题

1.如何调节通风机的工况点？调查你矿通常运用的调节方法是哪种？是不是最佳方法，如果不是，你希望用哪种方法，为什么？

2.矿井反风演习多长时间做一次？有哪些要求？

3.在启动、运转和停止通风机时，应观察哪些仪表，它们在什么范围内为正常，如果数值不正常，可能是哪些原因造成的？

第四章　空气压缩设备

第一部分　系统理论知识

第一节　概　述

空气压缩设备是指压缩和输送气体的整套设备。包括空气压缩机(简称空压机)、输气管路和附属设备。

压缩空气一直是矿山所采用的原动力之一,用以带动凿岩机、风镐及其他风动机械进行。风动工具结构简单、重量轻、操作方便,在湿度大、温度高、灰尘多的环境中也能很好地工作,尤其是因其不产生火花,不怕超负荷,无触电危险,所以它适用于有瓦斯和煤尘爆炸危险的矿井。其缺点是运转效率低,耗电量大,成本较高。在目前矿山采掘工作中,风动工具仍然被广泛使用。

一、矿山空压机站的组成

矿山空压机站主要包括:空压机、电动机及电控设备、冷却泵站、附属设备、管路等,一般设在地面,用管道把压缩空气送入井下,沿大巷、上山或下山到工作面,驱动凿岩机(风钻)、风镐等风动机具工作。

二、空压机的分类

1.按工作原理分类

空压机按工作原理可分为容积型和速度型两种。容积型空压机可分为回转式和往复式两种,而回转式又可分为滑片式、螺杆式、转子式;往复式又可分为膜式和活塞式。速度型可分为离心式、轴流式和混流式。

我国煤矿广泛使用的是容积型、往复、活塞式空压机。

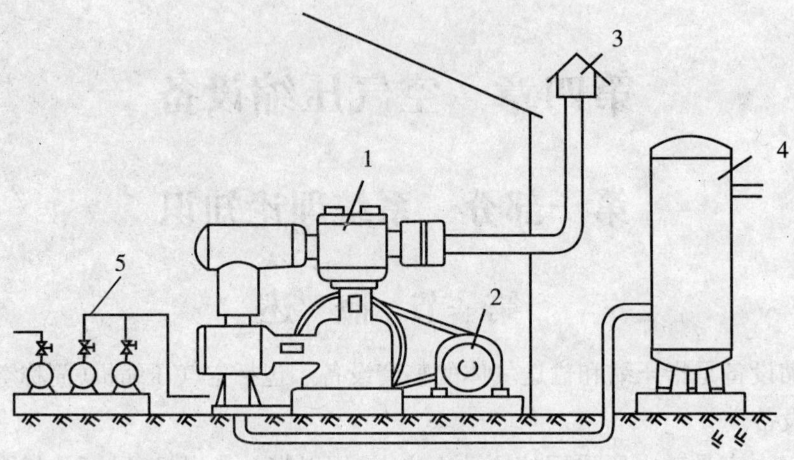

图4-1　空压机站示意图

1——空压机;2——电动机;3——滤风器;4——储气罐;5——冷却水泵站

2.活塞式空气压缩机的分类方法

(1)按安置方式分为固定式和移动式;

(2)按压缩级数可分为单级压缩和多级压缩;

(3)按动作方式分为单动和复动;

(4)按冷却方式分:

水冷:矿用排气量为18~10m³/min的压缩机都是水冷;

风冷:排气量小于10m³/min,一般都用空气冷却,称为风冷;

(5)按气缸数目分:单缸、多缸(矿用L型、立式、V式都是双缸);

(6)按气缸排列形式分(如图4-2所示):立式(图a)、卧式(图b)、角式(图c为L型,图d为V型,图e为W型,图f为扇形)和对称平衡式(图g和图h);

(7)按排气压力分:有低压(0.2MPa < P < 1MPa)、中压(1 MPa < P < 10MPa)、高压(P > 10MPa);

(8)按排气量大小分:有微型(Q≤1m³/min)、小型(1m³/min < Q≤10m³/min)、中型(10m³/min < Q≤100m³/min)、大型(Q > 100m³/min)

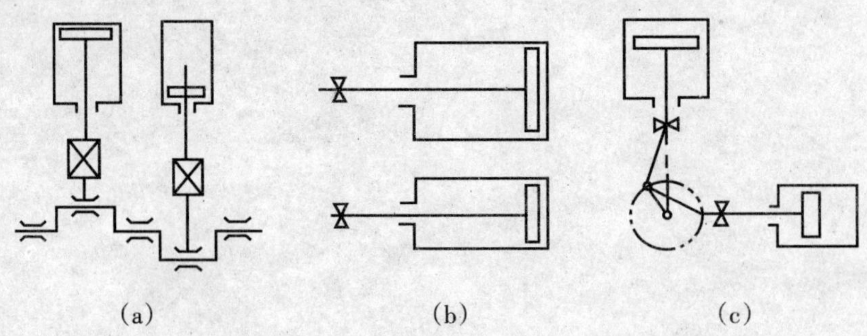

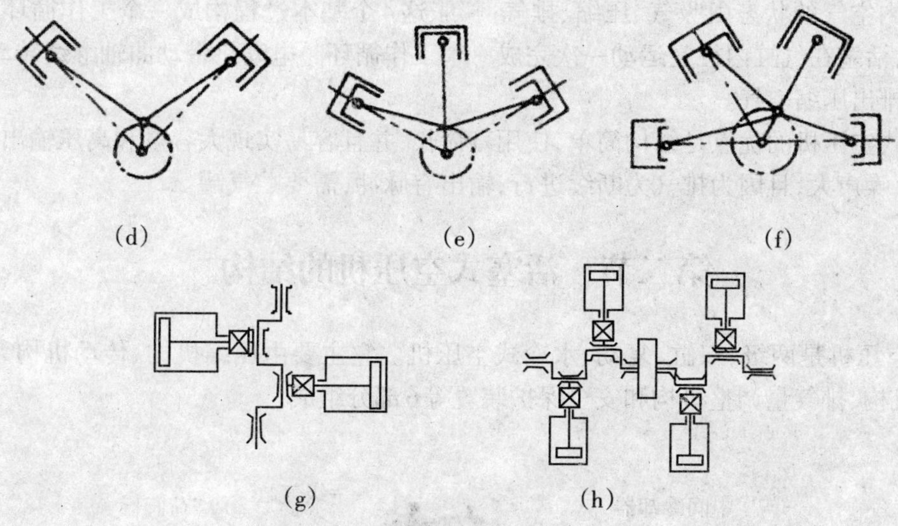

图4-2　活塞式空压机结构示意图

三、活塞式空压机工作原理

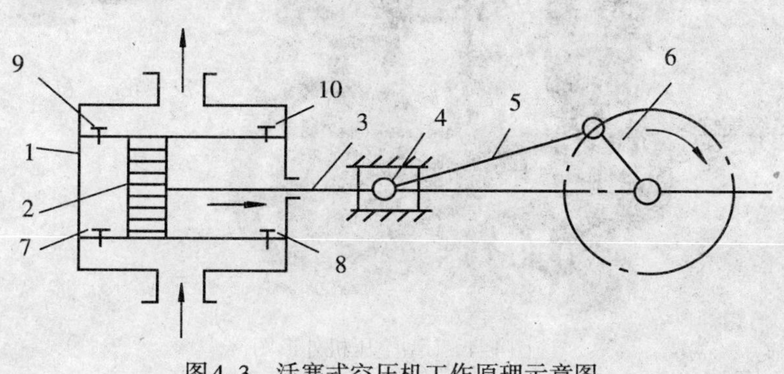

图4-3　活塞式空压机工作原理示意图

1——气缸；2——活塞；3——活塞杆；4——十字头；5——连杆；6——曲轴；
7.8——吸气阀；9、10——排气阀

活塞式空压机的工作原理如图4-3。在气缸内作往复运动的活塞向右移动时，气缸内活塞左腔容积逐渐增大，压力降低，当低于缸外的大气压力时，外界空气推开吸气阀，进入缸内，直至充满气缸，这个过程称为吸气过程。

当曲轴继续旋转，活塞开始反向运动时，吸气阀关闭，随着活塞的运动，气缸容积逐渐减少，空气被压缩，压力逐渐增大，这个过程叫作压缩过程。

当气缸内的空气压力增大到排气压力时，排气阀打开，压缩空气经排气阀进入排气管，直到压缩空气被排出，这个过程叫排气过程。

当活塞再次向右运动时，残留于气缸余隙容积（即活塞位于气缸一端的极限位置时，活塞端面和气缸盖之间的容积、气缸与气阀连接通道之间容积）内的压缩空气容积逐渐膨胀增大，压力开始逐渐下降，当略低于吸气压力时，开始吸气，这个过程叫做膨胀过程。

气缸内空气的状态由吸气、压缩、排气、膨胀这4个基本过程构成一个工作循环。曲轴旋转一周,活塞在气缸内往复运动一次完成一个工作循环。电动机带动曲轴继续转动,空压机就不断排出压缩空气。

活塞式空压机的优点是结构简单,使用寿命长,并且容易实现大容量和高压输出。缺点是振动大,噪声大,且因为排气为断续进行,输出有脉冲,需要贮气罐。

第二节　活塞式空压机的结构

L型空压机是两级、双缸、复动、水冷式空压机。它主要由压缩机构、传动机构、润滑机构、冷却机构、排气量调整机构和安全保护装置等6部分组成。

图4–4　L型空压机外形图

一、压缩机构

压缩机构由气缸、气阀和活塞等部件组成。

(一)气缸

气缸是空压机中组成压缩容积的主要部分,活塞在缸内反复运动,使空气经过一系列热力变化成为压缩气体。L型空压机的气缸为开式铸铁气缸,水冷双层壁结构。

(二)气阀

气阀是随着气缸内气体压力的变化而自动启闭的,是空压机的重要部件之一,它的工作正常与否,直接影响到排气量和功率的消耗。在空压机运行中,气阀为主要易损件,它每分钟要启闭1000次左右,还要承受拉伸、压缩、冲击、磨损、高温等的破坏。气阀能否正常工作,直接影响空压机的排气量、功率消耗以及运转的可靠性。

气阀分为强制阀和自动阀两大类。强制阀的启闭由专门机构控制,与气缸内压力变化无关,这类阀结构复杂,启闭时间固定,不适于变工况运转,故很少采用。目前空压机采用的是能随缸内和管路中气体压力变化而自行启闭的自动阀。

自动阀有许多型式，如环状阀、网状阀、舌簧阀等，L型空压机的排气阀和吸气阀采用的是单层环状阀。

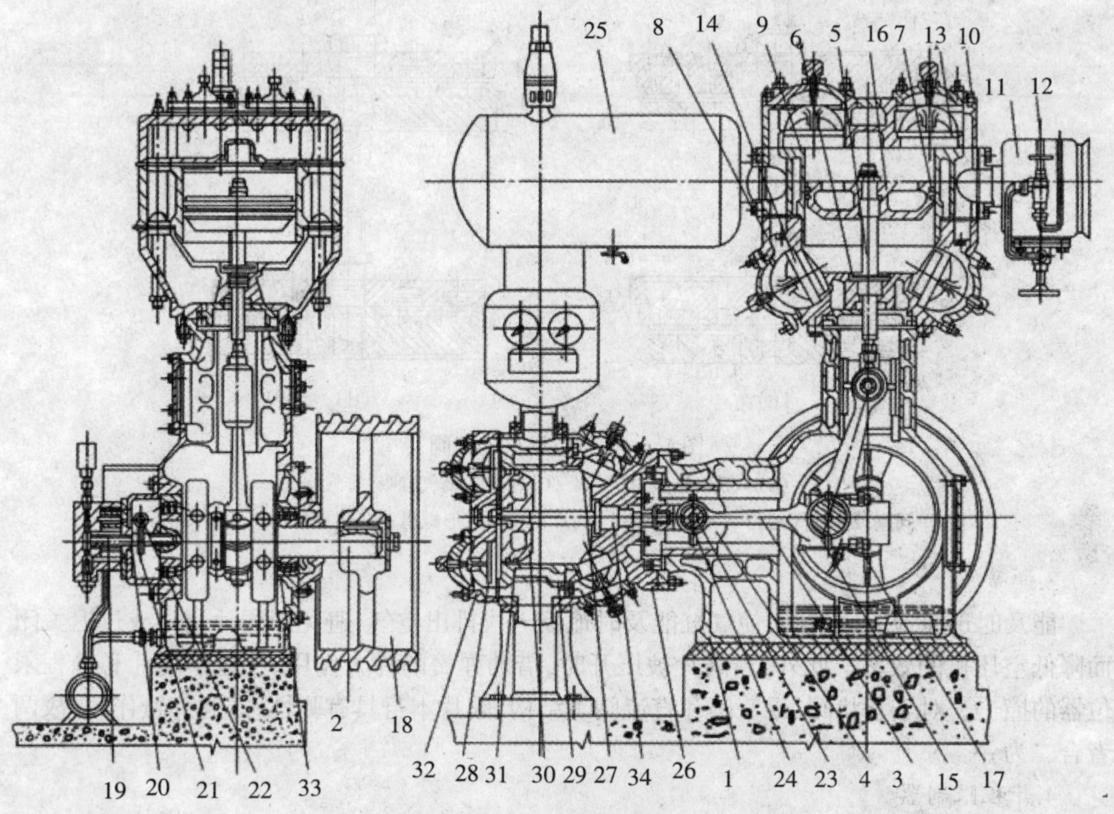

图4-5　4L-20/8 型空压机剖面图

1——机身；2——曲轴；3——连杆；4——十字头；5——活塞杆；6——一级填料函；7——一级活塞环；8——一级气缸座；9——一级气缸；10——一级气缸盖；11——减荷阀组；12——负荷调节器；13——一级吸气阀；14——一级排气阀；15——连杆轴瓦；16——一级活塞；17——连接螺杆；18——三角皮带轮；19——齿轮泵组件；20——注油器；21.22——蜗轮及蜗杆；23——十字头销铜套；24——十字头销；25——中间冷却器；26——二级气缸；27——二级吸气阀；28——二级排气阀；29——二级气缸；30——二级活塞；31——二级活塞环；32——二级气缸盖；33——滚动轴承；34——二级填料函

如图4-6所示，自动阀主要由4部分组成：

1.阀座

阀座由一组直径不同的同心圆环组成，各环间用筋连成一体，具有能被阀片覆盖的气体信道，并承受气缸内外压力差的零件。

2.启闭组件

它是交替地开闭座道的零件，通常制成片状，称为阀片。它的开闭是由阀片两侧的压差和弹簧力等因素确定的，其开启高度由升程限制器上的凸台控制。当阀内气压低于阀外气压，且压差超过吸气阀的弹簧压力时，空气即进入气缸；当气阀内外的压差低于弹簧压力时，阀片即被弹簧压回阀座，停止吸气。排气阀的动作与上述相似，当气缸内的气压超过排气阀外的气压与弹簧压力之和时，即开始排气；排气完毕后，阀片亦被压回阀座。

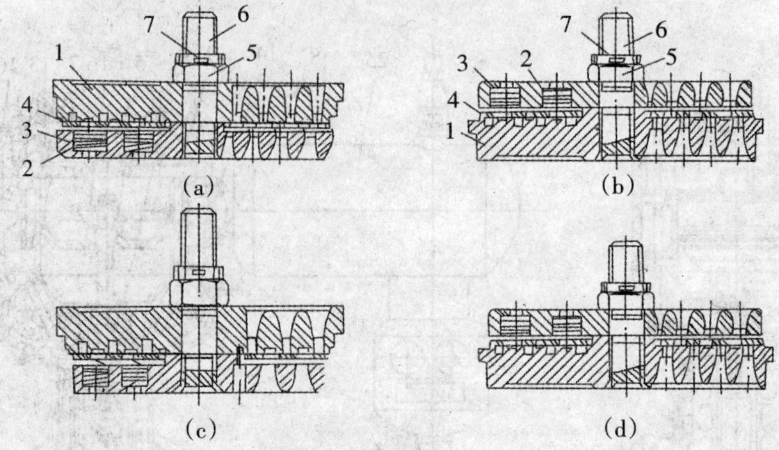

图4-6　L型空压机的气阀

(a)、(b)一级气缸吸、排气阀（C)、(d)二级气缸吸、排气阀

1——阀座；2——阀盖；3——弹簧；4——阀片；5——冠形螺母；6——螺栓；7——开口销

3.弹簧

能及时迅速地关闭气阀，使气缸能及时地吸入或排出空气，避免因阀片过早或过迟关闭而降低空压机的效率。此外，当阀片被压开时，借助弹簧的弹力作用，可减小阀片和升程限位器的撞击。对于条状阀、舌簧阀和直流阀等结构，阀片本身具有弹性，并起弹簧作用，故两者合二为一。

4.升程限制器

升程限制器是限制阀片的升程，并作为承座弹簧的零件，其材料与阀座相同。

(三)活塞组件

L型空压机的活塞组件由活塞、活塞杆、活塞环及防松螺母等组成。活塞式压缩机活塞承受气体作用力，经活塞式压缩机活塞杆、十字头和连杆传给活塞式压缩机曲轴。活塞组件的结构和材质取决于压缩机的排气量、排气压力、气缸的结构以及被压缩气体。

1.活塞

活塞是空压机中压缩机构的主要部件。曲轴的旋转运动经连杆、“十”字头、活塞杆变为活塞在气缸中的往复运动，从而对空气进行压缩做功。常见的活塞形状有筒形和盘形两种。

2.活塞环

活塞环又称涨圈，是气缸工作表面与活塞之间的密封零件，同时兼有布油和散热的作用。活塞环的开口形式有搭接开口、直开口和斜开口3种，搭接开口的环工作时漏气少，性能较好，但制造工艺复杂，成本高；直开口的环漏气较严重，使用性能差，但制造方便成本低；斜切口介于两者之间，即能保证较好的使用性能，制造又简单，开口斜角一般为38°～45°。L型空压机采用斜开口密封环。

活塞环镶嵌于活塞的环槽内。环的外缘紧贴气缸镜面，背向高压气体一侧的端面紧压在环槽上，由此阻塞间隙密封气体。但是，常用的活塞环都采用金属开口环的结构，因此，气体能通过切口泄漏。此外，气缸和活塞环都可能有不圆度、不柱度，环槽和环的端面有不平度，这些也是造成泄漏的因素。所以，活塞环常常不是一道，而是2道或更多道同时使用，使气体每通过一道环便产生一次节流作用，进一步达到减少泄漏的目的。由此可见，活塞环密封是阻塞密封和节流密封的组合。

3.活塞杆

活塞杆一般采用优质碳素钢或合金钢制成。杆身摩擦部分经表面硬化处理，具有良好的耐磨性。活塞杆的一端制成锥形体，插入活塞的锥形孔内，用冠形螺母紧固，并插入开口销以防松动。活塞杆的另一端与“十”字头用螺纹连接，调节好余隙容积后，用螺母锁紧。

二、传动机构

（一）机身

机身是空气压缩机主要的基本部件，是气缸的承座，承受并传递作用力，还是传动机构的导向和定位基准。它包括机座、机体、曲轴箱、中间接筒和端接筒等，不同形式的空压机具有不同形状的机身。机体内装有曲轴、连杆、十字头，外部承接气缸、电动机及其他附属装置。

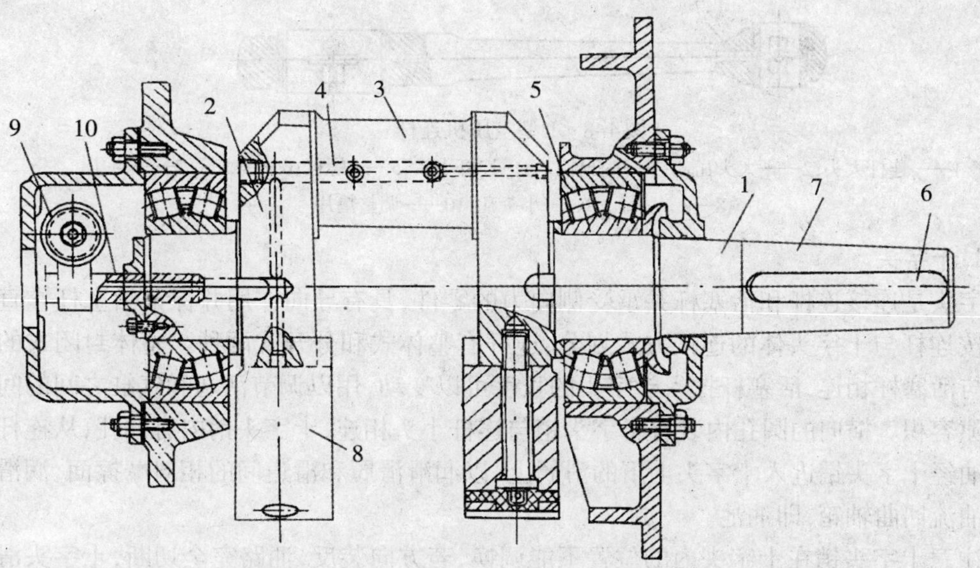

图4-7 4L型空压机曲轴

1——主轴颈；2——曲臂；3——曲拐；4——曲柄中心油孔；5——轴承；6——键槽；7——曲轴外伸缩；8——平衡铁；9——蜗轮；10——传动小轴

（二）曲轴

曲轴是将电动机输入的转矩，通过连杆、十字头等转变为往复作用力压缩气体而做功，起到扭转力矩的作用，同时还承受活塞、连杆方面传来的气体压力和惯性力。

曲轴常用的形式是曲拐轴，主要由主轴颈、曲臂、曲拐和平衡铁组成，如图4-7所示。L型空压机的曲轴，它仅有一个曲拐，为高低压缸两连杆所共有，传递电动机的扭矩。曲臂上在曲拐的对面固定着2块平衡铁，用来平衡曲柄部分的旋转质量，曲轴的外伸端有锥度，可以方便地拆装皮带轮。在曲轴后端接有传动齿轮油泵的小轴，并经过小轴上的蜗轮蜗杆机构传动柱塞油泵。曲轴上钻有油孔，以使齿轮油泵排出的润滑油通过曲轴瓦、十字头销瓦等摩擦面进行润滑。

(三)连杆

连杆用于连接曲轴和十字头，使曲轴的旋转运动变为十字头的往复运动，并将动力传递给活塞。连杆由大头、小头和杆体组成。大头为分开式，盖子用连杆螺栓与曲柄组装在一起，大头的轴瓦间隙可以用垫片调节。小头为整体式，穿入十字销与十字头相连。杆体截面有圆形、环形、矩形、工字形等，里面有贯穿大小头的油孔，该孔把润滑油输送到十字头，使曲柄销和连杆、连杆和十字头销之间的相对运动部分得到润滑。

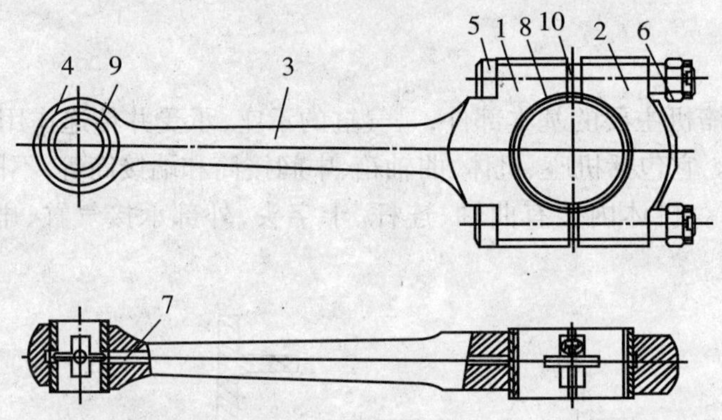

图4-8 L型空压机连杆

1——连杆大头；2——大头瓦盖；3——杆体；4——连杆小头；5——螺栓；6——螺母；7——油孔；8——大头瓦；9——小头瓦；10——调整垫片

(四)十字头

十字头是连接连杆和活塞杆并承受侧向力的零件，具有导向作用并保证活塞杆作直线运动。按连杆与十字头体的连接方式划分，连杆有整体式和分开式两种。整体封闭式的一端螺孔与活塞杆相连，活塞杆拧入十字头的长度可以变动，用以调节活塞和气缸之间的间隙改变余隙容积。横向的圆孔内装有十字头销与连杆小头相连，十字头销内有油孔，从连杆来的润滑油经十字头销进入十字头上下的滑履上，以润滑滑履和滑道间的相对摩擦面，润滑后的润滑油流回曲轴箱，即油池。

要注意十字头销在十字头内的位置不能调换，若方向装反，油路完全切断，十字头滑履得不到供油会造成摩擦面烧毁的机械事故。

三、润滑系统

在空压机中，活塞环与气缸壁、曲轴与轴承、填料与活塞杆、连杆大小头、连杆小头衬套及十字滑道等部位具有相对运动，都必须注润滑油以减轻滑动部件的磨损，减少摩擦功耗，冷却零部件，防止滑动部件过热或咬死，提高活塞和填料箱的密封性，从而延长零件寿命。

空压机的润滑包括2部分：一是气缸内部的润滑，二是传动系统的润滑。

(一)气缸部件润滑系统

气缸的润滑可以减少活塞与气缸的摩擦阻力，减少磨损，还可以吸收摩擦热，起到冷却作用，防止活塞环、活塞与气缸烧死或拉伤气缸壁。

按润滑油到达气缸镜面的方式，气缸润滑可分为飞溅润滑、喷雾润滑和压力润滑3种。

飞溅润滑一般用于单作用式空压机。曲轴箱中被旋转的平衡铁头部或拨油杆溅起的油雾及油滴，当活塞接近上止点时落于气缸未被活塞遮盖的镜面，并在活塞的下一循环进入活塞环槽中，再由活塞环分布至需要润滑的表面。低压的第一级，在吸气过程中气缸里能产生真空，润滑很易被吸入气缸内，并在压缩气体高温作用下挥发，然后和压缩气体一起排出空压机，所以，飞溅润滑往往容易出现压气中含油过多和耗油量过多的现象。

喷雾润滑在空压机的气缸进气接管处，喷入一定量的润滑油，油和气体相混合一起进入气缸，然后一部分粘附在气缸镜面上供气缸润滑。喷雾润滑的结构简单，且第一级进气阀可得到润滑，但仅与气缸接触的一部分油雾能粘附在缸壁上，其他部分仍和气体一起被排出气缸而得不到利用，同时增加压气的含油量，此外，油和空气密切混合容易氧化积炭。所以喷雾润滑目前应用不多。

压力润滑是应用最广泛的润滑方式。润滑油由专门的多头注油器经油管和注油逆止阀注入气缸及填料处。L型空压机采用单独的注油器向缸内压油润滑。在气缸的注油孔处，一般都装有逆止阀，以防止油管破裂时气缸内压气反冲，并便于空压机在不停转时更换注油器。

(二)运动部件的润滑系统

运动部件的润滑系统一般由滤油器、润滑油冷却器、润滑油泵(一般用齿轮泵)、油管、压力表和压力调节阀组成。

润滑油流动路线：油池→粗滤油器→油冷却器→油泵→滤油器→曲轴中心孔→曲拐和连杆大头瓦的配合面→连杆中心孔→连杆小头瓦和十字销配合面→十字头滑轨→油池。

四、冷却系统

空气压缩机的气缸和各级排出的气体均需冷却，以降低压气温度，分离压气中的油和水，增大排气量，提高压气质量和空气压缩机的效率，保持良好的润滑性能，确保机器安全运行。空压机的冷却方式可分为风冷式和水冷式两种，风冷是使压缩过程放出的热量由气缸壁辐射，发散于大气中。为了增加发散面积，通常在气缸外壁制成许多散热薄片。但其散热效果很差，只限于小型空压机采用。一般空压机均采用水冷方式。

(一)空压机的水冷系统

1.水冷系统的组成

空压机的水冷系统由气缸水套、中间冷却器(见图4-8)、后冷却器、水泵、管路以及冷却水池(或冷却水塔)组成。冷却方式一般分为开启式和密闭式两种。开启式在断水时容易发现，可以及时处理故障，运转比较安全，但较密闭式多设一台水泵。目前一般采用开启式冷却方式。

图4-8为循环开启式冷却系统图。图中实线表示冷水流动路线，虚线表示热水流动路线。空气压缩机的冷却流程为：冷水池9→冷水泵总进水管1→中间冷却器2→同时进入低、高压气缸3、4的水套→漏斗5→回水管6→热水池10→热水泵N_1→冷却塔7→水沟8→冷水池9。

若在空气压缩机与风包间设有后冷却器，则从低、高压气缸的水套中出来的水，经水管送入后冷却器，然后再排入热水池10中。

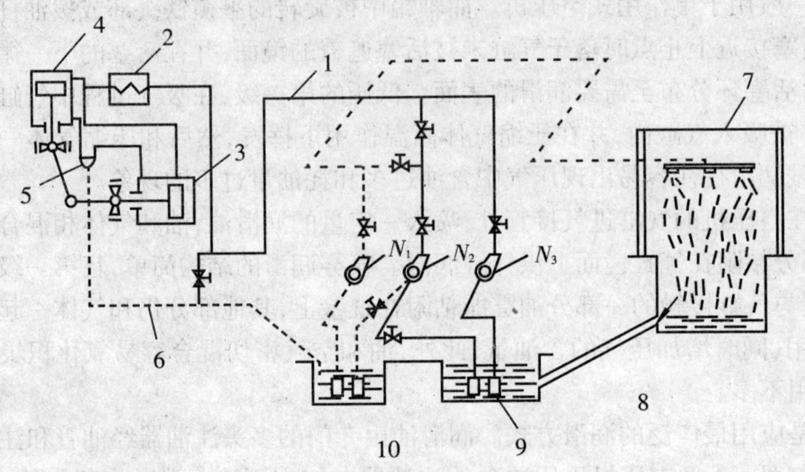

图4-9　L型空气压缩机冷却系统

1——总进水管；2——中间冷却器；3——低压气缸；4——高压气缸；5——漏斗；6——回水管；7——冷却塔；8——水沟；9——冷水池；10——热水池；N_1——热水泵；N_2——备用泵；N_3——冷水泵

2.冷却器的结构

(1)冷却水套：冷却水套的作用是吸收气缸壁放出的热量，保证气缸活塞的正常润滑，防止活塞环烧坏，降低气缸温度，增加空压机的生产能力。

(2)中间冷却器：中间冷却器的作用是将一级气缸压缩后的高温压缩空气冷却到比冷却水的温度高5~8℃，然后进入二级气缸中再次进行压缩。这样既节省功率又安全可靠。另外，它还可以使经一级气缸压缩后的高温压缩空气中所含的油质和水分离出来。

如图4-9所示，中间冷却器的外壳由钢板焊接而成。冷却芯子3形似抽屉，许多散热片镶在换热细钢管上，并经浸锡或锌处理，以增加冷却效果和防止生锈，散热细钢管固定在两端的挡板上。冷却水在管内流过，压缩空气从管外和散热片之间流过，借热交换作用使压缩空气得到冷却。冷却后的压缩空气经过几次曲折转弯，将其中的油质和水分分离出来，沉降于油水分离器4的垂直罐体的下部，然后经排污阀2排出。

(3)后冷却器：由于最后一级气缸排出的压缩空气温度比较高，会使油及水变成气态，进入风包和管路中会形成易燃物和水，引起风动工具生产效率降低、锈蚀等不良现象。在空压机的出口至储气罐之间安装后冷却器，可以冷却从空气压缩机排出的高温气体，使其中的水分和油分离出来，防止管道冬季冻结，同时还可防止储气罐积炭或发生爆炸。由于后冷却器本身有阻力，会导致压力损失，同时后冷却器的冷却水也消耗能量，所以空气压缩机是否需要安装后冷却器必须根据当地的具体条件来计算。否则，即使安装了后冷却器也达不到应有效果，反而会造成浪费。

(4)润滑油冷却器:润滑油冷却器主要用于降低润滑油的温度,保证润滑性能。L型空气压缩机通常采用卧置管壳式润滑油冷却器,油与水呈错流流动,管外走油,管内走水,冷却水带走热量使润滑油降低温度。

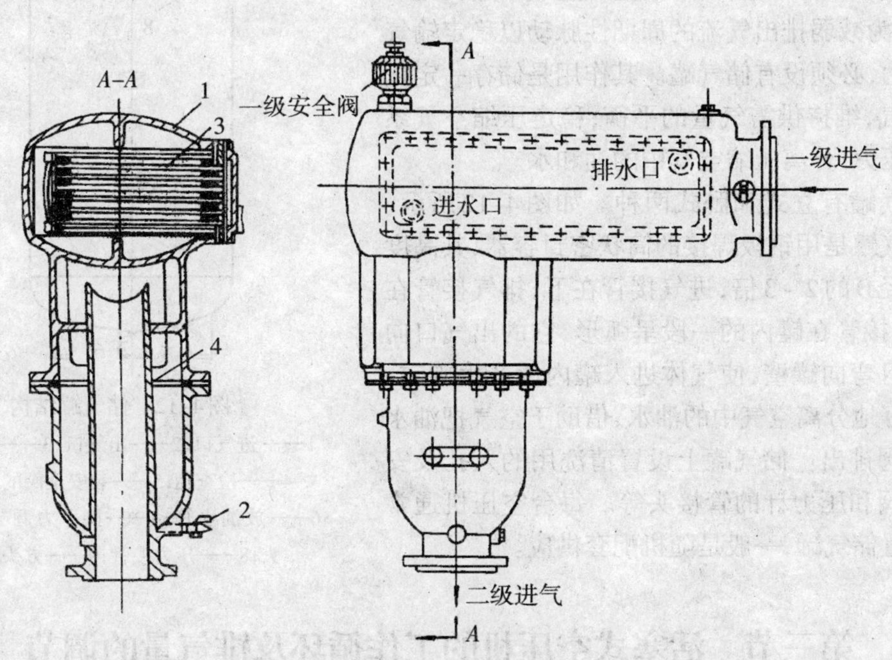

图4–10 中间冷却器结构

1——外壳;2——排污阀;3——冷却芯子;4——油水分离器

五、活塞式空气压缩机的附属装置

(一)滤风器

滤风器用来清除吸入气缸中的空气内所含的灰尘和杂质,一般装在空气压缩机的进气管路上,吸气口向下,以免掉入异物,并要有防雨设施。

滤风器的结构主要由壳体和滤芯组成。按滤芯材料的不同分为许多种,如纸质的、织物的、泡沫塑料的、金属的等。空压机中用的最普遍的是纸质和金属滤芯的滤风器。

金属网滤风器的结构(见图4–11):机壳由筒体、两端封头组成;筒内滤芯由多层波纹状铁丝做成筒形过滤网,表面涂一层

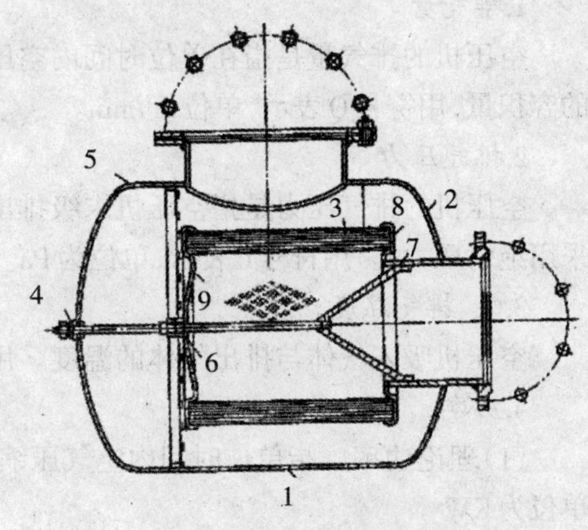

图4–11 滤风器结构

1——筒体;2.5——封头;3——滤网;4.6——螺母;

7——叉;8——后盖;9——前盖

粘性油(一般用60%气缸油和40%柴油相混合),灰尘粘于网上,空气得以过滤。滤网应定期更换或清洗。

(二)储气罐

储气罐又称风包,由于活塞式空气压缩机是间歇排气,为减弱排出气流的周期性脉动以稳定输气管中压力,必须设有储气罐。其作用是储存一定量压缩空气,维持供需气量的平衡;稳定压缩空气系统内的压力;分离压缩空气中的油和水。

储气罐有立式和卧式两种。如图4-12所示,立式储气罐是用钢板焊接的筒状密封容器,其高度约为直径D的2~3倍,进气接管在下,排气接管在上,进气接管在罐内的一段呈弧形,它的出气口向下倾斜且弯向罐壁,使气体进入罐内后产生旋转,以便更好地分离空气中的油水,借助于空气把油水从排泄阀排出。储气罐上设置清洗用的入孔及安装安全阀和压力计的管接头等。每台空压机通常单独设置储气罐,一般是随机配套供应。

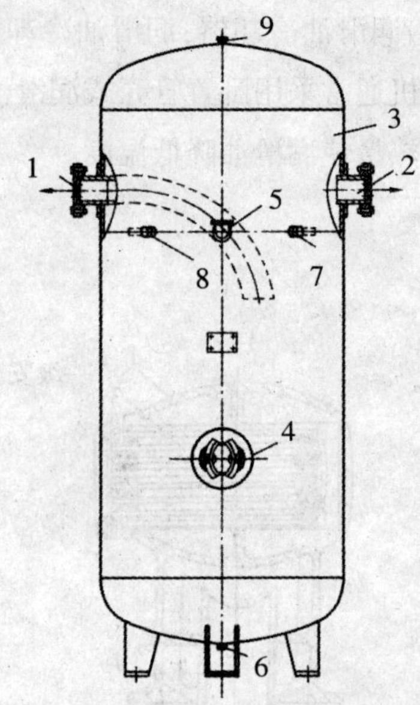

图4-12　储气罐结构

1——进气口;2——出气口;3——储气罐;4——检查孔;5——装安全阀的套管;6——放油水管;7——接压力调节器管接头;8——压力接管;9——方头螺栓

第三节　活塞式空压机的工作循环及排气量的调节

一、活塞式空压机的工作循环

(一)活塞式空压机的性能参数

1.排气量

空压机的排气量是指在单位时间内空压机最末一级排出的气体容积换算到吸气状态下的容积量,用符号Q表示,单位m^3/min。

2.排气压力

空压机的排气压力是指空压机末级排出空气的相对压力,用相对压力度量(理论计算时采用绝对压力)。用符号P表示,单位为Pa。

3.吸、排气温度

空压机吸入气体与排出气体的温度。用T_1、T_2表示,单位为K。

4.功率

(1)理论功率。指单位时间内空气压缩机按理论工作循环消耗的功率,用符号N_1表示,单位为KW 。

(2)指示功率。指空气压缩机在单位时间内按实际工作循环消耗的功率,用符号N_j表示,单位为KW。

(3)轴功率。指电动机输入给空气压缩机主轴的实际功率,用符号N表示,单位为KW。

5.比功率

指在一定的排气压力下,单位排气量所消耗的功率。比功率为轴功率与排气量之比。用符号Nb表示,单位为KW/(m^3·min)。比功率是评价工作条件相同的空压机的经济性指标。

6.效率

空压机总效率是指理论功率与轴功率之比,用符号η表示,是用来衡量空压机本身经济性的指标。

(二)活塞式空压机的工作循环

活塞式空压机的循环是指曲轴旋转一周,在气缸容积中所进行的各过程的总和。为了研究问题方便,首先忽略一些次要的因素,作一些简化,先研究空压机的理论循环。

1. 一级活塞式空压机的理论工作循环

在下述假设条件下,空压机的工作循环称为理论工作循环。

(1)气缸无余隙容积,也就是活塞在极端位置时,与气缸端壁之间没有间隙,被压缩的气体全部排出气缸;

(2)整个循环中气缸没有泄露;

(3)在整个吸气、排气过程中没有阻力损失,且气缸内气体压力保持不变;

(4)气体与各壁面间不存在温差,因此进入气缸的空气与各壁面间没有热交换,压缩过程中的压缩指数不变。

活塞式空压机的理论工作循环如图4–13所示,由吸气、压缩和排气3个基本过程组成,只有压缩过程是热力过程。其工作循环可用示功图表示。示功图的横坐标表示气缸容积V,纵坐标表示空气压力。当活塞自左向右移动时,气体以压力P_1进入气缸,图中线段1–2表示吸气过程;当活塞自右向左移动时,气体被压缩,线段2–3表示压缩过程;当气体压力达到排气压力P_2后,气体被活塞推出气缸,线段3–4表示排气过程。由图可知,气缸内外吸气压力相等,排气压力也相等。

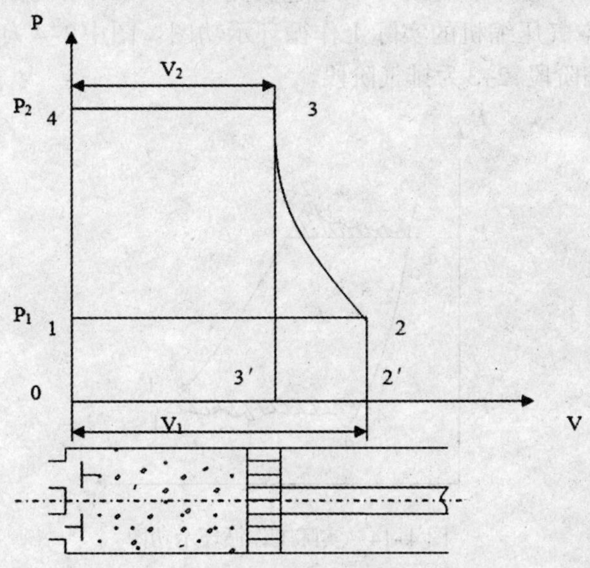

图4–13　活塞式空压机的理论工作循环

空压机把空气从低压压缩至高压，需要消耗能量。空压机完成一个理论工作循环所消耗的功W是吸气功W_x、压缩功W_y和排气功W_p三者的总和。通常规定，活塞对空气做的功为正值，空气对活塞做的功为负值。因此，压缩过程和排气过程所做的功为正值，吸气过程所做的功为负值。

(1)吸气功：

$$W_X=P_1AL=P_1V_1$$

相当于图中吸气线下的面积122′0。

(2)压缩功：

$$W_y=\int_{V_2}^{V_1}PdV$$

相当于图中压缩线下的面积233′2′。

(3)排气功：

$$W_p=P_2V_2$$

相当于图中排气功线下的面积3403′。

(4)理论循环总功：

$$W=-W_x+W_y+W_p$$

相当于吸气、压缩、排气3过程线所包围的面积1234。

上式中　P_1P_2——压缩开始和终止时，空气的绝对压力，N/m^2

V_1V_2——压缩开始和终止时，空气的容积，m^3

空压机工作循环中的压缩过程，可按等温、绝热或多变过程进行。按不同的压缩过程压缩时，其循环总功、空气被压缩时放出的热量以及压缩终了时空气的温度也不相同。

$$W_{等温}<W_{多变}<W_{绝热}\qquad T_{绝热}>T_{多变}>T_{等温}$$

2.一级活塞式空压机的实际工作循环

空压机的实际工作循环示功图可以通过实测得到，可以用机械式示功器或电测法测试。图4-14为单级空气压缩机的实际工作循环示功图。图中3-4为余气膨胀阶段，4-1为吸气阶段，1-2为压缩阶段，2-3为排气阶段。

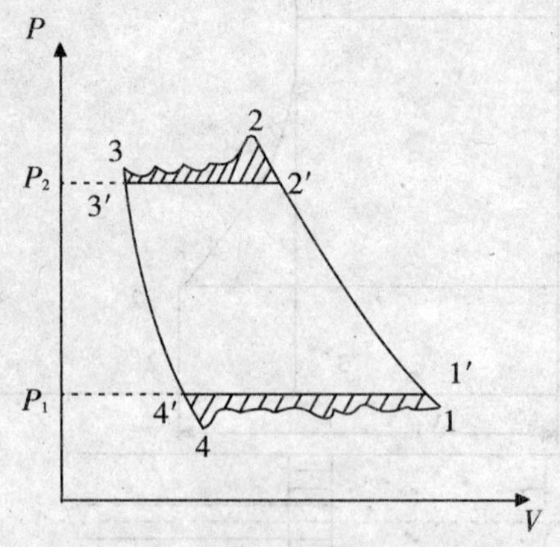

图4-14　实际工作循环示功图

实际工作循环与理论工作循环相比，具有以下特点：

(1)气缸存在余隙容积。当活塞处于外止点时,活塞外端面与气缸盖之间应留有一定间隙,以防止活塞撞击气缸,另外在气缸与气阀的通道等空间在排气行程终了后均残留有高压气体,这些剩余压气所占的容积称为余隙容积。因为有余隙容积的存在,当活塞返回运行、吸气过程开始时,吸气阀不能立即打开,因为余隙中的高压气体的压力高于缸外大气压力,活塞继续移动,气缸容积不断增大,压缩空气不断膨胀,压力逐渐降低,直到气缸内气体压力低于外界大气压力时,吸气阀才打开,吸气过程才开始。这样,实际工作循环比理论工作循环就多了一个膨胀过程,即:吸气、压缩、排气、膨胀4个过程。

(2)泄露不可避免。在阀片、活塞环、填料等处不可能做到完全密封,必然有气体会从高压区向低压区泄露。这样就会使空压机的无用功耗增加,也使实际排气量减小。

(3)吸、排气过程中存在阻力。吸气过程中,外界空气需要克服滤风器、吸气管道和吸气阀的阻力后,才能进入气缸,所以实际吸气压力低于理论吸气压力。而在排气过程中,压缩空气需要克服排气阀和排气管道的阻力后才能打开排气阀,所以实际排气压力高于理论排气压力。由于气阀阀片和弹簧的惯性作用和振动,使得实际吸、排气线的起点出现尖峰;又由于吸、排气的周期性,气体流经吸、排气阀及通道时,所受阻力为脉动变化。因此,实际吸、排气线呈波浪状。

(4)气缸内外空气温度不同。在吸气过程中,由于吸入气缸的空气与缸内残留空气相混合,高温的钢壁和活塞对空气加热,以及克服流动阻力而损失的能量转换为热能的原因,使得吸气终了的空气温度高于理论吸气温度(相当于吸气管外的温度),从而降低了吸入空气的密度,减少了空压机以质量计算的排气量。吸气温度的升高,使得压缩空气所需的循环功增大。

(5)空气湿度对工作循环有影响。自然界的空气中都含有水蒸气,只是湿度大小不同而已。在同温同压的条件下,湿空气的密度小于干空气,且湿度越大,密度越小。这样和吸入干空气相比,空压机吸入空气的湿度越大,以质量计算的排气量就越小。而且,吸入空气中的水蒸气有一部分在冷却器、储气罐和管道中被冷却成凝结水而析出,既减少了空压机的排气量,又浪费了功耗。

(三)活塞式空压机的多级压缩

多级压缩就是将空气分别在多个气缸中进行压缩,并在级与级之间将压缩空气引入中间冷却器中进行冷却,然后引入下一级气缸中再进行压缩,直至达到要求的终了压力为止。

多级压缩的优点是:

1.降低功率消耗;

2.降低排气温度,更加安全;

3.提高空压机的排气量,从而提高空压机效率;

4.降低活塞力,使机器运转平稳;

5.提高压气的质量,因为中间冷却器可以分离一部分油和水。

矿用空压机的排气压力一般在7~8个大气压,即(6.87~7.85)×105Pa,通常采用二级压缩。其原因主要有以下2点:

1.压缩比受余隙容积的限制

空压机随着排气压力的增高,气缸余隙容积内的气体膨胀所占的容积不断增大,吸气量将不断减少。当排气压力增大到某一数值时,气缸的吸气过程就完全被余隙容积内压气的膨胀过程所代替,使吸气量为零,这时气缸就不能再吸气和排气了。因此,为保证有一定的排气量，压缩比不能过大，空压机的排气压力不能过高。

2.压缩比受气缸润滑油温的限制

为保证空压机气缸能正常工作，必须向缸内注油。随着压缩比的增加，压缩终了时的排气温度也会增加，当温度升高到润滑油的闪点温度（215℃~240℃）时，润滑油就有自燃和爆炸的危险。为了避免这类事故的发生，《煤矿安全规程》规定："单缸空气压缩机的排气温度不得超过190℃，双缸不得超过160℃。"依此为条件，可计算出在最不利条件下（按绝热压缩），一级压缩的压缩比仅能达到4.96。因此，要得到较高的终了压力且具有较高的排气量和较低的排气温度，必须采用二级或多级压缩。

二、空气压缩机排气量的调节

矿山使用的风动工具和机械是间歇工作的，使用台数也是变化的。而活塞式空气压缩机在转速不变的情况下运转时，其排气量是不变的。如果压气消耗量低于供气量，则压气管路中的压力就要升高，反之则压力降低，因此，空压机站的供气压力是不稳定的。为了使空压机站的供气量与风动工具的耗气量基本相适应，以维持压气管道内压气的正常工作压力，就必须对空压机的排气量进行调整，以保证风动工具的正常运转。

空压机排气量的调节方法很多，常用的方法有关闭吸气管法、压开吸气阀法和改变余隙容积法3种。无论采用哪种方法，都要求调节机构简单、工作可靠、操作维修方便，且调节经济性好、级数多。

（一）关闭吸气管法

这种调节方法的调节原理是关闭吸气管切断进气，使空压机空运转，排气量为零。其调节机构主要由安装在空气压缩机吸气管上的减荷阀和装在减荷阀侧壁上的压力调节器组成（如图4-15、4-16所示）。

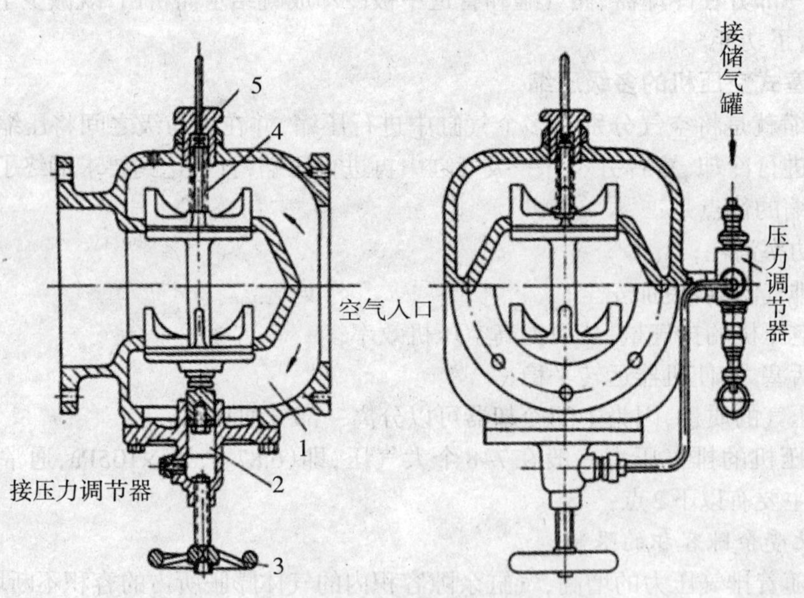

图4-15 减荷阀

1——碟形阀；2——活塞缸；3——手轮；4——弹簧；5——调节螺母

减荷阀内装有碟形阀，阀的一端为活塞，装在活塞缸内。压力调节器的一个通道与储气罐相连，另一个通道与减荷阀相连。正常工作时，压力调节器的弹簧通过拉杆将阀芯密闭在阀座上。当储气罐内的压力超过压力调节器的动作压力时，压气就会推开压力调节器内的阀芯，进入减荷阀的活塞缸内，推动小活塞使碟形阀上移，将减荷阀关闭，从而使空气压缩机停止吸气，进入空转。当储气罐内的压力下降到低于压力调节器动作压力时，在弹簧力的作用下，通过拉杆使压力调节器内的阀芯关闭，切断了压气通往减荷阀的通路，使减荷阀的活塞缸内的压力下降。这时，碟形阀在弹簧的作用下重新下移，使空气压缩机恢复吸气，进入正常运转。

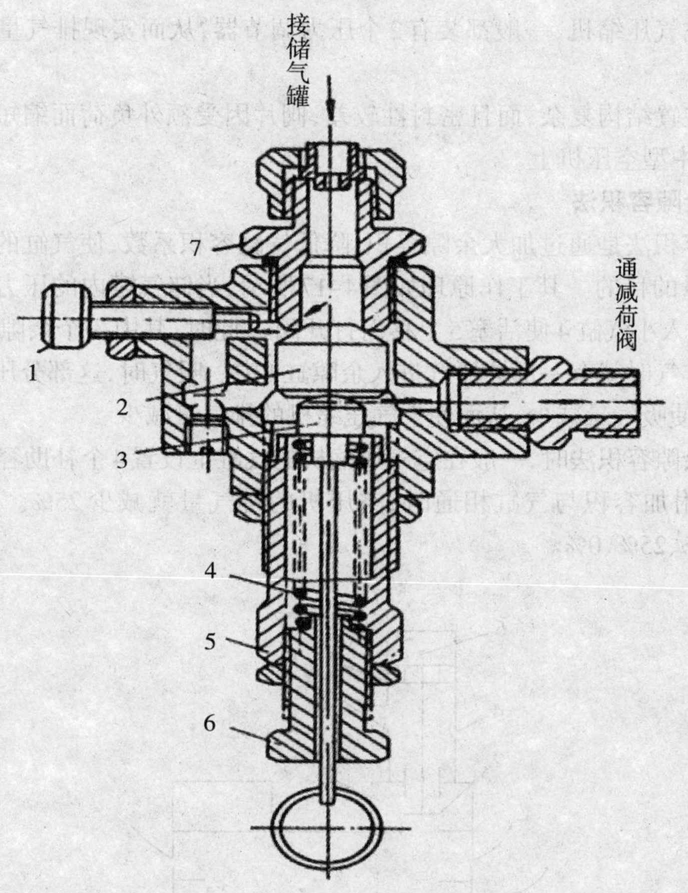

图4–16　压力调节器

1——调节螺钉；2——阀芯；3——拉杆；4——弹簧；5——粗调螺管；6——微调螺管；7——阀座

调节器的动作压力，由微调螺管6控制弹簧4的压紧程度来实现。粗调螺管5的作用是调节阀开启的灵敏度，即阀芯的开启高度，此高度不宜过大，否则将引起调节器强烈的振动使调节器的动作压力改变。减荷阀的调节螺母可调节减荷阀动作的灵敏度。另外，减荷阀上装有手轮，盘动手轮使螺杆上升或下降实现蝶形阀的关闭和开启。因此，可以实现空压机的空载启动和自动控制状态。

关闭吸气管的调节方法简单，调节性能好，调节级数少，有较好的经济性，因此广泛应用于中、小型空气压缩机上。

(二)压开吸气阀法

压开吸气阀法是利用一个压开装置，把吸气阀强制压开，使空气自由地从吸气阀吸入和排出，以达到调节排气量的目的。

压开吸气阀调节装置由压力调节器和压开吸气阀装置构成，压力调节器的一端与储气罐连通，而另一端与压开吸气阀装置连通。当储气罐内的压力超过规定值时，压气通过压力调节器压开吸气阀装置使空压机空转；当压力低于规定值时，压力调节器关闭了压气通往压开吸气阀装置的通路，空压机又进入正常运转状态。

对于二级空气压缩机，一般都装有2个压力调节器，从而实现排气量为100%、50%和0的三级调节。

这种调节装置结构复杂，而且密封性较差，阀片因受额外负荷而缩短寿命，所以这种方法主要用于大、中型空压机上。

(三)改变余隙容积法

改变余隙容积法是通过加大余隙容积，降低气缸容积系数，使气缸的吸入量减少，从而达到调节排气量的目的。其工作原理如图4-17所示，当储气罐内的压力超过规定值时，压气经进气管3进入小气缸4使活塞5上移而打开阀2，此时，其中一个余隙缸1与空气压缩机气缸相通。在排气时就有一部分压气进入余隙缸1中。吸气时，这部分压气膨胀，占据了气缸的部分空间，使吸气量减少，从而使空气压缩机的排气量减少。

使用改变余隙容积法时，一般在空气压缩机的气缸上设置4个补助容积相等的余隙缸，其中任何一个附加容积与气缸相通时，空压机的排气量就减少25%。因此，该法可实现100%、75%、50%、25%、0%。

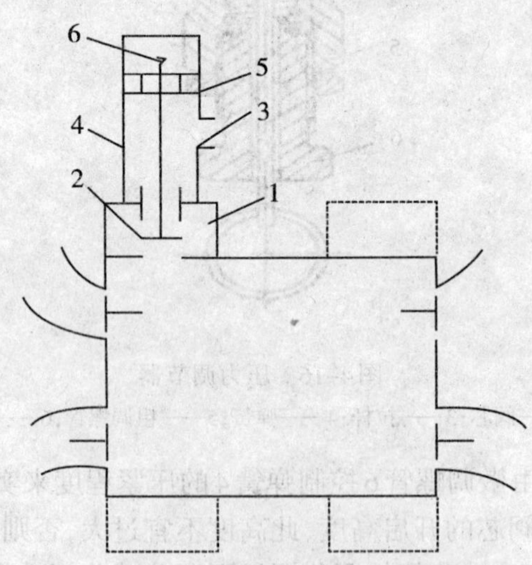

图4-17　改变余隙容积调节法原理图

1——余隙缸；2——阀；3——进气管；4——小气缸；5——活塞；6——弹簧

这种调节方法基本上没有功率消耗，只是延长了气体的膨胀过程。膨胀过程是气体放出能量而对活塞做功,同时也不会影响零件的寿命。因此,此方法既经济又可靠,但调节机构较复杂,制造费用高,因此多用在大型空压机上。

第四节　螺杆式空气压缩机

螺杆式压缩机以其一系列独特的优点,近年来在煤矿获得了迅速而广泛的应用。

螺杆式压缩机中最关键的是一对转子,转子型线对螺杆压缩机的性能有决定性的影响。吸、排气孔口的合理位置和形状,是实现气体内压缩的必备条件,是影响压缩机效率的一个重要因素。

螺杆式压缩机具有一系列独特的优点,主要有可靠性高、动力平衡好、适应能力强、多相混输。螺杆式压缩机的主要缺点是造价高,喷油螺杆式压缩机的油路系统比较复杂,不能用于高压场合,噪声大。

目前,螺杆式压缩机广泛应用于矿山、化工、动力、冶金、建筑、机械、制冷等工业部门。无油螺杆式压缩机的排气量范围为3～1000m³/min,单级压比为1.5～3.5。喷油螺杆式压缩机的排气量范围为0.2～100m³/min,单级压比可达14,排气压力可达2.5Mpa。

1.螺杆式压缩机的工作过程

螺杆式压缩机的结构示意图如4-18所示。在"∞"字形汽缸中,平行地配置着一对相互啮合的螺旋形转子——阳转子、阴转子。一般阳转子与原动机连接,由阳转子带动阴转子转动。在压缩机机体两端,分别开设一定形状和大小的吸、排气孔口。

螺杆式压缩机的基元容积是由阳、阴转子和汽缸内壁面之间形成的一对齿间容积,随着转子的旋转,基元容积的大小和空间位置都在不断变化。图4-19所示显示了螺杆式压缩机的工作过程。

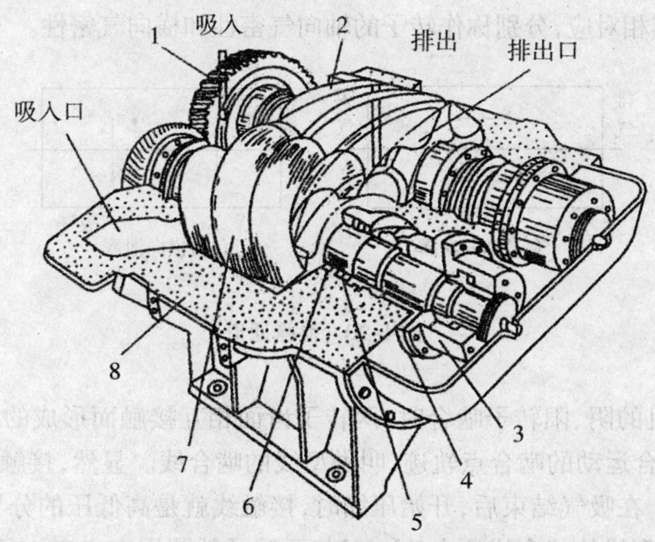

图4-18　螺杆压缩机结构示意图

1——同步齿轮;2——阴转子;3——推力轴承;4——轴承;5——挡油环;6——轴封;7——阳转子;8——汽缸

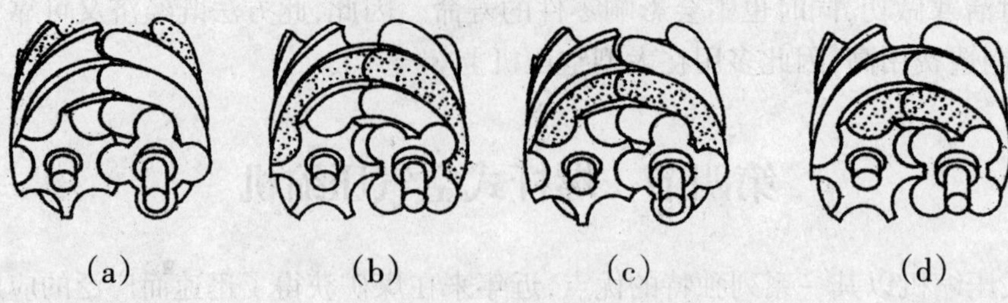

图4-19 螺杆压缩机的工作过程

吸气过程开始时，气体经吸气孔口分别进入阳、阴转子的齿间容积，随着转子的旋转，这两个齿间容积各自不断扩大。当这两个容积之和达到最大值时，齿间容积与吸气孔口断开，吸气过程结束。

随着转子继续旋转，因转子齿的相互挤入，呈"V"字形的基元容积的容积值逐渐减少，从而实现气体的压缩过程，直到该基元容积与排气孔口相连通为止，完成压缩过程。

在基元容积与排气孔口连通后，即开始排气过程。随着基完容积的不断缩小，具有排气压力的气体逐渐通过排气孔口被完全排出，完成排气过程。

2.转子型线的要求

转子的齿面与转子轴线垂直面的截交线称为转子型线。转子型线做螺旋运动就形成了转子的齿面。螺杆压缩机的阴、阳转子型线，必须是满足啮合定律的共轭型线，即不论在任何位置，经过型线接触点的公法线必须通过节点。

转子型线对螺杆式压缩机的效率、体积及加工成本等方面有着决定性的影响。为此，转子型线除应满足一般啮合运动的要求外，还要满足密封的要求。

螺杆压缩机的吸、排气孔口是呈对角线方向配置的，所以气体沿对角线方向的泄露，可分为沿转子轴线方向的轴向泄露和垂直于转子轴线方向的横向泄露，如图4-20所示。与轴向泄露和横向泄露相对应，分别称作转子的轴向气密性和横向气密性。

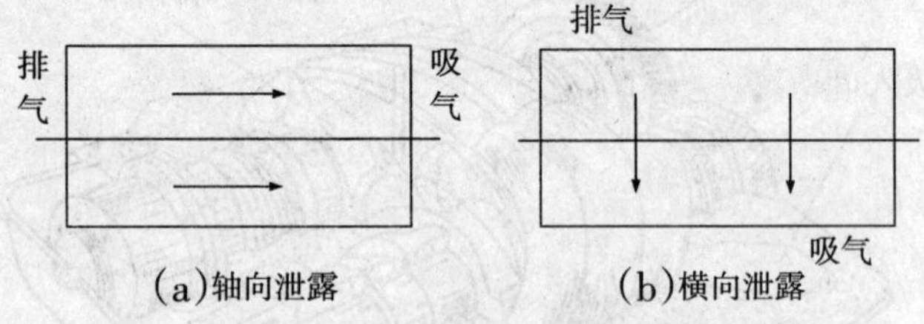

图4-20 泄露通道

螺杆式压缩机的阴、阳转子啮合时，两转子齿面相互接触而形成的空间曲线称为接触线，两转子型线啮合运动的啮合点轨迹，叫做型线的啮合线。显然，接触线在转子端面上的投影就是啮合线。在吸气结束后，开始压缩时，接触线就是高低压的分界线。从图4-21还可以看出，若转子型线的啮合线顶点H'、M'与两转子外圆周交点H、M不重合，气体就要沿HH'及MM'作轴向泄露。由间隙HH'及MM'形成的空间曲边三角形，称做泄漏三角形。由于它的存在使螺杆压缩机的轴向气密性不能得到确保，因此，啮合线的顶点与两转子外圆周交点重合是确保转子型线具有轴向气密性的条件。

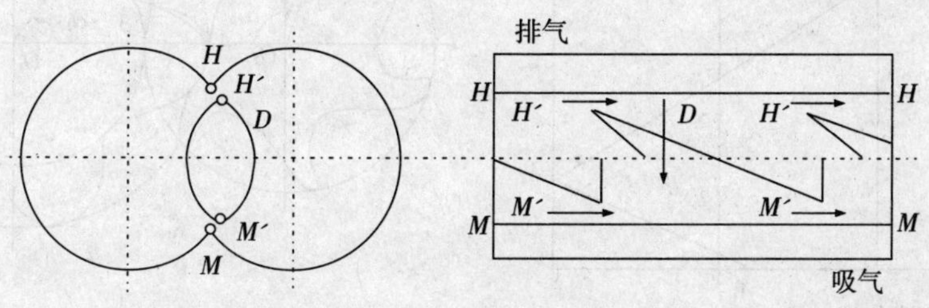

图4-21 轴向和横向气密性

从图4-21还可以看出，如果转子齿面间的接触线不连续，则处在高压力区内的气体，将通过接触线中断缺口D向低压力区作横向泄露。因此，接触线连续是确保转子型线具有横向气密性的条件。显然，接触线连续意味着型线的啮合线是一条连续的封闭曲线。在实际机器中，为保证转子齿面间相互运动，齿面间总保持一定间隙。因此，理论上的接触线就转化成实际中的间隙带。为了尽可能减少气体通过间隙带的泄露，要求齿面间间隙面积应尽可能小。为此，除尽量减少间隙外，更重要的是设法缩短齿面间的接触线长度。

另外，从制造、运转角度考虑，还要求转子型线便于加工制造、具有良好的啮合特性和较小的气体动力损失，以及在热态和受力情况下具有小的热变形和弯曲变形等。值得指出的是，以上有些因素是相互制约的。

鉴于要满足如上种种要求，螺杆式压缩机的转子型线通常由多段曲线首尾相接组成，其中主要有摆线、圆弧、椭圆及抛物线等。

3.吸气孔口

螺杆式压缩机有轴向和径向吸气孔口，其形状如图4-22所示。整个轴向吸气孔口由若干段曲线所组成：曲线段1—2为阳转子齿间容积后方齿的前端型线，曲线段3—4应取型线的低压侧啮合线，曲线段5—6为阴转子齿间容积后方齿的前段型线，曲线段2—3、3—5分别为阳、阴转子型线的齿根圆周，孔口外圈曲线段6—7—1与汽缸内圆周壁相重合。但是，为了尽可能扩大吸气孔口的面积，便于安装、检修、降低噪声，通常将机体的这一部分挖空，形成径向吸气孔口。

4.排气孔口

螺杆式压缩机有轴向和径向排气孔口，其形状如图4-23所示，轴向排气孔口线型为1—2—3—4—5—6—7—1。图4-23中曲线段1—2、5—6分别取阳、阴转子齿间容积前方齿的背段型线，曲线段3—4应取型线的高压侧啮合线形状，曲线段2—3、4—5分别为阳、阴转子型线的齿根圆周，孔口外圈曲线段6—7—1与汽缸内圆周壁相重合，但通常将机体的这一部分挖空，形成径向排气孔口。

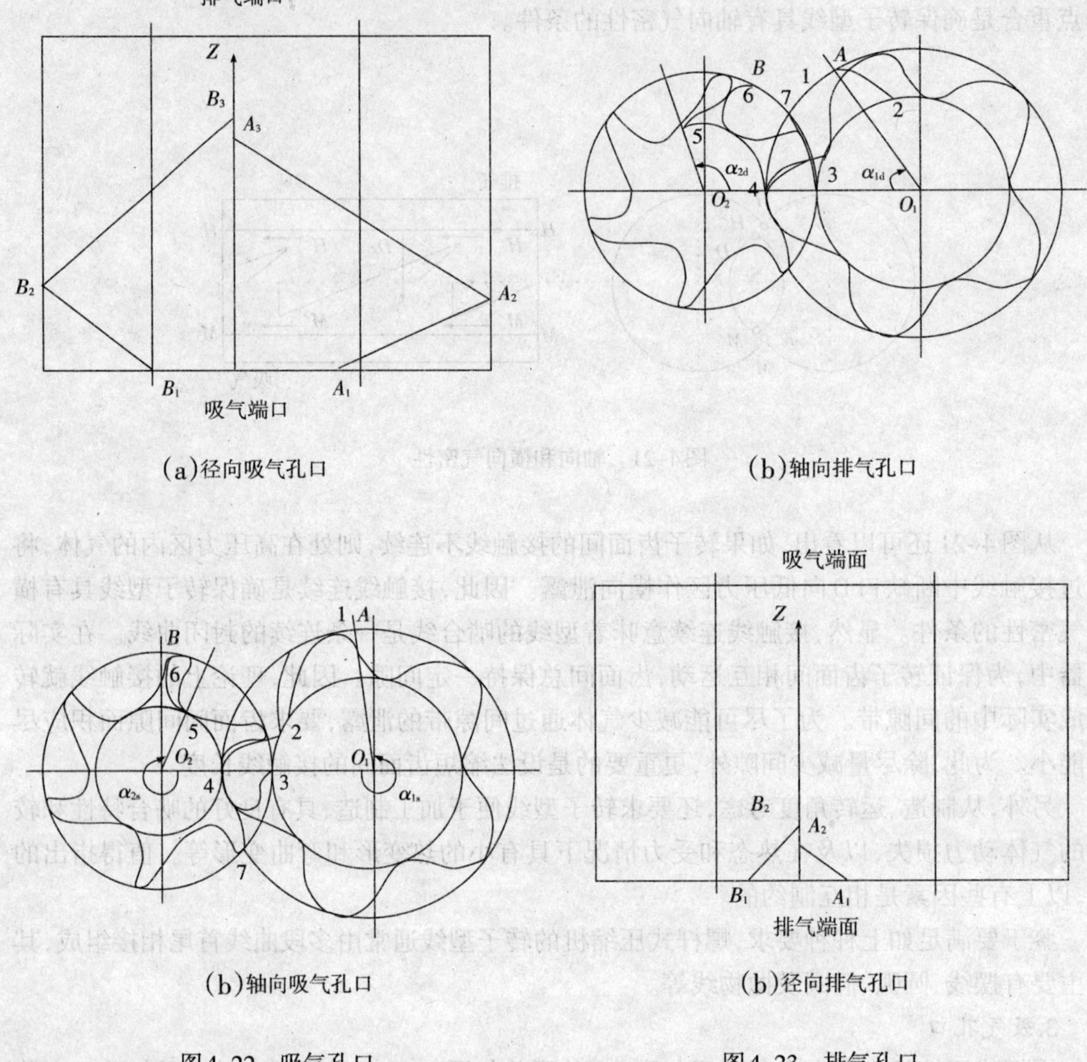

图4-22　吸气孔口　　　图4-23　排气孔口

5.螺杆式空气压缩机组

目前螺杆式空气压缩机大多以机组的形式供货，在煤矿以风冷喷油机组应用最为广泛，并能监测各主要运行参数，自动化程度较高。图4-24所示是某螺杆式空压机组的系统流程图，它主要由压缩空气系统、润滑系统、安全保护系统、电气控制系统等组成。各系统的工艺流程及主要部件说明如下。

(1)压缩空气系统。

如图4-24所示，空气由空气滤清器滤去尘埃之后，经由进气阀进入压缩机机体内进行压缩，并与融化油混合。与油混合的压缩空气排入油气桶，经油气桶和油细分离器去除油分后，纯净的空气经压力维持阀、后冷却器、水分离器等，送入使用系统。

空气滤清器：主要功能是过滤空气中的尘埃，空气滤清器滤芯为一干式值纸质过滤滤芯。

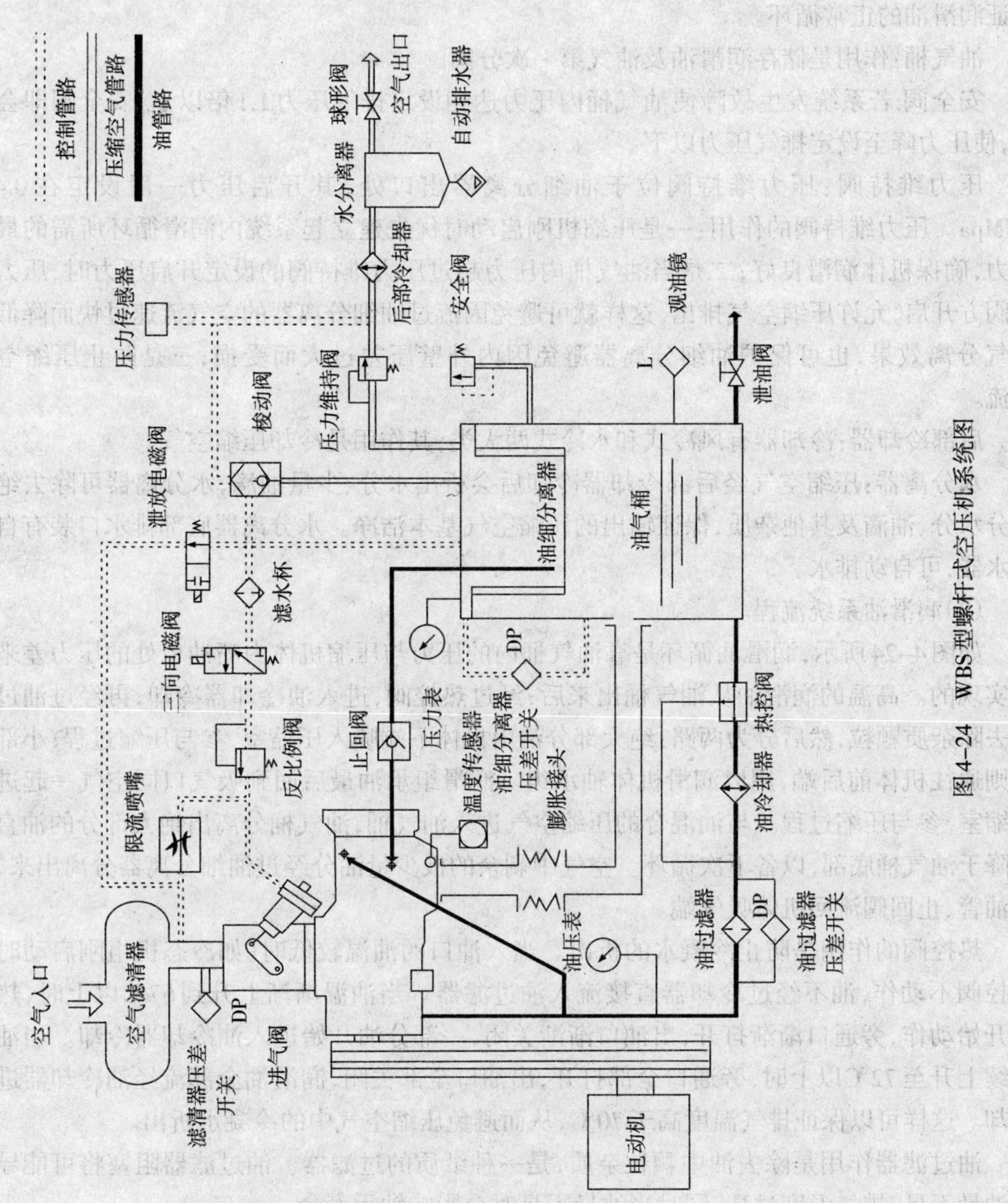

图 4-24　WBS型螺杆式空压机系统图

进气阀:进气阀的打开、关闭可实现空车、重车,当部分打开时可实现节流,从而调节排气量。

需要说明的是空车时仍有少量的空气被机体吸入,被压缩后通过泄放电磁阀泄放。因为有泄放节流,使吸入的气体与泄放的气体达到平衡,系统内的压力维持在0.2~0.3Mpa,以保证润滑油的正常循环。

油气桶:作用是储存润滑油及油气第一次分离。

安全阀:若系统发生故障使油气桶内压力达到设定排气压力1.1倍以上,安全阀即会打开,使压力降至设定排气压力以下。

压力维持阀:压力维持阀位于油细分离器出口处,其开启压力一般设定在0.4~0.5Mpa。压力维持阀的作用:一是压缩机刚启动时优先建立起系统内润滑循环所需的最低压力,确保机体润滑良好;二是当油气桶内压力超过压力维持阀的设定开启压力时,压力维持阀方开启,允许压缩空气排出,这样就可避免因流过油细分离器的空气流速过快而降低其油气分离效果,也可保护油细分离器避免因内外壁压差过大而受损;三是防止压缩空气倒流。

后部冷却器:冷却器有风冷式和水冷式两大类,其作用是冷却压缩空气。

水分离器:压缩空气经后部冷却器冷却后会析出水分、少量油滴,水分离器可除去绝大部分水分、油滴及其他杂质,保证输出的压缩空气基本洁净。水分离器底部排水口装有自动泄水器,可自动排水。

(2)润滑油系统流程。

如图4-24所示,润滑油循环是靠油气桶内的压力与压缩机体内喷油口处的压力差来自动实现的。高温的润滑油从油气桶出来后,经过热控阀,进入油冷却器冷却,再经过油过滤器去除杂质颗粒,然后分为两路:绝大部分油由机体下端喷入压缩室,参与压缩过程;小部分油则通往机体前后端,用以润滑机体轴承组。润滑组承油最后回到吸气口同空气一起进入压缩室,参与压缩过程。与油混合的压缩空气进入油气桶,油气桶分离出绝大部分的油直接沉降于油气桶底部,以备下次循环。空气中剩余的极少量油分经过油细分离器分离出来,经回油管、止回阀流回机体吸气端。

热控阀的作用是防止冷凝水的析出。当入油口的油温较低时(如冷态机组刚启动时),热控阀不动作,油不经过冷却器直接流入油过滤器。当油温渐渐上升到67℃以上时,热控阀开始动作,旁通口渐渐打开,出油口渐渐关闭,一部分油开始进入油冷却器冷却。当油温继续上升至72℃以上时,旁通口全部打开,出油口全部关闭,润滑油全部流经油冷却器进行冷却。这样可以保证排气温度高于70℃,从而避免压缩空气中的冷凝水析出。

油过滤器作用是除去油中颗粒杂质,是一种纸质的过滤器。油过滤器阻塞将可能导致进油量不足,排气温度过高,同时当油量不足时会影响轴承寿命。

油细分离器的作用是进一步滤除压缩空气中的油,使含油量控制在3×10^{-6}以下。

止回阀的作用是使油细分离器滤出的油单向流入机体;防止停机后系统压力降为零以前机体内的油倒流回油细分离器(这些倒流回油细分离器的油将使机组耗油量大大增加)。

(3)控制系统。

如图4-24所示的控制系统包括侦测原件(温度传感器、压力传感器、压差开关)和执行元件,可实现空压机全自动运转,无须专人值守。

进气阀是整个空压机空气流程及控制系统中的核心元件之一。进气阀的打开、关闭可使空压机实现空车、重车,当部分打开时可实现节流,从而调节排气量。

泄放电磁阀作用是启动、停机以及空车时泄放系统内的压力。

三向电磁阀的作用是实现空车与重车的转换,这是一个两位三通电磁阀,常态关闭,得电打开。它与泄放电磁阀同得电或失电。当需要重车时,此阀得电打开,使系统内的压力可以输至进气阀伺服汽缸管口,从而打开进气阀,实现重车运转。当需要空车时,此阀断电关闭,切断进气阀伺服汽缸管口的压力供应,关闭进气缸,实现空车(此时泄放电磁阀泄放)。

反比例阀的作用是使进气缸全开、全关或部分打开,从而调节输气量。反比例阀的输入压力来自三向电磁阀,三向电磁阀失电时反比例阀输入压力小于其设定压力,三向电磁阀得电时反比例阀的输入压力是空压机的输出压力。当输入压力低于反比例阀设定压力时,反比例阀不动作,反比例阀的输出压力等于输入压力。当反比例阀的输入压力大于其设定压力时,阀开始动作,使反比例阀的输出压力低于输入压力,输入压力越高,输出压力越小。

梭动阀的作用是在不同运转条件下提供较高的控制气压给进气阀伺服汽缸,这样可使需要空车转重车时,进气阀被快速打开。梭动阀有两个气源入口,一个出口。它只许两个气源中压力较高的一个通过,另一个则被封闭。

压差开关:机组中总共有3种过滤元件,分别是空气滤清器、油过滤器、油细分离器、这些过滤元件一旦阻塞将对机组运行造成不良影响,故机组为这3种元件分别配置了压差开关。当这些元件阻塞后使前后压差达到压差开关设定压差值时,压差开关动作,信号输入CPU,则控制面板上相应指示灯亮,表明该元件阻塞,应及时维护或更换。

第五节 空气压缩机的安装与试运转

一、空气压缩机的安装

(一)空气压缩机安装的布置原则

压缩空气站位置的选择宜靠近用风负荷中心;压缩空气站的选择,以前大型矿井设计都强调设置地面集中压缩空气站,但近年来由于国产适用于煤矿井下空气压缩机新产品的发展,以及投产的部分矿井开采面积大,巷道距离远,为保证掘进头风动工具的使用压力,提高功效,往往要求设置井下压缩空气站或采用小型随掘进头移动式空气压缩机。一般情况下,大多数压缩空气站位置应选择在地面。

(二)安装基础的一般要求

空气压缩机的基础除了承受机器的重量外,还承受机器内部没有得到平衡的惯性力和惯性力矩。如果空气压缩机是用皮带传动的,则还要承受皮带的拉力。在这些作用力中,机器的重量和皮带的拉力是固定的,不平衡惯性力、惯性力矩的大小和方向都是周期性变化的。这些数值和方向都在变化的力和力矩，是引起机组振动的原因。机组的振动，通过土壤传机房或机房以外相当远的地方。强烈的振动不仅使仪表和设备的工作受到影响，而且使空气压缩机的基础下沉，并导致与空气压缩机相连的管道或其他连接件拉断。所以安装基础应该使地基能可靠地承受机组的重量和防止机组产生过大的振动。

(三)空压机设备安装程序

L型活塞式空压机在矿山得到了普遍使用，现就4L-20/8型活塞式空压机的安装作一简单介绍。

1.基础构筑

空压机的地基基础，由土建施工单位承担。

2.地基基础检查与验收工作

(1)埋设基准标高点和固定挂线架。

(2)挂上安装基准线，检查地基标高和基础螺栓孔的位置。

3.垫板的位置

(1)测算垫板组厚度，按质量标准摆放垫板。

(2)用平尺配合水平尺对垫板组进行找平，并铲好地基基础上的麻面。

4.设备开箱检查

(1)按装箱单和产品说明书清点检查设备及零部件的完好情况和数量。

(2)清洗并除掉机械零部件表面的防腐剂。

5.空压机主体就位

(1)选择合适的起重工具，将空压机主体放在垫板组平面上(地脚螺栓先放在基础地脚螺栓孔内)。

(2)穿上地脚螺栓，并带上螺母。

6.空压机主体找平

(1)找标高。

(2)用三块方水平尺，分别放在一、二级气缸壁上，找空压机主体。

(3)按安装基准线找正空压机主体横向纵向位置。

7.电动机安装定位

(1)在空压机的三角胶带轮和电动机的三角胶带轮上拉线进行找平找正。

(2)找正后，将垫板组点焊成一体，进行二次灌浆。

8.空压机零部件安装

(1)安装传动部分零部件：曲轴、连杆、十字头。

(2)安装压气部分零部件：活塞、活塞环、气缸盖、吸排气阀盖(吸排气阀待负荷试运转时安装)。

(3)安装润滑部分零部件：齿轮液压泵、柱塞泵和油管。

9.储气罐

(1)测算垫板组厚度，并将垫板摆放在基础平面上。

(2)储气罐吊装就位，并进行找平找正。

(3)二次灌浆。

10.冷却水泵站

(1)测算垫板组厚度,并将垫板摆放在基础平面上。

(2)安装单级离心式水泵,找平找正后进行二次灌浆。

11.管路及附属部件

(1)安装吸风管、排风管、冷却水管、油管等。

(2)安装油压表、风压表、安全阀、压力调节装置。

12.基础抹灰

用压力水清洗基础表面后,进行基础面抹灰工作。

13.水压试验

对安装完毕的机体、管路、储气罐进行水压试验(试验压力为工作压力的1.5倍)。

14.设备油漆防护

对设备和管路分别进行油漆防护,按照要求喷涂不同的颜色。

15.空压机试运转

(1)对空压机和水泵站进行空负荷、半负荷、全负荷试运转。

(2)对压力表、安全阀、压力调节装置进行调正。

16.移交使用

(1)清扫机房。

(2)整理图纸资料。

(3)移交生产单位。

(四)空压机安装要特别注意的几个问题

1.对气缸、活塞、吸、排气阀的清洗绝对禁止用汽油和棉纱;

2.曲轴上的平衡铁一定要固定牢固;

3.连杆的螺栓、螺母一定要牢固;

4.活塞端面与气缸盖间一定要有适当余隙;

5.气缸内严禁掉入东西;

6.气缸与气缸盖、气缸与中间冷却器、气缸与带座弯头、风包与管路接口,以及距空压机100m以内的管路法兰盘接口处所用垫一定要用石棉垫,不得用纸垫或橡胶垫。

二、活塞式压缩机的试运转及验收

(一)试运转前的准备工作

1.清理检修现场,检查、试验及调校仪表、电气、上下水系统、油系统、气系统、附属设备,确认均具备试车条件。

2.检查气缸、机身、中体、十字头、连杆、气缸盖、气阀以及地脚螺栓、连接器、皮带传动装置等连接件连接和紧固,应符合要求。

3.冷却水系统畅通,无泄漏现象;电动机通风系统正常。

4.润滑系统油质符合要求,油位在规定高度,循环油泵供油正常,注油器注油通畅。

5.检查安全防护装置和安全保护装置完好、齐备。

6.盘车2~3圈，无异常现象。

7.电动机的单体试运转，符合要求。

(二)无负荷试车

1.电动机单体试车完毕，将电机轴与压缩机曲轴找中合格后连接紧固，可进行机组的连动无负荷试车。

2.将各级吸、排气阀拆下，将外盖盖上或装上钢丝网。

3.瞬时启动，查看运转方向，并观察有无异常现象；确认无异常后启动电机，运转5min，检查应无异音、发热、振动等情况。

4.经第二次启动检查无异常现象后，即可进行无负荷试车，摩擦副的最高温度不得超过60℃，基础振动不超过规定。小修一般不进行无负荷试车，中修无负荷试车2h，大修无负荷试车4~8 h。

压缩机空载检查项目：

(1)冷却水应畅通(各路冷却水都可以从漏斗或视镜观察)，出口水温不应超过规定；

(2)循环润滑油压力应在规定范围内；

(3)注油器向各级气缸和填料函注油正常；

(4)压缩机运转声音正常；

(5)各连接处应无松动，机身无异常振动，各密封处无渗漏现象；

(6)无负荷试车停车后的检查包括打开机身检查盖，用手摸查曲轴主轴承、连杆轴瓦处应无异常发热现象；用手触摸填料函与活塞杆、十字头与滑道等处，其发热不应烫手；观察各运动机件的摩擦表面接触情况，检测各运动机件的配合间隙，均应符合规定。

(三)空气负荷试运及吹扫

压缩机无负荷空运转之后，应逐级装上吸、排气阀。若机组进行大修或事故检修时，对已更换的气缸、附属设备及气管等必须做系统吹扫。吹扫工作可与机组空气负荷试运转结合起来进行，根据实际情况采取逐级分段吹扫或只吹扫某区段；每级吹扫时间不得少于30min，直至排出的气体检查合格为止。吹扫过程的技术要求如下所述：

1.一级缸的进气管必须严格确保吹扫干净，必要时可临时配置有过滤器的进口管段。

2.吹扫压力可根据吹扫空气的气量大小及被吹扫区段的具体情况而定，但各级最高吹扫压力一般不得大于1.0MPa。

3.各区段吹扫所需时间，视风压、风量、被吹扫区段的清洁度、区段长度、直径大小而定。可采用白布包在板条上，并将其置于离吹扫排出口一定距离处；经检查白布再无附着物时，吹扫可考虑暂停。

4.吹扫过程中的加压操作、稳压运行都应严格按负荷试车的规定进行。

5.吹扫时，应注意吹扫死角部位，凡有排放阀的部位均应阶段性排放；管线部分，可用木锤敲击，以助吹扫干净、彻底。

6.系统全部吹扫结束后，应拆开气缸及气阀腔检查清洁度，必要时再重新清洗一次。

7.空气负荷试运转时间是中修2h、大修4h。

8.采用空气作压缩介质试运转的最高压力不得超过25MPa。当机组最高排出压力大于25 MPa时,可考虑采用氮气作为压缩介质;若采用氮气有困难,也可用空气作压缩介质将机组负荷加压至25MPa左右不再继续升压,待以后进入化工试运转阶段时再以工质来完成更高压级的加压试运转工作。

9.负荷试运转升压可分3~4次进行,每次升压时间不少于30min,并需缓慢、均匀地进行。

10.空气负荷运转过程中,应经常检查机组各部位运行情况,检查仪表、电气、油系统、水系统及联锁保安装置等,均应正常、灵敏。

(四)工质负荷试运转

1.机组引入工质进行负荷试运转之前,对气路系统必须用氮气进行置换;无条件时,在保证安全的前提下酌情考虑直接通入化工工质置换。置换中,可利用各级近路阀、卸载阀、放油水阀及放空阀等进行排放。

2.工质负荷试运转时间为中修8h、大修24 h。

3.工质负荷试运转要求进排气温度不得超过设计温度10℃;进排气压力应符合设计要求,排气量不得小于额定排气量的90%;各部件无异常声响及振动;轴承或轴瓦、十字头滑道温度不得超过65℃,气缸填料温度不超过70℃;润滑油系统、气缸注油系统、冷却水系统正常;气缸填料箱无明显泄漏,其他各密封处无渗漏;压缩机基础在工作时的双振幅值不得超过规定的数值。

(五)负荷试运转中的安全阀调校

1.安全阀的调校应在主管专业技术人员的监督下进行。

2.调校前,应按规定进行强度及气密性试验。

3.安全阀一般应在机组负荷试运转之前,用氮气校验完毕并加以铅封。

4.需要在机组负荷试运转过程中进行第二次调校的安全阀,应具备:按有关规定已用水压进行第一次调校;除机组卸载装置完好外,安全阀的手动卸载装置必须灵活可靠。

5.负荷试运过程中的安全阀调校,一种是第一次调校时将安全阀的开启压力基本定在该级最高工作压力上,以便在负荷试运时由低向高做最后调整。在此过程中,压缩机必须做超负荷试运;另一种是先用水压将安全阀开启压力调校在该级最低或额定工作压力上,负荷试运时,应注意观察在该定压下是否起跳,并进行适当调整(调整过程中应始终控制起跳压力不大于该级最高工作压力),根据安全阀的调整量与起跳压力之间的变化关系,凭经验将安全阀调至规定的起跳压力范围,然后卸下安全阀再用水压进行一次核验。因高压级安全阀的起跳范围较宽,所以此方法对压缩机各高压级及末级安全阀的调校是可行的。按最新规定,安全阀的校验应由专业人员在试验台上进行。

(六)气量调节试验

有气量调节装置的压缩机应对调节装置进行试验和调整。调整时,应根据生产工艺的要求,在工艺技术人员的监督下配合进行。

(七)验收标准

1.检修、安装质量符合本机组规程要求,检修、安装记录及资料齐全、真实、准确。

2.试运行正常,符合操作技术指标。

3.仪表、安全联锁装置,保持完整、灵敏、准确、可靠。

4.零部件完整,机组整洁。

5.附属设备及管线完好,无异常响声、振动。

6.主、辅机表面防腐涂层完整,管线刷漆标志鲜明、正确。符合以上标准,即可按规定办理验收手续,正式移交投入生产。

第六节 空压机的安全运行

一、关于空压机的相关规定

(一)《煤矿在用空气压缩机安全检测检验规范》AQ1003-2005中的有关规定

1.在用的空气压缩机应是符合GBT/3853 MT687等相关标准的正式产品。井下用压缩机应有安全准用标志,地面用压缩机应具有相关证件(如储气罐检验证书、安全阀检定证书、油的闪点等)。

2.设有安全保护装置,有下列情况之一时能报警并自动停车:

(1)压力循环油压低于设计规定值;

(2)冷却水中断;

3.排气温度超限:

(1)压缩机排气温度单缸超过190℃,双缸超过160℃;

(2)井下移动式空气压缩机:往复活塞式排气温度超过180℃,喷油回转式排气温度超过120℃(采用金属滑片的采用130℃);

(3)往复活塞式曲轴箱内润滑油温度超过80℃;

(4)风包内的温度超过120℃。

(二)《煤矿安全规程》中的有关规定

1.空气压缩机必须有压力表和安全阀。压力表必须定期校验。安全阀和压力调节器必须动作可靠。安全阀动作压力不得超过额定压力的1.1倍。使用油润滑的空气压缩机必须装设断油保护装置或断油信号显示装置。水冷式空气压缩机必须装设断水保护装置或断水信号显示装置。

2.空气压缩机的排气温度单缸不得超过190℃,双缸不得超过160℃。必须装设温度保护装置,在超温时能自动切断电源。空气压缩机吸气口处必须设置过滤装置。空气压缩机必须使用闪点不低于215℃的压缩机油。

3.空气压缩机的风包,在地面应设在室外阴凉处,在井下应设在空气流畅的地方。在井下,固定式压缩机和风包应分别设置在2个硐室内。风包内的温度应保持在120℃以下,并装有超温保护装置,在超温时能自动切断电源和报警。

4.风包上应装有动作可靠的安全阀和放水阀,并有检查孔。必须定期清除风包内的油垢。新安装或检修后的风包,应用1.5倍空气压缩机工作压力做水压试验。在风包出口管路上,应加装释压阀,释压阀的口径不得小于出风管的直径,释放压力应为空气压缩机最高工作压力的1.25～1.4倍。

(三)《煤矿矿井机电设备完好标准》中的有关规定

1.机体

(1)气缸无裂纹,不漏水,不漏气。

(2)排气温度:单缸不超过190℃,双缸不超过160℃。

(3)阀室无积垢和炭化油渣。

(4)阀片无裂纹,与阀座配合严密,弹簧压力均匀。气阀用水试验,阀座和阀片保持原运行状态,盛水持续3min,渗水不超过5滴为合格。

(5)活塞与气缸余隙一般不得大于表4-1的规定,或符合有关技术文件的规定。

(6)十字头滑板运转时无异响,滑板和滑道间隙不超过生产厂设计规定的2倍。

表4-1 目前煤矿使用较多的几种空压机主要间隙(mm)

空气压缩机型号	一级气缸余隙		二级气缸余隙		十字头滑板顶间隙
	内	外	内	外	
1～10/8	1.5～3.0	1.5～3.0	1.5～3.0	1.5～3.0	0.12～0.25
1～20/8	1.7～3.0	1.7～3.0	2.0～4.0	2.0～4.0	0.21～0.148
1～40/8	3.0～5.0	3.0～5.0	3.0～5.0	3.0～5.0	0.15～0.42
1～100/8	2.5～4.0	2.5～4.0	2.0～3.0	2.0～3.0	0.15～0.25
4L～20/8	1.2～2.2	2.0～3.0	1.2～2.2	2.0～3.0	0.25～0.345
15.5～40/8	1.8～2.6	2.6～3.2	1.3～1.9	2.2～2.8	0.21～0.34
5L～40/8	2.5～3.5	2.5～3.5	2.0～5.0	2.0～5.0	0.142～0.26
L8～60/7	1.5～2.5	2.0～3.0	1.5～2.5	2.0～3.0	0.14～0.627
7L～100/8	3.0～5.0	3.0～5.0	2.5～4.5	2.5～4.5	

2.冷却系统

(1)水泵符合完好要求。

(2)冷却系统不漏水。

(3)冷却水压力不超过0.25MPa。

(4)冷却水出水温度不超过40℃,进水温度不超过35℃。

(5)中间冷却器及气缸水套要定期清扫,水垢厚度不超过1.5mm。

(6)中间冷却器、后冷却器不得有裂纹,冷却水管无堵塞、无漏水。后冷却器排气温度不超过60℃。

3.润滑系统

(1)气缸润滑必须使用压缩机油,其闪点不低于215℃,并应经过化验,有化验合格证。

(2)有十字头的曲轴箱,油温不大于60℃;无十字头的曲轴箱,油温不大于70℃。

(3)曲轴箱一般应使用机油润滑。如果曲轴箱的油能进入气缸的,必须使用与气缸用油牌号相同的压缩机油。

(4)气缸以外部位的润滑,用油泵供油时油压为0.1~0.3MPa。润滑油必须经过过滤,过滤装置应完好。

4.安全装置与仪表

(1)压力表、温度计必须齐全完整,灵活可靠,每年校验1次。

(2)中间冷却器、后冷却器、风包必须装有安全阀。安全阀必须灵活可靠,其动作压力不超过使用压力的10%,每年校验1次。

(3)在风包主排气管路上应安装释压阀,动作灵活可靠,动作压力要高于工作压力0.2~0.3MPa。

(4)压力调节器灵敏可靠。

(5)水冷式空气压缩机有断水保护或断水信号,灵敏可靠。

(6)空气压缩机应有断油保护或断油信号,灵敏可靠。

(7)安放测量排气温度的温度计,其套管插入排气管内的深度不小于管径的1/3,或按厂家规定。气缸排气口应装有超温时能自动切断电源的保护装置。

5.风包、滤风器与室内管路

(1)空气压缩机的进出风管和风包每年清扫一次,每天运转时间短的可适当延长。

(2)风包要有入孔和放水阀。

(3)滤风器要定期清扫,间隔期不大于3个月。金属网滤风器清扫后,应涂粘性油,粘度为(3.3~4.0)°E,不许用挥发性油代替。油浴式滤风器应用与气缸用油牌号相同的压缩机油。

6.运转与出力

(1)空气压缩机的盘车装置与电气启动系统闭锁。

(2)运转无异响及异常振动。

(3)排气量每年要测定1次,在额定压力下,不应低于设计值的90%。

(4)有压风管路系统图、供电系统图。

二、空气压缩机的操作与运行

(一)开车前的准备

1.进行外部检查,重点检查各连接部位、地脚螺栓、各吸排气阀的阀盖螺母等紧固件的紧固情况,各安全附件是否完好正确。

2.人工盘车2~3转,检查运转部分是否正常。

3.检查润滑油量是否充足,各润滑系统油路是否畅通。

4.打开冷却水进口阀门,启动循环水泵,向冷却系统供水,并在漏斗处检查水量是否充足。

5.关闭减荷阀,把空压机调至空载启动位置,以减少空压机的启动负荷。

6.打开空压机与储气罐之间排气管的闸阀。

7.若停车时间较长,应通知电工检查电路是否正常,电机绝缘是否符合要求。

(二)启动

1.先将电动机启动开关间断点动,察听空压机的各运动部件有无异常声响。确认正常后方能启动电动机。

2.电动机启动后,空压机应空载运行5~6分钟,若无异常情况,逐步打开进气阀门,投入负荷进行。

（三）停车

1.逐步关闭减荷阀门（或打开排气管旁通放气阀门），使空压机进入空载运转状态。

2.切断电源。

3.空压机停车15分钟后，才能停止循环水泵，关闭冷却水进水阀。

4.放出中间冷却器和储气罐中冷凝的油水；在冬季低温下应将各级水套和中间冷却器内的存水全部放尽，以免冻裂机体。

5.进行日常维护保养。

6.填写“交接班记录”，做好交接班工作。

（四）空压机运行中的注意事项

1.空压机运行时应经常注意检查机身油池面高度和注油器的油位和油滴数是否正常。

2.随时注意和检查各压力表、温度表所示读数，使其在允许的范围内。

3.随时注意电动机的温升及电流、电压表所示读数，应在允许的范围内。

4.当储气罐内压力达到规定数值时，应注意安全阀和压力调节器的动作是否灵敏、可靠；定期对安全阀作手动或自动放气试验。

5.空压机运行时，每工作2小时须将油水分离器的油水排放一次，储气罐内的冷凝油水每班应排放1次，空气温度大时应增加排放次数。

6.空压机在下列情况下应紧急停车，并找出原因，排除后方能开机。

①一、二级排气压力表突然超过规定数值；

②冷却水突然中断供给，若断水后开车时间较长，则切不可立即向气缸水套注入新的冷却水，应待气缸自行冷却后再供水开机；

③空压机任何部位的温度超过允许值；

④空压机发出异常声响，如金属碰撞声和各连接处的松动等；

⑤润滑油突然中断供给时；

⑥空压机发生严重漏气、漏水时；

⑦电动机的滑环和刷子间一级线路接头处有严重火花时；

⑧发现其他严重故障时；

⑨检修空压机设备时，应先切断电源，排尽设备及气管道内的余气后才能进行。清洗气缸及气阀部件时要用煤油（不允许用汽油），洗净后须待煤油全部挥发后方可装配。检修拆装时木片、皮块、棉纱等杂物不得落入气缸或储气罐及气管道内，以免堵塞，造成事故；

⑩空压机开车运行时，每隔1小时将每个测量数据及运行情况、设备巡回点检情况填写在运行和点检记录簿上。

第七节　空气压缩机的维护与故障处理

一、空气压缩机的维护保养

对空压机的合理使用，及时正确地维护与检修，保证机件精度，是确保空压机正常运转，延长使用寿命的有效途径。实践证明,设备的寿命很大程度上决定于维护检修工作的好坏。空压机的维护与检修应坚持日常维护保养和计划检修相结合的设备检修制度。

维护保养前,应仔细阅读卖方提供的使用维护说明书和有关技术文件,并将具体规定要求转化成维护保养制度。

(一)空气压缩机的维护

压缩机维护的通用要求主要有设备完整无损、运行参数正常、无泄露、润滑油选用正确、设备与工作场地整洁、做好工作日记。

(1)设备完整无损,处于良好状态,压力、温度、电流、电压均应在正常范围内不能偏离过大。

(2)压缩机应无漏油、漏水和漏气现象。

(3)保持仪表的完整齐全,指示准确,并按期校验。

(4)管路、线路整齐,清洁畅通,绝缘良好。

(5)冷却液与润滑油的质量应符合要求。不能混用不同的润滑油,但如经不同油种相容性分析,确定不会产生可能导致危险情况的不利后果,可例外。

(6)新压缩机和大修过的压缩机,首次运行200h后,应更换润滑油,清洗运动部件和油池油箱,并清洗或更换油过滤器。若排出的润滑油经过滤化验符合润滑油质量要求时,或不超过石油化工行业标准SH/T0538—2000《轻负荷喷油回转式空气压缩机油换油标准》时,可继续使用,加油时要过滤。

(7)油位应符合要求。

(8)安全装置(如安全阀、保险装置、自控或保护装置)灵敏可靠,防爆防雷和接地装置应符合要求。

(9)设备与工作场地整齐、清洁、无灰尘、无油渍,标牌齐全,连接可靠。

(10)认真填写记录和运行日志。

(二)空气压缩机的保养

压缩机的保养可分为一级保养、二级保养、三级保养。

1.一级保养

一级保养应每天或每班进行。保养内容如下:

(1)检查润滑油位,包括循环润滑油和注油润滑油,油量不足时应加油。检查注油器注油情况,合理供油。

(2)检查仪表指示值,更换指示值不准或已损坏仪表,补齐缺损仪表。

(3)检查油过滤器和空气滤清器压差是否超限,对超限的过滤器给以修理、更换。

(4)检查喷油压缩机油分离前后压差。

(5)检查各操作开关和压力调节器的工作情况。

(6)检查压缩机有无异常声响及泄露。

(7)清洁机器和环境。

(8)做好保养记录

2.二级保养

不同的压缩机二级保养的内容和时间间隔不同。

(1)喷油螺杆式压缩机要求每月做以下保养:①取油样,观察润滑油是否变质;②检查排气温度计是否失灵;③清洁机组外表面。

(2)活塞式压缩机二级保养要求:

①每运转1000h取油样,分析润滑油的污染情况和物理物质,根据分析结果,确定润滑油是继续使用,还是处理后再用,还是更换,并清洗或更换油过滤器芯或网;

②根据淋洒式冷却器管外结垢和生物聚集情况,洗刷冷却器管;

③每运转2000h清洗一次气阀,清洗阀座、阀盖积碳,检查气阀气密性;

④每2000h清洗或更换空气滤清器,并检查汽缸吸气口到空气滤清器之间有无灰尘,并擦洗;

⑤清洗油过滤器;

⑥每运转2000h,检查运动部件紧固螺纹有无松动,防松装置有无松动或失效,摩擦面(气缸镜面、十字滑道)有无拉毛现象。

3.三级保养

对螺杆式压缩机和滑片压缩机,每3个月进行一次三级保养,内容如下:

(1)清洁冷却器外表面、风扇叶片和机组周围灰尘。

(2)清洗放气消声器。

(3)给电动机前后轴承加润滑脂。

(4)检查所有软管有无破裂和老化迹象,根据情况更换软管。

(5)检查电器元件,清理电控箱内的灰尘。

(6)喷油压缩机运行2500h后应换油。但在一年中如运行不足2500h,一年后也应换油。应使用制造厂推荐的闪点高于220℃的回转压缩机油或汽轮机油。当压缩机内润滑油经试验分析,指标不超过SW/T0538—1993 3.1条要求时,可不换油。不同油种不得相互混杂。

(7)当空气滤清器阻力过大,通常压缩机仪表盘指示灯有所显示,此时,应更换滤清器滤芯。

(8)当油分离器两端压差是开车之初的3倍或最大压差达到0.1Mpa时,应更换芯子。倘若油分离器芯子两端压差数字为零,说明芯子有故障或气体短路,此时应立即更换芯子。

(9)对滑片压缩机,应按照供方规定,按时更换滑片。

活塞压缩机的三级保养,在压缩机运行4000h后进行。具体内容如下:

(1)换润滑油,清洗油过滤器,更换滤芯。

(2)清洗空气滤清器,更换滤芯或滤网。

(3)检查仪表控制系统,修复或更换失效和动作不可靠的元器件,校正仪表。

(4)检查、校正流量调节装置。

(5)校正安全阀。

(6)检查运动部件的磨损情况和锁紧装置的紧固情况,磨损严重或间隙过大时应修理或更换。

(7)清洗注油器和油泵。

(8)检查吸、排气阀的密封情况和活塞环、导向环的磨损情况,更换已损坏的阀片和弹簧,更换磨损过大的活塞环和导向环。

(9)大型压缩机在进行三级保养时,应检查曲轴箱水平和驱动机水平是否发生变化,若由于地基沉降不均,水平发生变化,应进行调整。

(10)检查压缩机和驱动机联轴器的径向跳动和端面跳动,若跳动值超出规定,应进行调整。

(11)检查活塞杆跳动,并使其保持在0.07mm以内。

(12)清理冷却器换热面的水垢,对风冷式冷却器可用压缩空气吹扫。

(13)对压缩机或机组进行全面检查,包括管路、电路和各部分连接,使压缩机或机组全面达到完好水平。

二、空气压缩机的检修

空气压缩机的检修工作分为大、中、小修。中、小修合称为项修,项修即是指单项或多项维修,大多数项修在定期保养时进行。

小修就是指日常检查中,对个别零部件进行的调整、更换或修复磨损少量的零部件,基本上不拆卸设备的主体部分,以恢复设备的使用性能。

中修或叫一般检修。根据设备的使用状态,对设备精度、功能达不到要求的项目,进行部分解体检修,以恢复设备的精度和性能。

大修是指对设备进行彻底解体检修,使设备完全恢复正常状态和额定出力。大修后的空压机,在装配过程中,应测量下列项目:

(1)活塞内外止点间隙。

(2)十字头与滑道的径向间隙和接触情况。

(3)连杆轴径与大头瓦的径向间隙和接触情况。

(4)十字头销与连杆小头瓦的径向间隙和接触情况。

(5)填料各处间隙。

(6)连杆螺栓的预紧度(拧紧力)。

(7)活塞杆全行程的跳动。

三、空气压缩机常见故障原因及处理方法

空压机安装、维护质量不善都会导致空压机运行状况异常,甚至是重大故障和事故发生,如内部有异常声响、气缸温升过高、机身振动过大、排气量不足、甚至是发生爆炸等。

为此在掌握空压机检修基础知识的前提下,熟悉空压机常见故障的判断处理知识是很重要的。

1.活塞式空气压缩机常见故障原因及处理方法

活塞式空气压缩机常见故障原因及解决方法

故障现象	产生原因	解决方法
打气量不足	1.阀座与阀片之间有金属颗粒，因关闭不严引起漏气，影响气量。 2.新的吸气阀弹簧，初用时刚性太大，引起开启迟缓；弹簧用久后，因疲劳引起开阀不及时，造成漏气。 3.阀片与阀座磨损不均匀，因而引起密封不严而漏气，影响气量。 4.吸气阀升起不够，流速加快，阻力增大，影响气量 5.填料或活塞杆磨损引起漏失。 6.润滑油供应不足，降低气密性，引起漏失。 7.气缸磨损（特别是单边磨损）超过最大允许限度，间隙增大，引起漏气，影响打气量。 8.活塞环因润滑油质量不好，油量不足，缸内温度过高，将形成咬死现象，不但影响气量，而且影响压力。 9.活塞环磨损，造成间隙大而漏气。 10.气缸余隙容积过大，降低了吸入量。	1.拆检清洗，若吸气阀的阀盖发热，则故障在吸气阀上，否则是在排气阀上。 2.检查弹簧刚性，或更换合适的弹簧。 3.用研磨方法加以修理，或更换新的阀片和阀座。 4.调整升程高度，更换适当的升程限制圈。 5.修理或更换密封圈或活塞杆。 6.拆检吸、排气阀，发现气阀缺油，应增加润滑油量。 7.用镗削或研磨的方法进行修理，严重时更换新缸套。 8.取出活塞，清洗活塞环或环槽，更换润滑油。 9.更换活塞环。 10.调整气缸余隙。
某级压力升高	1.后一级的吸、排气阀漏气，必然增大前一级的排气压力。 2.活塞环泄漏引起排气量不足。 3.本级吸、排气阀因各种原因产生的泄漏。	1.更换后一级的吸、排气阀。 2.更换活塞环。 3.拆检气阀，并采取相应措施。
某级压力降低	1.本级吸、排气阀漏气。 2.高一级的吸、排气阀有毛病，引起排量不足，以及第一级活塞泄漏过大。 3.内漏。 4.吸入管阻力太大。	1.拆检气阀，更换损坏的零件。 2.拆检气阀，更换损坏的零件，检查活塞环并修复。 3.检查内漏部位，并采取相应措施。 4.检查管路，并采取相应措施。
运动机构发出异常声音	1.连杆螺钉、轴承盖螺钉、十字头螺母松动将引起响声。 2.主轴承、连杆大头、小头瓦、十字头滑道等间隙过大，发出不正常声音。 3.曲轴与联轴器配合松动。 4.各轴瓦与轴承座接触不良。	1.紧固或更换损坏件。 2.检查并调整间隙。 3.检查并调整。 4.刮研轴瓦瓦背。
气缸内发出异常声音	1.油和水带入气缸造成水击。 2.气阀有故障。 3.活塞螺帽松动，活塞松动。 4.润滑油太少或断油，引起气缸拉毛。 5.活塞环断裂。 6.气缸余隙太小。 7.异物掉入气缸内。	1.减少油量、提高水分离效果，定期打开放油水阀。 2.检查并清除。 3.检查并紧固。 4.增加油量，修复拉毛处。 5.更换活塞环。 6.适当加大余隙。 7.清除异物。
气缸发热	1.冷却水太少或中断。 2.供油量太少或中断。 3.水套、中间冷却器内水垢太厚	1.检查冷却水供应情况。 2.检查油泵油压是否正常，油路有无堵塞，过滤器是否堵塞，并畅通清洗。 3.清除水垢

齿轮油泵压力不够或不上油	1.油池内油量不够 2.滤油器、滤油盒堵塞 3.油管不严密或堵塞 4.油泵盖板不严 5.齿轮啮合间隙磨损过大 6.齿轮与泵体磨损间隙过大 7.油压调节阀调得不合适,或调节弹簧太软 8.润滑油质量不符合规定,粘度过小 9.油压表失灵	1.添加润滑油 2.进行清洗 3.检查紧固,清洗疏通 4.检查紧固 5.更换齿轮 6.更换齿轮油泵 7.重新调整,更换弹簧 8.更换润滑油 9.更换油压表
活塞杆温度过热	1.压缩机活塞杆与填料函装配时产生偏斜 2.压缩机活塞杆与填料配合间隙过小(包括编织塞线塞得太紧) 3.压缩机活塞杆与填料的润滑油有污垢,或润滑油不足造成干摩擦 4.填料函中有杂物 5.填料函中的金属盘密封圈卡住,不能自由移动 6.填料函中的金属盘密封圈装错,油路堵住,润滑油供不上 7.填料函往机身上装配时螺栓紧得不正,使其与活塞杆产生倾斜,活塞杆在运转时与填料中的金属盘摩擦加剧发热	1.重新进行装配,不得偏斜 2.压缩机活塞杆与填料应按规定的间隙装配,塞线要合适 3.清洗油污垢,保证有足够的供油量或重新更换润滑油 4.取出填料函拆开清洗 5.在安装时应试一下,活动要自由,并按规定保持一定间隙 6.拆开检查,看看是否装错,若装错应及时改装过来 7.重新检查填料函,将其倾斜改过来
气缸中有水	1.水腔或缸体垫片漏水 2.中间冷却器密封不严或水路破裂	1.拧紧气缸连接螺栓,更换垫片 2.拆下检修,必要时更换水管
排气温度过高	1.吸入温度过高 2.冷却水量不足,水管破裂,水泵出故障 3.水垢过厚,影响冷却效果 4.气阀漏气,压出的高温气体又压回气缸,再经压缩而使排气温度增高 5.活塞环破损或精度不够,使活塞两侧互相窜气	1.降低进气温度 2.更换水管,检修水泵 3.清除水套、中间冷却器中的水垢 4.研磨阀座、阀盖、阀片或更换阀片与弹簧 5.更换活塞环
填料函不严、漏气	1.填料函中密封盘上的弹簧损坏或弹力小,使密封盘不能与活塞杆完全密封 2.填料函中的金属密封装置不当,与压缩机活塞杆有缝隙 3.填料函的金属密封盘内径磨损严重,与活塞杆密封不严 4.活塞杆磨损拉伤,部分磨偏不圆等也会产生漏气 5.润滑油供应不足,填料函部分气密性恶化,形成漏气	1.检查弹簧是否有折断,对弹力小、不合格的弹簧进行更换 2.重新装配填料函中的金属密封盘使金属密封盘在填料函中能自由窜动,与活塞杆密封 3.检查或更换金属密封盘 4.检查修理压缩机活塞杆或更换新活塞杆 5.保证填料函中有适量的润滑油
电动机声音异常	1.压缩机因超负荷产生的不正常声响 2.压缩机回转部位接触产生的不正常声响	1.检查压缩机载荷情况并进行检修 2.检查确定并进行检修

故障现象	产生原因	解决方法
无法启动	1.保险丝烧毁 2.过载保护器动作 3.接线松动或接触不良 4.电压太低 5.电动机故障 6.机体故障 7.逆、欠相保护动作	1.请电气人员检修更换 2.请电气人员检修 3.检修上紧 4.请电气人员检修 5.请电气人员检修 6.手动机体,若转不动,与厂家联系 7.检查电源线及各接点
运转电流高,压缩机自行停车	1.电压太低 2.排气压力太高 3.电路接点接触不良 4.润滑油规格不正确 5.皮带传动松 6.油细分离器堵塞 7.压缩机机体故障	1.请电器人员检修 2.检查压力设定,压力传感器 3.检修电路 4.检查油号、更换油品 5.检查并调整 6.更换油细分离器 7.手动机体,若转不动,与厂家联系
运转电流低于正常值	1.空气消耗量太大(压力在设定值以下运转) 2.空气过滤器堵塞 3.进气阀动作不良 4.压力设定不当	1.检查消耗量,必要时增加压缩机 2.清洁或更换 3.拆卸清洗并加润滑油脂 4.重新调整设定压力
排气温度低于70℃	1.冷却水量太大 2.环境温度太低 3.空车太久 4.温度传感器故障 5.热控制阀故障	1.调整冷却水之出口阀 2.减少冷却器散热面积 3.增加空气消耗量 4.调整或更换温度传感器 5.更换热控制阀
排气温度高,空压机自动跳闸	1.冷却器不清洁或堵塞 2.润滑油规格不正确或变质 3.热控制阀故障 4.油过滤器堵塞 5.前置过滤器堵塞 6.冷却风扇故障 7.温度传感器故障 8.润滑油量不足 9.冷却水量不足 10.冷却水温度高 11.环境温度高	1.检查进出口温差,正常温差为5~8℃,如低于5℃,则以低压空气清洁或拆下用药剂清洗 2.检查油号,更换油品 3.检查油是否经过油冷却器冷却,若无则更换热控阀 4.更换油过滤器 5.清洁前置过滤器 6.检修或更换冷却风扇 7.检修或更换温度传感器 8.检查油位,若油量不足,请停车加油 9.检查进出水管温差 10.检查进水温度 11.改善环境,降低室温

空气中含油分高,润滑油添加周期短	1.油面太高 2.回油管路阻塞 3.回油止回阀损坏 4.排气压力太低 5.油细分离器破损、失效 6.压力维持阀弹簧疲劳 7. 油细分离器芯管的O形圈破损	1.检查油面并适当排放 2.拆卸清洁 3.更换回油止回阀 4.调整压力开关至设定值 5.更换新品 6.更换弹簧 7.更换油细分离器芯管
无法全载运转	1.压力传感器故障 2.泄放电磁阀故障 3.进气阀动作不良 4.压力维持阀动作不良 5.控制管路泄露 6.电器线路故障	1.检修或更换 2.检修或更换 3.拆卸清洗后加注润滑油脂,检查控制管路是否畅通 4.拆卸后检查阀座及止回阀片是否磨损,如磨损更换 5.检查泄露位置并锁紧 6.检修或更换
无法空车,空车时压力仍保持或继续上升,安全阀动作	1.压力传感器失效 2.进气阀动作不良 3.泄放电磁阀失效或泄放管路堵塞 4.电气线路故障	1.检修或更换 2.拆卸清洗后加润滑油脂 3.检修或更换 4.检修或更换
压缩机风量低于正常量	1.进气过滤器堵塞 2.进气阀动作不良 3.油细分离器堵塞 4.泄放电磁阀或管路泄露	1.清洁或更换 2.拆卸清洗后加润滑油脂 3.更换油细分离器 4.检修,必要时更换
空/重车频繁	1.管路泄露 2.压力开关故障 3.空气消耗量不稳定 4.压力维持阀泄露	1.检查泄露位置并锁紧 2.检修或更换 3.增加储气罐容量 4.检修或更换
停机时油雾从空气过滤器冒出	1.进气阀关闭不严或卡死 2.重车停机 3.压力维持阀泄露 4.泄放电磁阀故障 5.止回阀故障	1.检查进气阀,如卡住,拆卸清洁后加润滑油脂 2.避免重车停机 3.检修或更换 4.检修或更换 5.检修或更换

第二部分　专业核心知识点

1.空压机排气量的调节。
2.空压机的安装与试运转。
3.空压机的安全运行。
4.空压机的常见故障原因分析及处理。
5.空压机的维护与检修的内容。

第三部分　专业技能训练

空压机的维护与保养

一、技能训练目的

了解空压机各组成部分的结构及作用;掌握空压机的结构组成及日常维护与保养的内容。

二、技能训练内容

1.手指口述空压机的结构组成。
2.现场进行检查维护保养,具体方法参照本章第七节内容。

复习题

1.矿用空压机是如何分类的?
2.叙述活塞式空压机的工作原理。
3.活塞式空压机的组成及各部分的功用。
4.空压机排气量的调节方法有哪几种? 分别有何特点?

讨论题

1.目前煤矿常用的空压机是哪种? 为什么它得到越来越广泛的应用?
2.结合空压机常见故障,提出处理方法和预防措施?
3.空压机运行中的注意事项有哪些?

第五章 刮板输送机

第一部分 系统理论知识

第一节 概 述

刮板输送机是用刮板链牵引，在槽内运送散料的输送机。在当前采煤工作面内，刮板输送机的作用不仅是运送煤和物料，而且还是采煤机的运行轨道，因此它成为现代化采煤工艺中不可缺少的主要设备。刮板输送机能保持连续运转，生产就能正常进行。否则，整个采煤工作面就会呈现停产状态，使整个生产中断。随着煤矿机械化生产的发展，刮板输送机逐步向大功率、高强度和高性能的方向发展，逐步形成了与液压支架、采煤机配套的工作面刮板输送机系列，能满足大倾角、薄煤层、大采高等各种地质条件以及各种类型液压支架的配套要求。

图5-1 刮板输送机外形图

一、刮板输送机的发展历程

刮板输送机在煤矿的生产与建设中的发展，大致经历了3个阶段。

第一阶段在上世纪30~40年代，是可拆卸的刮板输送机，它在工作面内只能直线铺设，随工作面的推进，需人工拆卸、搬移、组装。刮板链是板式，多为单链，如V型、SGD-11型、SGD-20型等小功率轻型刮板输送机。

第二阶段是上世纪40年代前期由德国制造的可弯曲刮板输送机，它与采煤机、金属支架配合实现了机械化采煤。这种刮板输送机适应底板凹凸不平和水平弯曲等条件，移设时不需拆卸，并且运煤量也有所增大，如当时的型号SGW-44型刮板输送机就是这个阶段的代表产品。

进入20世纪60年代由于液压支架的出现，为了适应综采的需要，刮板输送机发展到了第3阶段，研制出大功率可弯曲重型刮板输送机，如SGD-630/75型、SGD-630/180型等就是属于这个阶段的产品。

目前，随着采煤工作面生产能力的不断增大，刮板输送机主要发展趋势是：

1.大运输量。国外先进采煤国家已经发展到小时运输能力高达1500t（20世纪80年代）、3500t（20世纪90年代）的刮板输送机。

2.长运输距离。为了减少采区阶段煤柱的损失量，加大工作面的长度，刮板输送机的长度已经达到335m以上。

3.大功率电动机。电动机的功率已发展到单速电机达525kW，双速电机500/250kW。

4.寿命长。由于使用大直径圆环链，增加了刮板链的强度，延长了刮板输送机的寿命，整机过煤量高达600万t以上。

二、刮板输送机的特点

（一）刮板输送机的优点

1.结构简单而且机体坚固，强度高，能经受住一般的冲击载荷和侧向爆破冲击，适用于爆破采掘工作面；

2.具有连续运输货载，运输能力大，在工作面任意地点都可以装煤的特点，且运输能力不受货载的块度和湿度影响；

3.各溜槽间的连接机构有一定的间隙，允许在水平和垂直方向作2°～4°的弯曲，所以能很好地适应工作面底板起伏变化和机械化采掘工艺的要求；

4.在结构上由于其高度和宽度都较小，也便于拆装、伸缩、维护和检修，能适应采掘工作面空间窄小的条件；

5.可反向运行，便于处理底链事故；

6.可与采煤机械、液压支架配套，适用于综采工作面，所以在煤矿生产中得到广泛应用和大力发展。

（二）刮板输送机的缺点

1.空载功率消耗较大，为总功率的30%左右；

2.不宜长距离输送；

3.机械故障多，易发生掉链、跳链等事故；

4.消耗钢材多，成本大；

5.工作阻力大，牵引链、溜槽磨损严重，易断链。

三、刮板输送机的分类

根据《矿用刮板输送机型式与参数》MT/T15-2002的规定，刮板输送机的型式分为以下几种：

1. 按刮板链型式分为中单链型、边双链型、中双链型和准边双链型。

2. 按卸载型式分为端卸式和侧卸式。

3. 按中部槽结构分为开底式和封底式。

4. 按驱动电动机型式分为单速电动机驱动型式和双速电动机驱动型式。

四、型号表示方法如下：

1.轧制槽帮和冷压槽帮的刮板输送机型号表示方法

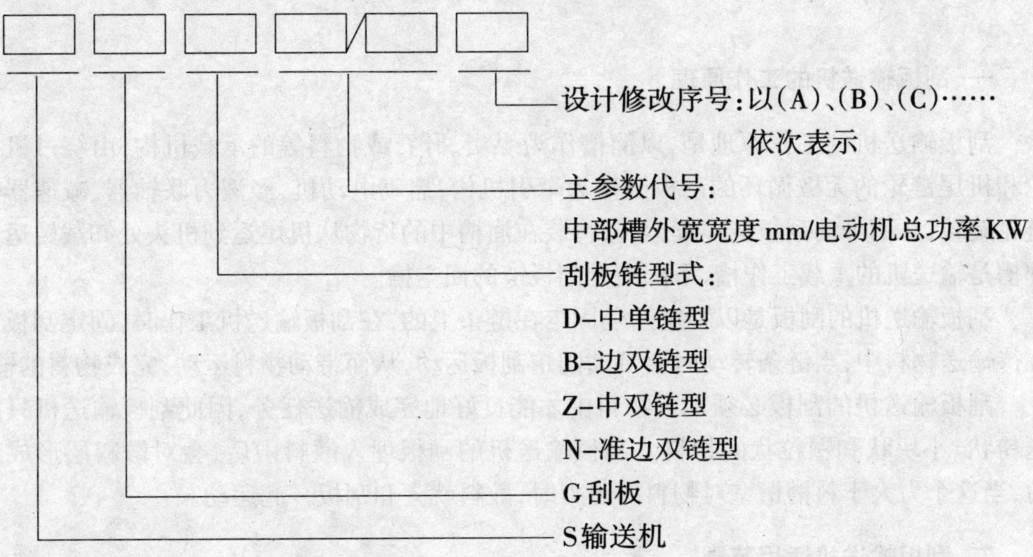

型号示例：

中部槽外宽宽度630mm，配用电动机总功率为150KW，第3次修改设计的边双链刮板输送机表示为：SGB630/150（C）

2.铸造槽帮刮板输送机型号表示方法

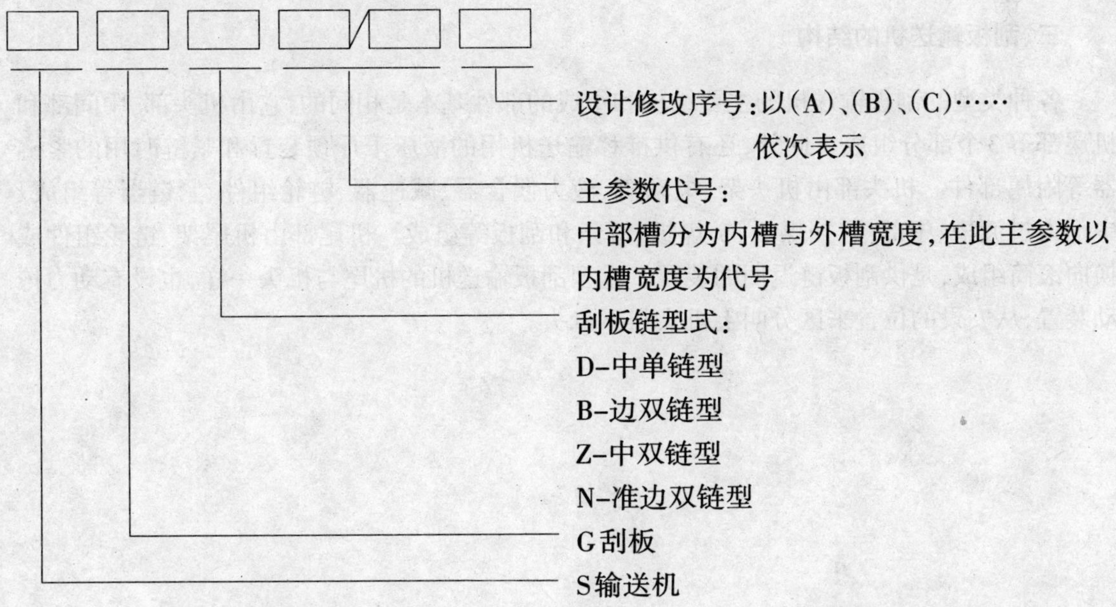

型号示例：

中部槽内宽宽度880mm，配用双速电动机总功率为1400KW，第1次修改设计的中双链刮板输送机表示为：SGZ880/1400（A）

第二节　刮板输送机的结构和工作原理

一、刮板输送机的工作原理

刮板输送机的工作原理是，以溜槽作为煤炭、矸石或物料等的承载机构，由绕过机头链轮和机尾链轮的无极循环的刮板链作为牵引机构，启动电动机，经液力联轴器、减速器带动链轮旋转，从而带动刮板链连续运转，将装在溜槽中的货物从机尾运到机头处卸载转运。上部槽是输送机的重载工作槽，下部槽是刮板链的回空槽。

刮板输送机的刮板是以特定间隔固定在链条上的，在刮板输送机工作时，固定刮板被埋在待输送物料中，当链条转动时会带动固定刮板运动，从而带动物料运动，完成物料的输送。

刮板输送机的刮板必须埋入物料中才能良好地完成输送任务，因此刮板输送机只能输送粉状、小块状和颗粒状的物料。刮板输送机的刮板埋入散料中后，会对散料层形成切割力，当这个力大于料槽槽壁对物料的阻力时，散料就会和刮板一起运动。

二、刮板输送机适用范围

刮板输送机可用于水平运输，亦可用于倾斜运输。沿倾斜向上运输时，煤层倾角不得超过25°，向下运输时，倾角不得超过20°，当煤层倾角较大时，应安装防滑装置。可弯曲刮板输送机允许在水平和垂直方向作2°～4°的弯曲。

三、刮板输送机的结构

各种类型的刮板输送机的主要结构和组成的部件基本是相同的，它由机头部、中间部和机尾部等3个部分组成。此外，还有供推移输送机用的液压千斤顶装置和紧链时用的紧链器等附属部件。机头部由机头架、电动机、液力偶合器、减速器、链轮组件、紧链器等组成。中部由过渡槽、中部槽、挡煤板、铲煤板、链条和刮板等组成。机尾部由机尾架、链轮组件或换向滚筒组成，是供刮板链返回的装置。重型刮板输送机的机尾与机头一样，也设有动力传动装置，从安设的位置来区分叫上机头与下机头。

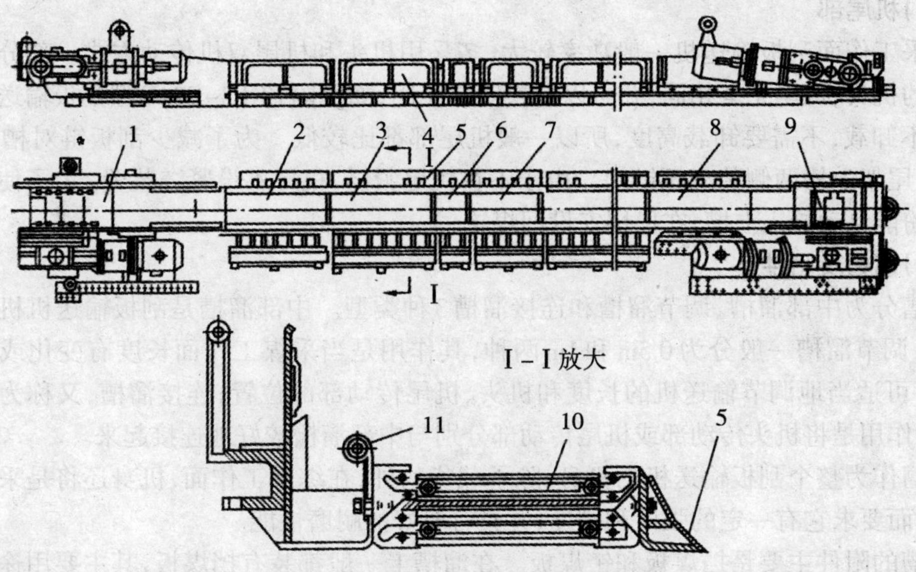

图5-2　可弯曲刮板输送机外形

1——机头部；2——机头连接槽；3——中部槽；4——挡煤板；5——铲煤板；6、7——调节槽；8——机尾连接槽；9——机尾部；10——刮板链；11——导向管

（一）机头部

机头部是将电动机的动力传递给刮板链的装置，它主要包括机头架、传动装置、链轮组件、盲轴及电动机等部件。利用机头传动装置驱动的紧链器和链牵引采煤机牵引链的固定装置也安装在机头部。其中，机头架是支撑、安装链轮组件、减速器、过渡槽等部件的框架式焊接构件。为适应左右采煤工作面的需要，机头架两侧对称，可在两侧安装减速器。

（二）传动装置

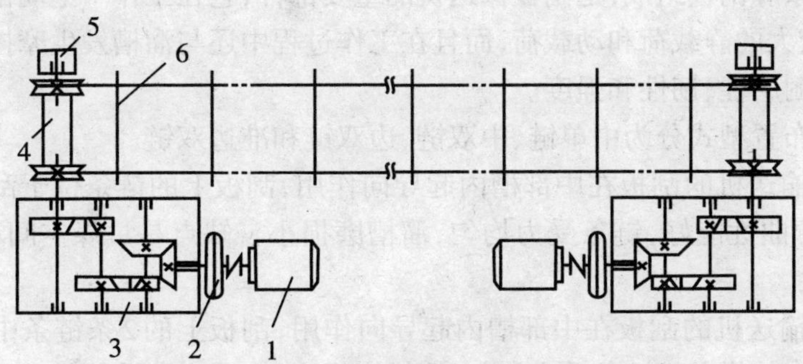

图5-3　SGB-150型刮板输送机的传动系统图

1——电动机；2——液力偶合器；3——减速器；4——链轮组件；5——盲轴；6——刮板链

传动装置由电动机、联轴器和减速器等部分组成。当采用单速电动机驱动时，电动机与减速器一般用液力偶合器连接；当采用双速电动机驱动时，电动机与减速器一般用弹性联轴器连接。减速器输出轴与链轮的连接有的采用花键连接，有的采用齿轮联轴器连接。链轮组件由链轮和2个半滚筒组成，它带动刮板链移动。盲轴安装在无传动装置一侧的机头、机尾架侧板上，用以支撑链轮组件。

(三)机尾部

综采工作面刮板输送机一般功率较大,多采用机头和机尾双机传动方式。部分端卸式输送机的机头、机尾完全相同,并可以互换安装使用,如德国EKF3-E74V型刮板输送机。因为机尾不卸载,不需要卸载高度,所以一般机尾部都比较低。为了减少刮板链对槽帮的磨损,在机尾架上槽两侧装有压链块。由于不在机尾紧链,机尾不设紧链装置。为了使下链带出的煤粉能自动接入上槽,在机尾安设回煤罩。

(四)溜槽及附件

溜槽分为中部溜槽、调节溜槽和连接溜槽3种类型。中部溜槽是刮板输送机机身的主要部分;调节溜槽一般分为0.5m和1m两种,其作用是当采煤工作面长度有变化或输送机下滑时,可适当地调节输送机的长度和机头、机尾传动部的位置;连接溜槽,又称为过渡溜槽,主要作用是将机头传动部或机尾传动部分别与中部溜槽较好地连接起来。

溜槽作为整个刮板输送机的机身,除承载货物外,在综采工作面,机身还将是采煤机的导轨,因而要求它有一定的强度和刚度,并具有较好的耐磨性能。

溜槽的附件主要是挡煤板和铲煤板。在溜槽上一般都装有挡煤板,其主要用途是增加溜槽的装煤量,加大刮板输送机的运载能力,防止煤炭溢出溜槽;其次考虑利用它敷设电缆、油管和水管等设施,并对这些设施起保护作用。有些挡煤板还附有采煤机导向管,对采煤机的运行起导向定位作用,防止采煤机掉道。

为了达到采煤机工作的全截深和避免刮板输送机倾斜,就必须在输送机推移时先清除机道上的浮煤,因此在溜槽靠煤壁侧帮上安装有铲煤板。需要特别指出的是,铲煤板只能清除浮煤,不能代替装煤,否则会引起铲煤板飘起、输送机倾斜,因而造成采煤机割不平底板,甚至出现割顶、割前探梁等事故。

(五)刮板链

刮板链由链条和刮板组成,是刮板输送机的重要部件,它在工作中拖动刮板沿着溜槽输送货物,要承受较大的静载荷和动载荷,而且在工作过程中还与溜槽发生摩擦,所以,要求刮板链具有较高的耐磨性、韧性和强度。

刮板链根据布置型式分为中单链、中双链、边双链和准边双链。

中单链刮板输送机的刮板在中部槽内起导向作用,刮板上的链条位于刮板中心。其优点是结构简单、弯曲性能好,链条受力均匀,溜槽磨损小。缺点是过煤空间小、机头尺寸较大、能量消耗较大。

中双链刮板输送机的刮板在中部槽内起导向作用,刮板上的2条链条中心距不大于中部槽宽度的25%。其优点是链条受力均匀,溜槽磨损小,水平弯曲性能好,机头尺寸较小,单股链条断时处理方便。缺点是过煤空间小,能量消耗较大。

边双链刮板输送机的链条和连接环在中部槽起导向作用,刮板上的链条位于刮板两端。其优点是过煤空间大,能量消耗小。缺点是水平弯曲时链条受力不均匀,溜槽磨损较大。

准边双链刮板输送机的刮板在中部槽内起导向作用,刮板上的两股链条中心距不小于中部槽宽度的50%。它的优缺点介于中双链和边双链之间。

（六）紧链装置

刮板链过松会使刮板链堵塞在拨链器内，使链子跳出链轮和发生断链事故，还可能使链子在回空段出现刮板链掉道的事故。为了保证刮板链能正常工作，必须通过紧链装置拉紧刮板链使其处于合适的张紧状态。常用的紧链装置有棘轮紧链装置、闸盘式紧链装置等。

（七）防滑及锚固装置

倾斜工作面铺设的刮板输送机，设有可靠的防止输送机下滑的装置，刮板输送机防滑装置主要有以下几种：千斤顶防滑装置、双柱锚固防滑装置、滑移梁锚固防滑装置。

（八）液力偶合器

1.液力偶合器的工作原理

液力偶合器是安装在电动机与负载（减速器）之间，应用液体传递能量的一种传动装置。它的主要元件是泵轮和涡轮，泵轮与电动机轴、外壳连接，涡轮与减速器轴连接。为了达到稳定的工作特性，实际结构上又增加了前、后辅助室。

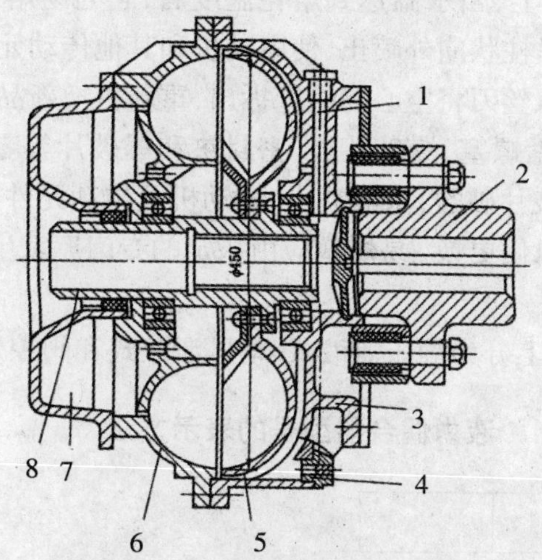

图5-4　限矩型液力偶合器的结构

1——注油孔；2——弹性联轴器；3——外壳；4——易熔合金保护塞；5——涡轮；6——泵轮；7——后辅助室；8——轴套

当电动机带动泵轮旋转时，装在泵轮内的工作液也随之旋转。由于2个工作轮是在一个封闭的壳体内，因此，作用在液体上的离心力使液体沿径向叶片之间的通道向外流动到外缘后进入涡轮中。由于液体的连续性，在靠近旋转轴线的泵轮内缘，液体从涡轮又流向泵轮，于是工作液体循环地作环流运动，在泵轮中被加速增压后，将机械能转换为液体的动能。当液体将其动能传给涡轮，涡轮则以机械能的形式输出做功。

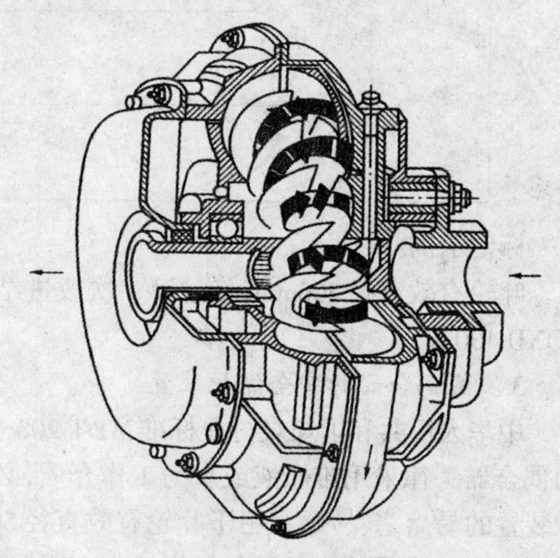

图5-5　液力偶合器液流示意图

当输送机负荷过载超过额定转矩的2倍左右时，在离心力作用下，工作腔内的工作液逐渐减少，传递力矩降低，涡轮的转速迅速降低，大量工作液则储存在辅助室内，电动机处于轻载运转状态，从而保护电动机不致过载。随着负荷继续增大，最后涡轮停止转动，起到过载保护作用。一旦外负荷减小，工作液逐渐在离心力作用下又进入工作腔，液力偶合器便又自动恢复正常工作状态。

当液力偶合器长时间过载运转时，由于泵轮与涡轮之间的转速相差较大，工作腔内的工作液因摩擦加剧而使工作液温度不断升高。当工作液为水时，水的蒸汽压力不断加大，当温度升高到允许极限或压力加大到允许极限时，易熔塞内易熔合金被熔化或易爆塞内的易爆片爆破，工作液即由此孔喷出，使涡轮停止转动，从而保护了整个传动装置。

易熔塞由外壳与易熔化塞2部分组成，这2部分均用黄铜制成，在易熔塞内铸有直径5mm的易熔合金。MT/T208—1995《刮板输送机用液力偶合器》规定：易熔塞易熔合金熔化温度为(115±5)℃。

易熔合金在液力偶合器上，当水温达到熔化温度后，它与易熔塞相接触的部分首先熔化，在偶合器内压力作用下呈柱状向外喷出，使电动机和其他传动元件得到保护。易熔合金喷出后，维修电钳工只需用螺丝刀将空心易熔塞拆出，重新更换新品即可。

易爆塞由易爆塞座、压紧螺塞、爆破孔板、密封垫和爆破片等零件组成。当偶合器内压力达到(1.4±0.2)MPa时，爆破片破裂，水液喷出，电动机及传动元件得到保护。因此，维修电钳工必须携带备用易爆塞，以便更换。易爆塞应由指定的专门厂家生产，不得自行制作。

2.液力偶合器型式

液力偶合器从结构形式上分为静压泄液式、动压泄液式和阀控延充式3种形式。

液力偶合器型号的表示方法

YOX			

更新代号。按大写汉语拼音字母顺序表示

叶轮有效直径，mm

结构特征代号：静压泄液式J；动压泄液式D；阀控延充式F

液力偶合器代号

标记示例：

叶轮有效直径400mm，经过第一次改进结构的限矩型动压泄液式液力偶合器，表示为：YOXD 400 A 。

3.液力偶合器的安全保护装置

中华人民共和国煤炭行业标准MT/T 208—1995《刮板输送机用液力偶合器》中规定：液力偶合器一律采用难燃液或水为工作介质，必须安装过热和过压保护装置。过热及过压保护装置的易熔塞、易爆塞用于叶轮有效直径500mm以下时(含500mm)，安装数量均不少于1个，安装1个易熔塞及1个易爆塞的液力偶合器，在其安装的对称位置上要留有安装凸台;用于叶轮有效直径500mm以上时,易熔塞及易爆塞要各安装2个,对称布置在液力偶合器内腔最大直径上,易熔塞及易爆塞都不允许安装在注液孔上。

对易熔塞的要求是:

(1)易熔塞的易熔合金熔化温度为115±5℃。

(2)易熔塞外表面应打有熔化温度及生产厂标记。

(3)易熔塞的安装尺寸及重量:

a. 安装尺寸及外形尺寸应符合规定;

b. 易熔塞重量不得超过设计重量m_s±0.0005 kg。

对易爆塞的要求是:

(1)易爆塞爆破压力值(Ps)应为1.4±0.2M Pa,

(2)易爆塞重量不得超过设计重量m_s±0.000 5kg,

4.液力偶合器的主要特点

(1)改善电动机启动性能。 使电动机轻载起动,启动电流小,启动时间缩短;改善了鼠笼式电动机的启动性能,可充分利用电动机过载能力,在重载下平稳启动。

(2)具有良好的过载保护性能。输送机过载时,部分工作液体进入辅助室,使电动机不过载。当输送机被卡住或持续过载时,涡轮被堵转或转速很低,泵轮与涡轮间的滑差达到或接近最大值,工作液体受内摩擦力作用而温度升高,达到易熔合金保护塞的熔点时,合金塞熔化,工作液体喷出,偶合器不再传递能量和力矩,输送机停止运转,电动机空转,从而保护电动机和其他工作部件。

(3)能减缓传动系统的冲击振动。传动装置中增加液力偶合器等于加一个弹性缓冲元件,能吸收振动,减少冲击,使工作机构平稳运行,提高设备的使用寿命。

(4)在多电动机传动中偶合器可均衡各电机之间的负荷分配。由于型号相同的电动机其机械特性也有差异,会使负荷分配不均匀。采用液力偶合器后,电动机特性曲线被电动机—液力偶合器联合软输出特性曲线取代,使电机负载差值下降,改善了负荷分配不均状况。再通过调节各偶合器的充液量,可使负载分配趋于均衡。

5.液力偶合器的使用与维护要求

(1)对于工作介质不同的偶合器,严禁工作介质相互替代。如用水代替油,传递力矩可增加10%~15%,因而原有的保护性能就不能保证,同时还会使轴承锈蚀磨损。

(2)液力偶合器的输出力矩与工作液体的重度、充液量成正比,因此在使用时,一定要按规定的工作液体及充液量注入。

(3)使用时发现漏液要及时采取修理措施或更换,否则会导致传递力矩下降、启动困难或多电动机驱动时功率不平衡。

(4)要使用规定的易熔合金保护塞,如失去保护作用,一方面会造成工作腔中工作介质温升过高和压力增大,使轴向密封迅速破坏;另一方面对电机不能起过载保护作用。

(5)修理时,应注意泵轮、外壳、辅助室外壳的位置不要错动;更换螺栓、螺母应使其规格一致,以防破坏其平衡性能。检修后重新组装的液力偶合器应进行静平衡试验和密封试验。

(6)对于带过流阀的偶合器,要特别注意在组装前必须用频闪测速仪调整其开闭的工作速度范围,使其在工作中能及时开启和关闭。

(7)限矩型液力偶合器的注液范围为其工作腔容积的40%~80%。注液量超过上限时,重载下电动机不能启动,当载荷忽然增大时,电动机会失速和闷车,即在运转时因过载而急剧升温,内压增大,引起泄露,甚至造成机械损坏;注液量低于下限时,减弱了电动机的启动能力,降低了传动功率和效率,使轴承得不到充分润滑,产生噪声而过早损坏;易熔塞不能用木塞代替。

四、刮板输送机推移装置

刮板输送机推移装置的类型有手动齿条推溜器、钢丝绳移溜器和液压推溜器。目前最常用的是液压推溜器,下面介绍TY120C/90型液压推溜器。

TY120C/90型液压推溜器属于外注式液压开式系统,用单体液压支柱、液压枪和卸载扳手进行操作,它广泛应用于煤矿井下采煤工作面各种型号输送机的推移。

(一)工作原理

液压推溜器是根据双作用缸原理、液压千斤顶原理而设计的。采用注液枪注液作为动力源,而实现推移输送机、拉固定座等基本动作,进而实现采煤机工作面、截煤、清理浮煤,向硬帮推移输送机等连续化作业。

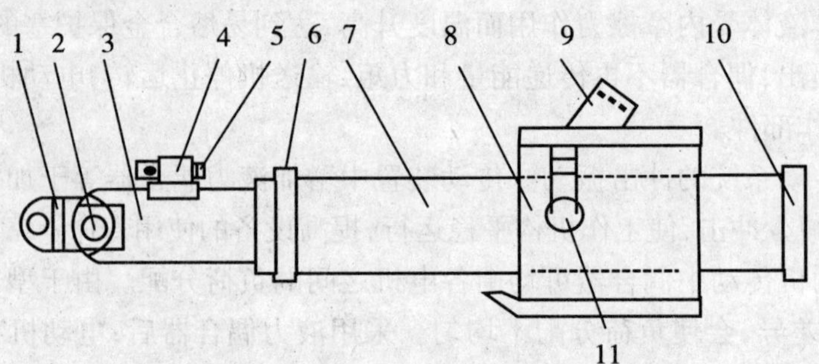

图5-6　TY120C/90型液压推溜器

1——双向接头;2——联接销;3——活塞杆;4——阀孔座;5——三用阀;6——端盖;7——油缸;8——固定座;9——戗顶座;10——底座;11——固定轴

(二)操作方法

在固定座上打戗顶柱→油缸前腔三用阀处于卸载位置→油缸后腔三用阀用注液枪注液→活塞杆伸出,推移输送机→戗顶柱卸载取下→油缸后腔三用阀处于卸载位置→油缸前腔三用阀注液→固定座向前移动到行程位置→完成1次推移过程。

(三)主要结构和安装

液压推溜器由固定座、戗顶座、油缸、活塞、活塞杆、三用阀座、双向接头和连接销等几部分组成(见图5-6)。

液压推溜器在采煤工作面的安装如图5-7。

首先清理工作面第2排柱至第3排柱固定座设置区域内杂物。使固定座紧贴底板,打开上盖,将油缸体放入固定座内合上上盖,拧紧螺栓。活塞杆须完全回程。用一个联接销插入挡煤板联接耳、双向接头，别上φ5开口销；另一个开口销插入双向接头另一孔、活塞杆连接孔，别上φ5开口销，即安装完毕。

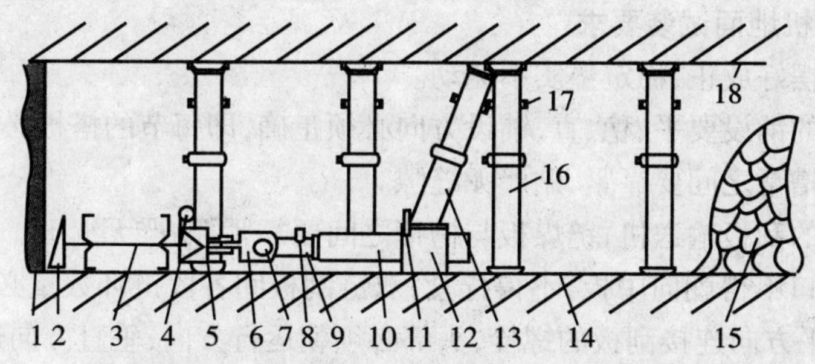

图5-7　TY120C/90型液压推溜器安装图

1——煤壁；2——铲煤板；3——刮板输送机；4——导向管；5——挡煤板；6——双向接头；7——联接销；8——三用阀座；9——活塞杆；10——推溜器油缸；11——戗顶座；12——固定座；13——戗顶柱；14——工作面底板；15——垮落的顶板；16——单体液压支柱；17——三用阀；18——工作面顶板

(四)特点

(1)固定较稳定，在固定座上采用20厚钢板组焊件。底板较宽，在煤层倾角较大的采煤工作面使用，不易滚翻。

(2)注液简单，它采用单体柱注液枪注液，实现一枪多用。

(3)阀座固定可靠，两个阀座是焊在油缸上，运输装卸过程中不易碰掉。

(4)油缸有固定轴，与固定座联接，能实现油缸两头上下有调量，使活塞杆容易与挡煤板连接和正常工作。

(5)当泵站压力为20 MPa时，其推力要大于传统推溜器推力。

第三节　刮板输送机的安装与调试

一、刮板输送机地面安装与调试

(一)刮板输送机安装前准备工作

(1) 参加安装试运转的工作人员应认真阅读该机的说明书、配套设备的说明书及其他有关技术资料、安全法规，熟悉该机的结构、工作原理、安装程序和注意事项。

(2) 核对刮板输送机的形式与能力是否与工作条件相适应。

(3) 按该机的出厂发货明细表和技术资料，对整机所有零部件、附属件、备件及专用工具等逐项进行检查。

(4) 按照整机所带技术资料，对所有零部件进行外观质量、几何形状检查，如有碰伤、变形、锈蚀应进行修复和除锈。特别对防爆设备，必须经专职防爆检查员检查，发给下井许可证后方可下井。

(5) 准备好安装工具及润滑油脂。

(6) 指定工作指挥人员，选择好安装场地。为了检查刮板输送机的机械性能，使安装维修和操作人员熟练掌握安装、修理和操作技术，最好在地面进行安装调试，认为没有问题后方可下井安装。

(二)刮板输送机地面试装要求

(1) 机头必须摆好放正，稳定垫实不晃动。

(2) 中部溜槽的铺设要平、稳、直，铺设方向必须正确，即每节的搭板必须向着机头。

(3) 挡煤板和槽帮之间要靠紧、贴严无缝隙。

(4) 有铲煤板的刮板输送机，铲煤板与槽帮之间要靠紧、贴严无缝隙。

(5) 圆环链焊口不得朝向中板，不得拧紧；双链刮板间各段链环数量必须相等。刮板的方向不得装错，水平方向连接刮板的螺栓，头部必须朝运行方向；垂直方向连接刮板的螺栓，头部必须朝中板。

(6) 沿刮板输送机安装的信号装置要符合规定要求。

(7) 安装好后要进行认真检查和试运转，运转正常后才能做下井安装前的准备工作。

(三)地面安装刮板输送机时的程序

(1) 凡参与安装人员应始终遵守安全操作规程，严防设备和人身伤亡事故的发生，并拟定安装工艺文件。

(2) 将安装用的所有零部件运到安装地点，按预定安装位置排放整齐。

(3) 先将机头安装固定在一起，并按要求将电源与电动机连接。

(4) 将刮板链条从机头架下链道穿过，链条不能互相缠绕或拧劲。圆环链焊口靠下侧。

(5) 按类似的方法将机尾部分安装完，其间链条用快速接头接好，以达到足够的长度。

(6) 将链条分别绕过机头、机尾链轮并在上链道将其联接，并保持较松的状态。

(7) 按设备总图将其余零部件安装齐全。

(8) 清除链道处的杂物，检查各部分联接、紧固是否可靠。

(四)在地面进行空载试运转注意事项

(1) 点动电动机，观察机头、机尾电动机转向是否正确。方向一致后再点开电动机，观察有无卡刮及异常响声。

(2) 机尾传动的电动机应超前于机头传动的电动机，一般应控制在0.0035～0.013s／m之间，累加为延迟时间，但最小超前时间不小于0.5s，最大超前时间不大于3s。

(3) 启动刮板输送机，检查电动机、减速器有无异常声响，其温度不应突然升高。

(4) 链条与链轮啮合是否正常，有无跳链现象。刮板链在机头过渡或中间段是否有跳动现象，如有跳动，则说明链条预张力太大，应重新减小预张力。

(5) 刮板链在整个上下链道应无卡阻现象。

二、刮板输送机下井安装与试运转

(一)刮板输送机下井前准备工作

(1) 各机件应完好无损，否则应进行修复。

(2) 不需要分解后下井的部件，应将联接件、紧固件紧固可靠。

(3) 需要分解后下井的部件，应按类摆放，做好标记，易失、易混的小零件应按类包装，外露的加工、配合部件（如轴孔、油孔等）应采取防磕碰、防堵塞、防脏物等措施。

(4) 根据地面的安装情况，制定下井和井下安装的工艺流程，并在下井机件的明显位置标明下井后的运送地点。

(二)刮板输送机的安装要求

1.综采工作面刮板输送机的安装要求

(1) 综采工作面刮板输送机的机尾，一般在采煤机骑上溜槽后进行安装。因为机尾架较高，先装机尾就增加了安装采煤机的工作量。

(2) 装完中部槽后安装挡煤板。如果中部槽距煤帮较近，又有浮煤阻碍铲煤板的安装时，可在采煤机割一刀后再装铲煤板，但L型铲煤板必须在采煤机割煤前安装。

(3) 中部槽的安装一般与液压支架的安装配合进行，可以先装中部槽后装支架，也可边装支架边装中部槽，以保证支架的间距。如果先装支架后装中部槽，必须及时调好支架间距，以免支架与中部槽不协调，影响推移千斤顶的连接。

(4) 采用单轨吊与设在中部槽上的滑板配合安装液压支架时，必须先安设全部工作面刮板输送机，然后开动刮板输送机，利用刮板链将装有支架的滑板输送到支架安装地点。这种先安装刮板输送机的方法，既可保证支架的间距，又可随时将工作面的浮煤清理出去。

2.工作面刮板输送机机头的安装要求

(1) 机头位置必须符合设计位置要求，既要能顺利地卸煤，又要保证与液压支架的妥善联接。

(2) 机头必须摆好放正。采用单机或双机牵引时，驱动装置应安设在采空区一侧，与采空的支柱要留有不小于700mm 的距离，以便行人与维修。

(3) 减速器与机头部的连接螺栓必须安装齐全紧固，不得因安装位置条件差而少装螺栓。

(4) 机头要稳固、垫实不晃动，必要时要用支柱固定在机头顶梁上，不可把支柱支撑在减速器或机头架上。

3.工作面刮板输送机中部槽的安装要求

(1) 中部槽的铺设要平、直、稳，如果底板有煤块或矸石时，必须清除后再铺。为了保证中部槽的平、直，可用矿灯在两端头对照，借光线校正。

(2) 中部槽铺设的方向应从机头向机尾进行。

(3) 每块中部槽的铺设方向必须正确，即每块槽的搭接板必须向着机尾，以保证回空链顺茬进行，不致卡刮。

4.刮板链的安装要求

刮板链安装时，连接螺栓防锈，粘附物清洗干净，涂润滑脂；圆环链立环的焊口背离中板，水平链环的焊口应朝向溜槽中心线，且不许有扭麻花现象；螺纹紧固位置背离中板；刮板大弧形凹面与输送机运输方向一致；螺纹拧紧力矩为60～70N·m；链条要配对使用。维护时，经常紧固螺母；及时校正与更换弯曲或折断的刮板。刮板链初安装或运转之后，使初张力预加弹性伸长量相等，避免链条松弛。初张力太小，链条松弛；初张力太大，增加运行阻力，影响链条使用寿命。

5.刮板输送机的安装应达到“三平”“三直”“一稳”“二齐全”“一不漏”“两不”的标准。

“三平”:刮板输送槽接口要平,电动机与减速器底座要平,对轮中心接触要平;

“三直”:机头、刮板输送机溜槽和机尾要直、电动机和减速器的轴中心要直,大小链轮要直;

“一稳”:整台刮板输送机要安设平稳,开动时不摆动;

“二齐全”刮板要齐全,链环螺栓要齐全;

“一不漏”:溜槽接口严密不漏煤;

“两不”:运转时链子不跑偏,不飘链。

(三)刮板输送机的试运转

1.试运转前,要对输送机进行全面检查

切断输送机电源,确保输送机不能启动,对下列各项进行检查:

(1)所有需要润滑的部件是否均已注入推荐量的符合要求的润滑油和润滑脂;

(2)传动部件是否都正确组装并安装在机架上;

(3)链轮、刮板链是否安装正确,刮板链与链轮齿是否啮合正确;

(4)所有的联接件是否安装到位且正确拧紧;

(5)溜槽是否安装到位,溜槽间搭接平滑;

(6)刮板是否都在链道内,链条有无缠结,轨道有无阻塞;

(7)液压控制系统是否安装正确;

(8)电缆控制线路是否联接正确,无损坏。

2.接通输送机电源,进行检查

(1)点动电动机,确保机头、机尾传动部的电动机旋转方向协调一致;

(2)信号系统和电气控制系统功能是否正常;

(3)检查输送机全长,保证无阻塞。

3.输送机空载试运转

(1)输送机在检查完成后,进行0.5~1h的空载运转;

(2)观察减速器、液力偶合器、电机运转是否平稳,有无异常声响,有无非正常温升;

(3)刮板链运行持续稳定,顺利与链轮啮合;

(4)刮板链张紧程度适中,刮板链在机头链轮处下垂2个环为宜,否则应重新紧链。

4.输送机带负载试运转

输送机空载试运转确认无问题后进行带负载试运转。

(1)正确卸煤到转载机上;

(2)减速器、电动机运转平稳,无异常声响,无非正常温升;

(3)刮板链运行持续稳定,顺利与链轮啮合;

(4)刮板链张紧程度适中,刮板链在机头链轮处下垂2个环为宜,否则应重新紧链。

(5)试运转后必须检查各处固定螺栓及刮板横梁的螺栓的松紧程度。如有松动必须拧紧。

5.刮板输送机试运转期间注意事项

在装好后投入运转的最初2个星期中，应特别注意刮板链的松紧程度。要经常检查刮板链的工作状况，发现问题应及时处理，防患于未然。因为刮板输送机在运转中，相邻溜槽接头趋于靠紧、间隙减小、链环磨损、节距增大、而使链条松弛。刮板链在松弛状态下运转，会使链子堵塞在链轮拨链器处，出现卡链、跳链现象，损坏链条和链轮，发生断链或底链掉道等事故。所以在刮板输送机工作过程中，必须经常检查和紧链，使刮板链始终在合适的张紧状态下运行。

第四节　刮板输送机的运行

一、刮板输送机的操作运行

(一)刮板输送机运转前检查

(1)机头、机尾处的支护完整牢固；

(2)机头、机尾附近10m以内无杂物、浮煤、浮渣，洒水设施齐全无损；

(3)机头、机尾的电气设备处如有淋水，必须妥善遮盖，防止受潮接地；

(4)本台刮板输送机与相接的刮板输送机、转载机、带式输送机的搭接必须符合规定，无拉回头煤；

(5)机头、机尾的锚固装置牢固可靠；

(6)各部轴承、减速器和液力偶合器中的油(液)量符合规定、无漏油(液)，易熔合金塞等是否正常良好；

(7)防爆电气设备完好无损，电缆悬挂整齐；

(8)各部螺栓紧固，联轴器间隙合理，防护装置齐全无损；

(9)牵引链无磨损或断裂，调整牵引链及传动链，使其松紧适宜；

(10)检查信号联络系统是否灵敏清晰可靠；

(11)检查转载点灭尘设施效果。

(二)刮板输送机运转时应注意的问题

(1)发出开机信号，等前台刮板输送机开动运转后，点动2次，再正式开动，然后打开洒水开关；

(2)设备运转中，司机要随时注意电动机、减速器等各部运转声音是否正常，是否有剧烈振动，电动机、轴承是否发热(电动机温度不应超过80度，轴承温度不得超过70度)，机头链轮有无卡、跳链现象，溜槽内有无过大煤矸、过长物料和火工品等，发现异常应立即停机处理；回采工作面刮板机必须保持平直，不得过度弯曲，拉溜前应把机头机尾的浮煤清理干净，防止机头机尾翘起，溜槽最大弯曲半径不超过厂家规定；

(3)一般情况下刮板机不得重负荷停机，必须将刮板机上的煤运空，方可停机，停机时应先停回采工作面运输机，再停转载机；

(4)刮板机超负荷启动困难时，不得反复倒转启动，应查明原因并处理；

(5)输送机机头与转载机搭接处,应有足够的卸载高度,以免刮板链向回带煤,减速器、盲轴、液力偶合器和电动机等传动装置必须保持清洁,以防止因过热而引起轴承、齿轮、电动机等损坏。

(6)刮板链必须有适当的预张力,工作面输送机应始终保持平直,应避免无负荷空运转,无正当理由时也不应反转。

(7)严禁任何人骑在输送机上,需要跨越输送机时,应与司机取得联系,同时停车后方可跨越。需要在输送机上进行工作时,必须停车,并保证防止顶板和片帮煤的下落砸坏挡板。

(8)定期检查链轮的磨损情况,如果条件允许,最好同时更换链轮和链条。

(9)综采输送机在移溜时一定注意,必须保证移溜处与采煤机距离超过15m方可移溜。

(三)发现下列情况应停机,妥善处理后方可继续作业

(1)超负荷运转,发生闷机时;

(2)刮板链出槽、飘链、掉链、跳齿时;

(3)电气、机械部件温度超限或运转声音不正常时;

(4)液力偶合器的易熔塞熔化或其油(液)质喷出时;

(5)发现大木料、金属支柱、大块煤矸等异物快到机头时;

(6)运输巷转载机或下台刮板输送机停止时;

(7)信号不明或发现有人在刮板输送机上时;

(8)回采工作面片帮冒顶,输送机内有过大煤矸、过长的物料;

(9)其他意外事故。

(四)收尾工作

(1)班长发出收工命令后,将刮板输送机内的煤全部运出,清扫机头、机尾附近的浮煤后,方可停机,然后关闭洒水开关并向下台刮板输送机发出停机信号;

(2)将控制开关手把扳到断电位置,并拧紧闭锁螺栓;

(3)清扫机头、机尾各机械、电气设备上的粉尘;

(4)在现场向接班司机详细交待本班设备运转情况、出现的故障、存在的问题。升井后按规定填写本班刮板输送机工作日志。

二、刮板输送机的推移

推移刮板输送机的安全注意事项:

1.移刮板输送机后必须补齐和打好规定的支柱。

2.移刮板输送机时,煤帮侧和机头、机尾附近的人员,都必须撤离。

3.新移刮板输送机距煤壁的距离应符合作业规程的规定。

4.一般工作面刮板输送机与转载机搭接处高度不小于0.3米,综采工作面不小于0.5米。

5.移机头时,顺槽刮板输送机最后一部必须停电闭锁,严禁用顺槽输送机拉工作面刮板输送机机头,打好压戗柱方可送电。

6.遇有下列情况之一时,要停止移刮板输送机并妥善处理。

(1)移溜器后座的顶柱或后撑支杆(戗柱)松动时;

(2)追机移刮板输送机距离小于作业规程规定时;

(3)发现刮板输送机溜槽出现死弯脱节或缺插销,刮板、槽、挡煤板损坏变形时;

(4)出现片帮或冒顶时;

(5)支架不符合质量要求或煤帮有人工作时;

(6)移溜器发生故障或油管漏液时;

(7) 发现断链或链子出槽时。

三、刮板输送机的经济运行措施

1.保持刮板输送机在平和直的条件下运行

刮板输送机在水平和垂直两个方向都允许有一定的弯曲(这是为适应工作面及巷道运输而设计的,并不是指机体任意上下和水平弯曲都是合理的),但允许的弯曲也有一定的限度。若刮板输送机拐“急弯”,则会使溜槽接头弯曲角度过大,导致溜槽连接件受力过大而损坏。溜槽连接件损坏和丢失后,溜槽接头失去了控制,弯曲时溜槽接头间出现了间隙,煤粉漏到底槽,会增加运行阻力或造成堵塞事故。若输送机铺设不平,则在溜槽搭接处刮板与溜槽的接头磨损加剧,增加运行阻力,缩短使用寿命,同时会导致采煤机切割工作面底板而使其不平。

2.提高有效运行时间

刮板输送机的输煤量是由其效率和运行工作时间决定的。在负荷一定的情况下,设备的工作利用率越高,输煤量就越大,对刮板输送机效能的充分发挥有利,是提高产量和经济效益的有效途径。因此,在运行中要尽一切办法减少停运时间。一般不允许刮板输送机空载运行,因为空载不仅缩短了有效运行时间,也造成了电力的浪费和机件的无效磨损。如果刮板输送机在运行时发生故障,只要故障范围不再扩大,则应尽量采取临时维修手段,维持设备继续运转,将事故的处理推迟到检修班或交接班的空余时间内进行,避免停机,延长其有效运行时间。

3.负载合理

刮板输送机的负载应尽可能达到额定值,以充分发挥其生产能力。输送机上装煤过多,会使煤溢出溜槽之外而白白地耗费了劳力,且引起设备过载和机件损伤;装煤过少,使刮板输送机的能力不能充分发挥,无用功损耗增大,不经济。另外,负载的均匀性也很重要,这不但有利于设备的经济运行,而且有益于延长刮板输送机的零部件的工作寿命。

4.加强供电管理

电源的电压降不能超限,因为电动机的转矩是同电压的二次方成正比,电压低会造成电动机启动困难、发热甚至烧坏。所以,要尽可能地缩短供电距离,使供电变压器尽量靠近设备。

5.及时维护和检修

按刮板输送机的完好标准进行维护和检修,保持设备完好并处于良好的工作状态。

第五节 刮板输送机的维护及故障处理

一、刮板输送机的完好标准

1.整机

(1)所有螺栓、螺帽及其他连接零件齐全、完整、紧固可靠。

(2)轴无裂纹、损作或锈蚀,运行时无异常振动。

(3)轴承润滑良好,不漏油,转动灵活,无异响。滑动轴承温度不超过65℃,滚动轴承温度不超过75℃。

(4)齿轮无断齿,齿面无裂纹或剥落,硬齿轮磨损不超过硬化层的80%;软齿轮的磨损不超过圆齿厚的15%。

(5)减速器箱体无裂纹或变形,接合面配合紧密,不漏油,运行平稳无易响;油脂清洁,油量合适。

(6)液力偶合器的外壳及泵轮无变形、损伤或裂纹,运转无异常声响。易熔合金塞完整,安装位置正确,不得用其他材料代替。

(7)电动机开关柜、电控设备、接地装置、电缆、电器及配线符合规定。

2.机头、机尾

(1)架体无严重变形、无开焊,运转平稳。

(2)链轮无损伤,链轮承托水平圆环链的平面最大磨损:

节距≤64mm时不大于6mm;节距≤86mm时不大于8mm。

(3)分链器、压链器、护板完整坚固,无变形,运转时无卡碰现象。抱轴板磨损不大于原厚度的20%,压链器厚度磨损不大于10mm。

(4)紧链机构部件齐全完整,无变形。

3.溜槽

溜槽及连接件无开焊断裂,对角变形不大于6mm;中板和底板无漏洞。

4.链条

(1)链条组装合格,运转中刮板不跑斜(跑斜不超过1个链环长度为合格),松紧合适,链条正反方向运行无卡阻现象。

(2)刮板变曲变形数不超过总数的3%,缺少数不超过总数的2%,并不得连续出现。

(3)刮板弯曲变形不大于15mm,中双链和中单链刮板平面磨损不大于5mm,长度磨损不大于15mm。

(4)圆环链伸长变形不得超过设计长度的3%。

5.机身附件

(1)铲煤板、挡煤板、齿条、电缆槽无严重变形,无开焊,不缺连接螺栓,固定可靠。

(2)铲煤板滑道磨损:有链牵引不大于15mm;无链牵引不大于10mm。

(3)导向管接口不得磨透、不缺销子。

6.信号装置

工作面和顺槽刮板输送机，应沿机安设有发出停止或开动的信号装置，信号点设置间距不超过12m。

7.安装铺设

(1)两台输送机搭接运输时，搭接长度不小于500mm；机头最低点与机尾最高点的间距不小于300mm。

(2)刮板输送机与带式输送机搭接运输时，搭接长度和机头、机尾高度差均不大于500mm。

8.记录资料与设备环境

(1)应备有交接班记录，运转记录，检查、修理、试验记录，事故记录。

(2)设备清洁，附近无积水、无积煤(矸)、无杂物，巷道支护无缺梁断柱。

二、刮板输送机的维护检修

(一)刮板输送机在运转中，司机应做到“四勤”，即勤检查、勤修理、勤注油和勤清理。

1.勤检查

(1) 检查刮板链运转情况。正常运转时，刮板链应当平稳，很有节奏地滑行。如果发现跳动，就可能是刮板链在溜槽内或链轮处有刮卡现象；如果稍一停又继续运转，就可能是传动链跳牙或刮板链过长，要及时处理。此外，还要检查联接环、螺栓、刮板有无变形、振动损伤，发现松动要及时拧紧。

(2) 经常注意机头、电动机、减速器运转是否正常。

(3) 要勤检查电动机、减速器和各轴承的温度是否正常，一般不能超过65℃~75℃。当闻到焦糊油烟味时，说明温度过高，应立即停止运转，进行详细的检查和处理。

2.勤修理

如发现问题或可能出事故时，要及时停止运转进行修理，以免造成事故。为此，刮板输送机司机或机电维修工下井时，都应携带必要的工具和小配件，如保险销、开口销、易熔塞等(一般要求顺槽内配备工具箱最好)。

3.勤注油

经常注意减速器、机头、机尾轴承的油量是否适当，如发现不足时，应通知机电维修工注油。有传动链的刮板输送机，由司机负责经常注油。

4.勤清理

(1) 经常清理机头或机尾附近的煤粉、矸石、木料或其他杂物，以保证良好的环境；

(2) 清理电动机外壳、风扇罩、液力偶合器外罩和减速器等处的煤粉，以保证良好的散热条件。

(二)检查、检修设备时应注意的事项

(1)刮板输送机运行时，不准人员从机头上部跨越，不准清理转动部位的煤粉或用手调整刮板链；

(2)拆卸液力偶合器的注油(液)塞、易熔塞、防爆塞时，脸部应躲开喷油(液)方向，戴手

套拧松几扣,停一段时间和放气后再慢慢拧下。禁止使用不合格的易熔塞、防爆塞;

(3)检修、处理刮板输送机故障时,必须闭锁控制开关,挂上停电牌;

(4)进行掐链、接链、点动时,人员必须躲离链条受力方向。正常运行时,司机不准面向刮板输送机运行方向,以免断链伤人;

(5)检查齿轮箱等部件时,必须先清净盖板周围的一切杂物和煤矸,防止煤矸及其他杂物进入箱体。

(6)检查机械时手不要放在齿轮和容易转动的部位;

(7)检查后必须保证松动的螺栓紧固齐全可靠,并认真清理现场和工具,无误后方可试运转,运转中先空载试运转,无异常情况时再重载试运转。

(三)刮板输送机检查制度的内容

及时合理的维护保养可延长刮板输送机寿命,保证其安全运转。输送系统最常见的故障是底槽掉链、卡链,不但刮板链会被底槽卡死无法运行,甚至会造成电机过负荷烧坏或将机尾拉翻造成人身伤亡事故。处理时要拆卸多处中部槽,影响生产时间较长。为了确保刮板输送机正常运行,发挥其最佳性能,必须按有关要求进行维护,调整各部件的不良工作状态。

1. 班检内容

(1)刮板链、接链环、偶合器、机头轴等运动部件是否完好,更换弯曲刮板;

(2)链轮轴组运转是否正常,是否漏油,油温≤90℃,辅助油箱油位是否达标;

(3)各种电器设备有无损坏,电机有无异常声响和振动;

(4)减速器是否漏油,有无异常声响和振动;

(5)机尾是否有过多的回煤,必要时应找出原因;

(6)中部槽是否抬起,固定销是否退出,电缆槽等固定部件有无损坏;

(7)调整转载机和刮板输送机的配合位置,以达最佳工作状态;

(8)工作面是否平直,开关有无发热及异常噪音。

2.日检内容

(1)重复班检内容;

(2)刮板链张紧是否松紧合适,2条链松紧是否一致;

(3)链轮是否损坏;

(4)拨链器是否正常,不能有歪斜、卡链现象;

(5)减速器、偶合器油与液量是否达到要求,是否漏油、漏液;减速器、链轮、盲轴、挡煤板、铲煤板和刮板螺栓是否松动;

(6)更换磨损和损坏的链环、接链环和刮板。

3.周检内容

(1)重复日检内容;

(2)机头架和机尾架有无损坏和变形;

(3)减速器的固定螺栓和偶合器保护罩两端的连接螺栓是否紧固;

(4)减速器的油质是否良好、油量是否合适及轴承、齿轮的润滑状况和各齿轮的啮合情况;

(5)电动机的绝缘、开关触头及防爆面;

(6)拨链器、压链块和铲煤板的磨损情况及连接螺栓的可靠性。

4. 季检内容

(1)重复周检内容;

(2)检修更换联轴器、液力偶合器、链轮、调节槽等;

(3)较全面地检查电动机和减速器。

5.半年检内容

(1)重复季检内容;

(2)减速器清洗换油;

(3)检查电动机轴承和绝缘电阻是否正常。

二、输送机的润滑注油

(一)输送机的润滑

为了保证刮板输送机的正常运转,及时对传动装置各润滑点注入规定的润滑剂,是设备维护工作的重要一环。

1.减速器的注油和换油

减速器运转前要注入所需要的油质,用油尺检查油量。减速器润滑油的品种及注油量应按设计要求从上箱体注孔注入,运转1个月以后,将减速器内的油倒净并清洗,再注入新油,以后每6个月换1次油。

2.油位和透气塞的检查

每周检查1次油位,保证注油量的正确。如果注油量太少,就不能保证每对齿轮和轴承的润滑。减速器的第一、第二油室都要分别注油,因为这2个油室是分开的。注油太多,会向外溢出,造成浪费,也会导致油形成泡沫和油温过高。应经常检查透气塞的通孔是否畅通。

3.电动机轴承的润滑

当采完一个工作面后,应当检修电动机轴承。当检修时,把电动机拆开,用洗油擦试轴承。待到洗油挥发后,在轴承和轴承孔处涂上适量的润滑脂。

4.链轮迷宫槽的润滑

迷宫槽的润滑脂只是用来密封而不是用来润滑。因此没有必要用特殊的润滑脂。链轮上的迷宫槽,通过装在减速器前面的注油嘴来注入润滑脂。注润滑脂时直到新润滑脂溢出为止。为保证良好的密封性能,每班应注油脂1次。

(二)润滑注油的注意事项

1.要进行无尘注油,若实际情况允许,应在被润滑部件装上注油接头,这有助于保证减少或消除注入的油中的灰尘和污物。

2.润滑输送机任何部件时,特别注意对衣着、防火及泄漏处理、贮存方式的要求。

3.所有传动部件不能有煤矸石的堆积,否则会使其过热,从而降低轴承和齿轮的寿命,并有可能引起火灾危险。

4.安装在减速器、链轮上的通气孔必须保持清洁、无煤、无尘。

5.检查链轮润滑油位时,必须等输送机停止和油冷却后进行,在拆卸链轮时必须排干油、冲洗,再用时,重新注油。

三、刮板输送机的常见故障分析与预防处理方法

（一）刮板输送机保险销切断的征兆、原因及处理

1.征兆

刮板输送机的保险销设在减速箱大轴上或设在机头轴上，当保险销切断后，离合器分开，电动机仍然转动，而机头轴和刮板链停止转动。

2.原因

主要原因是压煤过多，或矸石、木棒及金属杂物被回空链从机头带进下槽，卡住刮板链，因阻力过大，或保险销磨损、中部槽卡住刮板等。

3.预防方法

开动刮板输送机前将刮板链调节好，使其松紧适当。掏清机头、机尾的煤粉，如有矸石、木棒或其他杂物应及时清出。输送机运煤时不要装得太多。中部槽要搭接严密，如有坏槽要及时更换。保险销需用低碳钢制造，并要勤检查，磨损超限要及时更换，保证销子与销轴的间隙不大于1mm。

4.处理方法

保险销切断后，如果剩余长度大于20mm，可将原保险销往里插一下继续使用。若长度小于20mm，就要更换新的。如果启动后又被切断，则说明第一次被切断不是因为保险销本身的问题，必须进行认真检查，找出原因。如果是压煤过多、飘链或刮板链太长，都要逐一进行处理。如果下槽回煤过多，则先将上槽煤清理出，使刮板链反向运转。

（二）刮板输送机刮板链在链轮上掉链的征兆、原因及处理

1.征兆

刮板输送机正常运行时，刮板链忽快忽慢，链速不匀，这就是刮板链脱离了链轮，而在非正常状态下运转。

2.原因

机头位置不正，机头第二节溜槽或底座不平，咬进杂物或链轮磨损严重超限，使刮板链脱出轮齿，当采用边双链时两条链的松紧不一，刮板严重歪斜，刮板太稀或过度弯曲。

3.预防措施

保持机头平、直，垫平机身，使机头、机尾和中间部成一直线，对无动力驱动的机尾可把机尾链轮改为带沟槽的滚筒，防止链轮咬进杂物，调整边双链两条链子的长度，使其一致，更换过度弯曲的刮板，补齐所缺的刮板。做到刮板、连接环、联接件齐全紧固，链条张紧合适。链条按使用时间、磨损状况分类，防止状况差异过大一起使用。及时清除大杂物或大块煤。推移机身时不要弯曲过大，底板要平整，防止卡链。

4.处理方法

因链轮咬紧杂物而造成掉链，可以反向断续开动或用撬棍撬一下，刮板链就可以上轮。如果掉链时链轮咬不着链条，即链轮能转而不动时，只可用紧链装置松开刮板链，然后使刮板链上轮。

当边双链的刮板输送机的1条刮板链（里侧）掉链可在2条刮板链相对称的2个内环之间支撑1根硬木，然后开动刮板输送机，掉下的一侧就可上轮，开动刮板链时，人要离远点，防止木棍崩出伤人。当一条刮板链在链轮外侧落辙掉链时，可在机头槽帮和落辙刮板链之间塞1木块，开动输送机将刮板链挤上链轮。

（三）刮板输送机刮板链在底槽出槽的征兆、原因及预防

1.征兆

电动机发出十分沉重的响声，刮板链运行速度逐渐减缓，甚至停止，如果不是负荷过大，被煤埋住，就是底链出槽。

2.原因

刮板输送机机身不平直，上鼓下凹，过度弯曲，溜槽严重磨损，两条链条长短不一，造成刮板歪斜或因刮板过度弯曲使2链条的链距缩短。

3.预防措施

经常保持机身的平、直；刮板链松紧适当；刮板歪斜、2条链子长短不一的及时调整；严重磨损的溜槽，特别是调节槽要及时更换。

（四）刮板输送机刮板链飘链的征兆、原因及处理

1.征兆

电动机发出十分尖锐的响声，刮板刮煤太少，2～3min仍不见有大量的煤流过卸载机头处。

2.原因

机身不平、不直，出现凹槽；刮板链太紧，把煤挤到溜槽一边，刮板链在煤上运行，刮板缺少，弯曲太多，刮板链下面塞有矸石或其他异物。

3.预防措施

刮板链要松紧适当；经常保持机身平、直，煤要装在溜槽中间，弯曲的刮板要及时更换，缺少的刮板要及时补齐，如果煤中夹有矸石或拉上山时，可以加密刮板，刮板输送机机头、机尾略低于中间部溜槽，呈“桥”形。

4.处理方法

当刮板链飘出之后，首先停止装煤，然后对刮板输送机的中间部进行检查。如果不平应将中间部垫起。放煤时如果冲力太大，常靠一边时，可在放煤口的溜槽帮上垫一块木板，或铺一块搪瓷溜子，使煤经过木板或搪瓷溜子减小冲力，使煤流到溜槽中间。

（五）刮板输送机刮板链断链的征兆、原因及处理

1.征兆

刮板输送机在运行时，刮板链在机头底下突然下垂或堆积；边双链的刮板突然向一侧歪斜。一般刮板机正常运转时发出沙沙的摩擦声音，如果听到“咯噔、咯噔”或突然发出“咯嘣”一响，或刮板链稍一停顿又继续运转，都是刮板链快要折断的预兆。

2.原因

装煤过多，超过负荷，压住刮板链；工作面不平不直，刮板卡刮；链环因井下水腐蚀生锈，强度降低；链条严重磨损，强度降低；受冲击载荷的反复作用造成链条疲劳破坏，结距增长；

链条本身质量差;刮板链过紧,机头链轮过度磨损或机头、机尾不正造成经常掉链等。

3.预防措施

刮板输送机运转之前,适当调节刮板链,使它不过紧或过松。装煤不要过载,特别是停机后不要装煤。保持机头与下一台刮板输送机有不小于0.3m的高度,防止底刮板链带回煤粉或杂物。随时清除机尾的煤粉、矸石与杂物,最好将机尾前一节溜槽下部掏空,使底刮板链带回的煤粉能漏下去。损坏变形的溜槽要更换,消除溜槽的戗茬现象。磨损过度和弯曲、折断的刮板都要进行更换。连接环的螺栓要坚固,最好使用尼龙螺帽,防止松扣。

4.处理方法

首先停止运转,找出刮板链折断的地方。如果上溜槽无折断,就是断底链,底链经常在机头或机尾附近。断底链的处理方法可参照底链的处理方法,将卡紧的刮板拆掉,返回上槽处理。

(六)刮板输送机机头、机尾翻翘的原因及处理

1.原因

主要是溜槽与刮板输送机之间有杂物,机身不平不直,锚固柱不稳定。

2.预防处理措施

(1)经常检查刮板输送机的平、直、稳、固情况;

(2)机头与过渡槽之间的连接完整;

(3)机头、机尾处的锚固柱要支撑牢靠,支撑点的顶板要坚硬,无锚固装置要用顶柱撑牢;

(4)溜槽之间接口要平整,底板无台阶;

(5)机尾过高要卧底处理。

(七)液力偶合器喷油着火原因及预防

1.原因

刮板输送机过载、使用油作工作介质、用不合格物品代替易熔合金塞3个条件同时具备。

2.预防措施

(1)必须采用水或难燃液作为工作介质;

(2)必须安装过热或过压保护装置;

(3)严禁使用其他物品代替易熔合金塞和易爆合金塞;严禁提高易熔塞的熔化温度;严禁使用不合格的易爆塞。

(八)刮板输送机电动机响声不正常的原因及处理

1.原因

刮板输送机电动机响声不正常的原因可能是单相运转,也可能是负荷太重。

2.处理方法

(1)检查供电是否缺相;

(2)检查各部接线是否正确,有无断开;

(3)检查三相电流是否平衡;

(4)检查三相电流是否大于额定电流;

(5)检查电动机轴承是否损坏,造成电动机转子扫膛;

(6)如因片帮、冒顶将刮板输送机压死,应组织人工清除后再运行。

(九)刮板输送机电动机不能启动的原因及处理

1.原因

(1)电源不通,熔断器熔丝(片)熔断,电源接头松动,供电电压太低;

(2)负荷太大;

(3)电站容量不足,启动电压降太大;

(4)磁力启动器操作手把位置不当,线路接触器触头合不上,磁力线圈烧毁,“停止”按钮没有弹起来,开关工作不正常;

(5)机头、机尾电动机之间的延时太长,造成单机拖动;

(6)采煤工作面不直,凸凹严重;

(7)运行部件有严重卡阻;

(8)电动机本身的故障。

2.处理方法

(1)提高供电电压;

(2)减轻负荷;

(3)加大电站容量;

(4)检修调试开关;

(5)缩短延时时间;

(6)调整修平工作面,使其尽量平、直;

(7)检查排除卡阻部件;

(8)检查绝缘电阻、三相电流、轴承等是否正常。

(十)刮板输送机电动机不能停止转动的原因及处理

1.原因

(1)磁力启动器中线路接触因失修被烧结在一起或被消弧罩卡住;

(2)“停止”按钮失效;

(3)1、2号线柱短路或接错;

(4)磁力启动器摆放过于向后,倾斜超过15°;

(5)按“停止”按钮后,线路接触器线头掉不下来,以及使用连锁控制的前面一部刮板输送机的启动器接点打不开,控制线短路,过于潮湿,接线靠近金属壳,接地等。

2.处理方法

首先按“停止”按钮,将磁力启动器中间手把打到分开位置,拧紧闭锁,打开磁力启动器大盖,用验电笔检验确认无电后,检查衔铁是否灵活,动触头是否刮碰消弧罩,如果卡住便要把消弧罩安正,将触头两旁锉平。若无上述情况,再检查控制线是否断线或安错。当按磁力启动器“停止”按钮后刮板输送机停止运转,一松手又启动时,就是控制线短路或接错,必须修好短路部分或改正控制线。

(十一)刮板输送机熔断器熔丝烧断原因及预防

1.原因

(1)压煤过多,负荷过大,连续强制启动;

(2)启动器、电动机、电缆因严重潮湿漏电或短路;

(3)熔丝选择容量过小;

(4)线头、熔丝的两端螺栓或夹子松动;

(5)启动器内部接触器接触不良;

(6)刮消弧罩或因机械部分刮卡。

2.预防方法

(1)煤要装均匀、不要压煤太多,刮板输送机停止运转时不要装煤。

(2)如果机械部分或电动机发生故障应及时处理,不要强制启动。

(3)定期检修启动器、安装合格的熔丝(片),并注意在更换熔丝(片)时,不要拧得过松或过紧。

3.处理方法

首先切断电源,用便携式瓦斯测定器检查周围瓦斯,不超规定时,打开隔爆启动器,用验电笔检验无电后,然后放电,再换上合格的备用熔丝。

(十二)刮板输送机电动机过热原因及处理

1.原因

(1)主要是负荷过大,电动机被煤埋住,通风不良,连续启动,用联锁控制时继电器动作频繁,轴承损坏。有时三相电源接触不良,地脚螺栓松动振动大,机头不稳也会使电动机过热。

(2)启动频繁,启动电流过大,熔丝(片)选用得过大,电动机较长时间在启动电流下工作易造成电动机过热或烧坏。

(3)运行后的热电动机停止工作较长时间后,周围环境湿度大,绝缘降低,不采取措施,启动电动机时易烧坏电动机。

(4)电动机散热片烧掉(打风叶),通风不良,散热条件差易使电动机过热或烧坏。

(5)电动机单机运转、电压过高或过低都会烧坏电动机。

2.预防方法

适当装煤,保持负荷均匀,不要频繁启动,电动机轴承做到定期注换油,穿好机头各处螺栓,随时清理煤粉,严禁强行启动。

3.处理方法

电动机过热后,停下刮板输送机,临时取下保险销,使电动机空转,借风扇转动,使电动机自行冷却,然后再根据故障原因分别处理。

(十三)刮板输送机减速器过热、响声不正常的征兆、原因及处理

1.征兆

发出油烟气味和“吐噜、吐噜”的响声。

2.原因

主要原因是齿轮磨损过度,啮合不好,修理组装不当,轴承损坏或串轴,油量过少或过

多，油质不干净等。此外，液力偶合器安装不正，地脚螺栓松动，超负荷也是造成减速箱响声不正常的原因。

3.预防方法

坚持定期检修制度，经常检查齿轮和轴承磨损情况。可打开减速箱检查孔，用大木棒卡住齿轮，使它固定，再转动液力偶合器，如果活动过大，就是固定键活动或齿轮磨损。另外注意各处螺栓是否松动，要保持油量适当，偶合器间隙要合适。

4.处理方法

拧紧各处螺栓，补充润滑油，轴伞齿轮轴承损坏时，可以连同轴承座一起更换，新更换的轴伞齿轮要注意调好间隙。

第六节　刮板输送机常见事故原因分析及预防措施

一、刮板输送机下滑事故

1.原因分析

刮板输送机在倾斜条件下铺设使用时，特别是当倾角大于25°时，常会出现联接耳断裂，哑铃销拉断、拉长事故，由于井下不便维修，会对生产造成很大影响。这些问题的出现，除极少数是由于液压支架推移刮板输送机过猛、过急，相邻槽体移动不协调外，主要是因为输送机下滑造成的。在大倾角条件下使用的输送机对联接耳、哑铃销强度适度加强是必要的，如在联接耳两侧加焊三角肋板，哑铃销选用优质合金材料，并经调质后使其具有高强度、高韧性，但哑铃销强度不得大于中部槽上联接座强度，如果全部加强，会增加较大的成本。

2.防滑措施

(1)在槽体上增设防滑板(见图5-8)，在大倾角工作面上，输送机中部槽下部增设2~4个防滑板，25 mm×25mm或30 mm×30mm即可；从强度上，上百吨力也切不断它，这里取决于底板的强度(硬软、干湿)，底板较硬、干时，W_1.W_2足以阻止下滑力。但当底板软、湿时，特别是振动还会使其产生下滑，故增设防滑板仅是防滑措施中首选的且重要的一环。图中所示为槽体增设防滑板后受力状况。

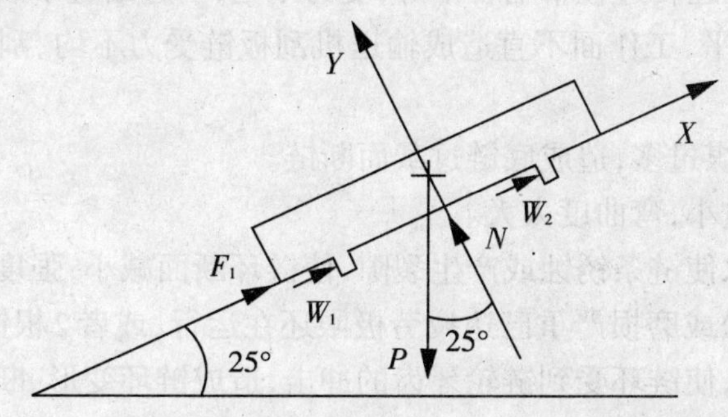

图5-8　刮板输送机防滑板示意图

(2)减少联接耳、销、十字接头之间的配合间隙,缩小定位误差,进而减小角度偏差。增大F处的接触面积,减小侧向力F的力臂长度,因为大多数联接耳的断裂口发生在腰形孔到外缘上。

(3)在综采工作面上,液压支架除担任重要支护、推移刮板输送机、移架任务外,还是输送机防滑的依靠。煤层倾角较大时,排头支架与工作面支架均安设防倒防滑装置,确保自身不下滑,并配备若干与输送机联接的防滑千斤顶、调架座和圆环链。在井下使用时,也应将液压支架上的防滑装置仔细与输送机中部槽上防滑耳板联接好。

(4)由于倾角大及工作面其他因素,再往前一段推进后,即便采取了各种防滑措施,有时输送机也会逐渐产生一些下滑,联接耳侧面承受着较大的下滑力;故建议在输送机槽体上尽可能采用单耳,如厚60mm的双耳改为厚80mm的单耳,则联接耳的强度是原来的1.33倍。同样条件下,大大减少了联接耳断裂的概率,使联接耳的强度大于十字接头的强度,将薄弱环节放在十字接头上,因为十字接头出问题,损失较小,更换起来也方便得多。

煤层分布受地质条件及地壳变化的影响,大多数存在一定的倾角,输送机的下滑问题必须引起重视,特别在倾角大于25°的工作面上;在技术准备的3机配套上,应制定切合实际的方案。在使用时,做好支架与输送机防滑装置的联接,阻止输送机的下滑。

二、刮板输送机断链事故

1.原因分析

(1)刮板链的材质和制造质量不符合要求,即链条材质和焊接加工质量不达标。

(2)刮板链在运行中受到的冲击载荷大于其静态破断载荷或输送机装煤过多、刮板链阻力过大等,也可能导致刮板链断裂。

(3)链条过紧,不但增大了链条间的初张力,缩短其使用寿命,而且当链条被卡住时,没有缓冲的余地,增大了链环的张力负荷。

(4)当装煤过多时,在超载情况下启动电动机,增大了链条承受的动张力,致使链条断裂。

(5)两条链的链环节距不一样(一条链的磨损程度比另一条链严重),是全部负荷均集中在一条链上,以致断裂。

(6)圆环链的连接螺栓丢失,因链条脱节而造成断链。

(7)变形链环多,在运转过程中啮合不好,受力不均,引起断链事故。

(8)工作面底板不平,工作面不直造成输送机刮板链受力不均、刮卡、脱轨等现象,易发生断链。

(9)刮板输送机回煤过多,造成底链过载而断链。

(10)推溜时步距过小,弯曲度太大。

(11)井下腐蚀性水使链条锈蚀或产生裂隙,使链环断面减小,强度降低。

(12)由于链条过松或磨损严重已达疲劳极限还在运行,或者2根链条长短不一,当运行到链轮处时,发生跳牙,使链环受到链轮牙齿的冲击,造成链环变形、断裂和刮板弯曲。

2.预防措施

(1)坚持使用液力偶合器,以减轻链条所受的动载荷和冲击载荷,延长链条寿命。

(2)刮板链使用一个时期后,将链条拆下翻转90°继续使用,调换水平链环与垂直链环的位置,利用改变其磨损部位的办法延长链条的使用寿命;同时用探伤仪检查刮板链的隐性裂纹,及时更换有裂纹的链环。

(3)严把质量关,用焊接圆环链。

(4)铺设、安装和使用时,刮板输送机应处于平、直、稳、牢的状态。所谓"平",即输送机要铺平。"直",即工作面要成直线。"稳",即输送机运行过程中要平稳。"牢",即各连接件要牢固可靠。

(5)铺设中部溜槽时应将有焊接口的一端对应着刮板链的运行方向,避免刮板在上下时刮坏接口。

(6)刮板方向、连接环连接方式应正确,所有螺母应拧紧。刮板间距要符合要求。

(7)组装链轮时必须保持两链轮的轮齿对称,两轮任意轮齿必须在同一直线上,保持双链受力均匀。

(8)一旦发现溜槽内压煤过多时,应进行人工处理,不能就此强行开动机器。最后,要随时注意链条的张紧情况,及时调整使链条松紧适度,并对变形的链环及时更换。

3.断链保护装置

(1)水银触点式。利用刮板链正常运行过程中刮板刮动水银触点杠杆,使水银触点不断地闭合和断开,而使充电电容不断地充电和放电,但达不到饱和程度。一旦刮板链在任何地点断开,刮动水银触点的杠杆停止动作,水银触点则处于闭合状态,使充电电容很快达到饱和状态,中间继电器动作,线路断电,使刮板输送机电动机停止转动。

(2)接近开关式。其传感元件是无触点开关,安装在刮板链下方。它实际上是一个振荡器,当刮板链经过开关时,破坏谐振器的振荡条件,振荡器停振,当刮板离开时则恢复振荡。所以当刮板链正常运行时,则不停地破坏和恢复振荡,不断地输出信号电压,这种信号能保持继电器吸合,一旦发生断链事故,则继电器释放,输送机停止运转。

(3)磁感应式。将磁感应发生器安装在刮板链下,其中一个线圈安装在一个有缺口的磁芯上,缺口朝向刮板链,当链条正常运行时,则刮板不停地闭合或断开磁路,因而线圈就能感应出一定的信号电压,一旦刮板链断开,磁感应发生器就不能发出信号电压,继电器动作,输送机立即停止运行。

三、刮板输送机常见人身伤亡事故

1.常见事故及原因分析

(1)开机前未发启动警告信号而直接开车,致使正在输送机上工作或输送机旁行走的人员受伤。

(2)刮板链由于被不平的溜槽接口或其他杂物卡住,使下链被卡,上链在机头、机尾部分出槽,当拉力突然猛增时,机头、机尾突然向上翻翘,打倒支架,打伤、挤伤附近工作人员。

(3)工人违章乘坐刮板输送机或在槽内行走,被突然向上跳动的刮板链打伤。

(4)工作人员麻痹大意,不注意安全,或靠近转动部位时违章作业,而被转动部位绞伤。

(5)在处理刮板输送机故障时虽停机,其他人误开机而造成人身伤亡事故。

(6)转动部分未装设保护罩,机尾未装设保护板,较大型刮板输送机机头机尾处未设横跨过桥等,通过或靠近转动部分时被转动部分绞伤。

(7)用刮板输送机运送长料时,由于放料或取料时的操作方式不当,人被挤在木料和支架、煤壁之间,造成挤伤或撞伤。

(8)工作面电缆落入刮板输送机槽内,没有及时吊挂而被拉断,产生电火花,有可能引起瓦斯、煤尘爆炸,造成人员伤亡。

2.预防方法

(1)刮板输送机的转动、传动部位应按规定设置保护罩或保护栏杆;机尾应设护板;需横跨输送机的行人处必须设置人行过桥。

(2)刮板输送机必须有专人维护,有维修保养制度,保证设备性能完好。操作人员必须经过培训持证上岗,非司机不得开动刮板输送机。

(3)启动前必须对输送机进行全面检查,除检查工作环境外,重点检查设备的状态和输送机上有无工作人员作业或其他障碍物。启动前先发信号,然后点动试车,待确无问题再正式开车。

(4)不准在输送机道内行走,更不准乘坐刮板输送机。当需要运送长料时,必须制定安全措施,其操作顺序是:放料时,要顺刮板输送机运行方向,先放长料的前端,后放尾端;取料时,先取尾端,禁止先取前端。

(5)严格执行停机处理故障、停机检修的制度,停机后在开关处要挂上“有人工作、禁止开机”牌,并与采煤机闭锁。严禁运行中清扫刮板输送机。

(6)移动刮板输送机的液压装置必须完整可靠。移动刮板输送机时,必须有防止冒顶、片帮伤人和损坏设备的安全措施。刮板输送机机头、机尾必须打牢锚固柱。

(7)严禁从刮板输送机两端头向中间推移溜槽,推移时要掌握好推移步距,防止发生脱节故障;进行推移工作时,煤壁与输送机之间不得站人,支撑设备附近尽量不要安排工作人员,要把机道浮煤清理干净后再推移。

(8)刮板输送机两侧电缆要按规定认真吊挂,特别是工作面移动的电缆要管理好,防止落入机槽内被刮坏或拉断而造成事故。

第七节 桥式转载机

桥式转载机是机械化采煤系统中普遍采用的一种中间转载设备。它实际上是一种结构特殊的短刮板输送机,其传动系统和驱动装置与刮板输送机相同,而机身结构组成有区别,便于随着工作面的推进和胶带输送机的伸缩而整体移动。它安设在采煤工作面的运输顺槽,作用是把采煤工作面刮板输送机运出的煤炭运到顺槽可伸缩带式输送机上。使用桥式转载机,可将货物(煤)抬高,便于向带式输送机装煤,也减少了顺槽中带式输送机伸缩、拆装次数,从而加快了采煤工作面的推进速度,提高了生产率,增加了煤炭产量。

桥式转载机的机头部,通过横梁和小车搭接在可伸缩胶带输送机机尾两侧的轨道上,并沿此轨道整体移动；转载机的机尾部和水平装载段则沿巷道底板滑行。转载机和可伸缩胶带输送机配套使用时的最大移动距离，等于转载机机头部和中间悬拱部分及胶带输送机机尾部的搭接长度。当转载机移动到极限位置时，须将胶带输送机进行伸缩，搭接状况达到另一极限位置时，转载机才能继续移动并与胶带输送机配合工作。因可伸缩带式输送机的不可伸缩部分为50m左右，故当顺槽运输距离小于60m时，不能继续使用可伸缩带式输送机，而将转载机的水平装载段接长，机头部增加一套传动装置，单独完成顺槽中货载运输任务。有的也可将可伸缩带式输送机的储带部分逐段拆除，直到全部拆除完毕，再用转载机单独完成顺槽中的运输任务。

在掘进巷道中，转载机可作掘进工作面输送机，也可和可伸缩带式输送机配套使用，输送掘出的煤和矸石。如转载机用于掘进采区顺槽运输巷，则在巷道掘进完成后，直接转为采煤工作面顺槽的运输设备。

一、桥式转载机的主要组成部分及用途

桥式转载机除机头转载、行走机构、拖移装置外，其余大部分(如机头传动装置、紧链器、刮板链、中间溜槽和机尾等)的结构形式与对应类型的刮板输送机相同。

以国产SZZ800/200型转载机为例介绍桥式转载机的结构。

图5-8　SZZ800/200型转载机实物图

1.机头

机头主要由传动装置、机头架、后槽体、伸缩油缸、机头链轮轴组件、舌板、拨链器、液压系统、卡箍及挡板等组成。传动装置可根据顺槽的实际情况安装在机头架的两侧。伸缩油缸和推移梁把前、后机头架联为一体，并起微调链条张紧力的作用。卡箍把机头部固定到皮带机自移机尾上，可作水平旋转运动。

(1)传动装置：传动装置主要由电动机、联接罩和减速器等组成，根据现场工况可安装在机头架的任一侧，是整台转载机的动力来源。

(2)机头架：机头架分为前机头架和后机头架2部分。前、后机头架主要起支撑传动装置、链轮组件、拨链器、刮板链等部件的作用和伸缩机头微调链条张紧力的作用，因此它是一个强度、刚度都有一定要求的钢结构件。

(3)伸缩油缸：伸缩油缸是一个单伸缩双作用油缸，通过伸缩油缸把前后机头架连为一

体,起到微调链条张紧力的作用。当刮板链较松时,把操纵阀手柄打到伸长位置,使油缸活塞伸出到合适位置,并用定位销固定。当刮板链较紧时,把操纵阀手柄打到缩回位置,使油缸活塞缩回到合适位置,并用定位销固定。当伸缩油缸伸长到极限位置后,需将油缸活塞杆缩回,重新紧链。

(4)链轮组件:链轮组件装在机头传动部的机头架上,主要由轴承盖、轴承座、滚筒、边滚筒、链轮、轴、浮动密封、滚动轴承等组成。链轮为合金钢整体锻造七齿链轮,齿形机加工成形,齿面淬火处理。内孔为平键,与轴装配在一起,动力由减速器输出,经链轮轴传递到链轮花键,从而使链轮带动刮板运行。链轮轴两端各有一套双列向心球面短圆柱滚子轴承,采用稀油润滑,机械浮动密封,远程注油方式。轴承座在机头架上的固定由压板来实现,链轮组件可以在不拆传动装置的情况下整体拆卸,便于检修。

(5)拨链器:拨链器为焊接结构件,安装拨链器时拨叉插入链轮齿的沟槽内,使刮板链的链条与链轮能顺利地啮合和分离。拨链器的作用是:当输送机卸载后,防止链环卡在链轮沟槽内而不能在正常分离点脱开。拨链器是由舌板固定在其安装位置,当需要更换拨链器时,拆卸舌板,即可更换,具有不用拆卸链轮的优点。

2.溜槽

转载机采用整体箱形焊接全封闭溜槽,每节溜槽由槽体、电缆槽、盖板组成。溜槽作为刮板运行导轨及物料载体,在不同部位具有不同功能,分为以下几种:

(1)凸、凹槽,铰接槽:转载机的机头与皮带机自移机尾相搭接。为了保证有足够的搭接长度和空间,由凹槽把地面的水平段溜槽引向爬坡段,再通过凸槽把爬坡段引向水平架桥段,使溜槽与机头架相联接,形成装载机机头与皮带机机尾相搭接的空间。在爬坡段与凹槽联接的是铰接槽,以适应巷道底板的起伏不平和皮带机尾移动时引起的高度变化。

(2)架桥槽、调节槽:共2节架桥槽,每节槽上都有插板通过螺栓在槽的两侧固定,便于维护。调节槽一节,用来调节长度。

(3)柔性槽:柔性槽之间靠哑铃联接,每节可水平弯曲0.5°,垂直可弯曲2°。

3.刮板链

刮板链是转载机的重要部件,在工作过程中承受较大的静负荷和动负荷,并与溜槽相摩擦。因此,要求刮板链不仅强度高、耐磨,而且要具有一定韧性和抗腐蚀性。

(1)刮板链

该转载机的刮板链为中双链形式,由圆环链、刮板、横梁、螺栓、接链环、螺母组成。刮板与链条有横梁和螺栓用防松螺母联在一起。

(2)调节链

调节链是用来调节刮板链的长度,以适应转载机长度变化。结构形式与刮板链相同。

4.机尾

机尾由过渡槽、机尾架、挡板、机尾链轮组件、拨链器、油箱等零部件组成。

(1)机尾架:机尾架为整体焊接全封底框架结构。

(2)链轮组件:机尾链轮组件与机头链轮组件结构相似,可整体装拆,只是机尾链轮靠刮板链带着转动,整个组件靠两端轴承座架设在机尾架上,机尾链轮为五齿链轮。

5.紧链装置

紧链装置由闸盘—阻链器和伸缩机头辅助紧链组成。刮板链的张紧力大小必须适中，张紧力过小，会导致机头链轮轴下的链条松弛而掉链；张紧力过大，会导致链条、链轮、刮板与转载机加速磨损，且驱动转载机的功率损耗增大。

二、型号及名称含义

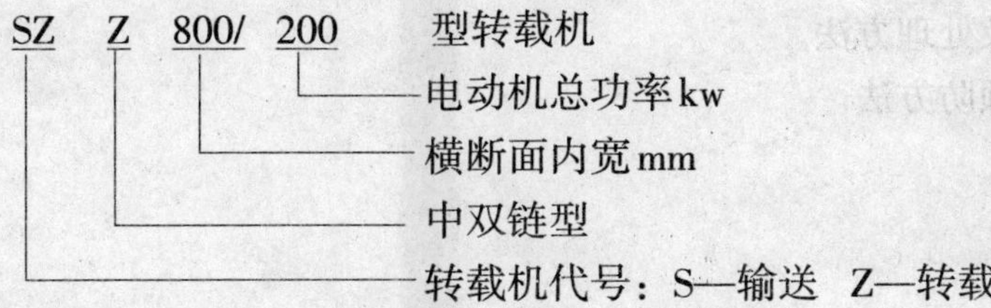

三、SZZ800/200型转载机主要技术特征

1.设计长度	50m
2.输送量	1800t/h
3.刮板链速	1.86m/s
4.爬坡角度	10°
5.电动机	
功率	200KW
额定电压	1140V
转速	735/1480r/min
6. 减速器	
型式	圆锥—圆柱齿轮三级传动
传动比	20.0135
7.刮板链	
型式	中双链
圆环链规格	2- Φ34×126-C
刮板间距	756mm
8.紧链方式	闸盘—阻链器和伸缩机头辅助紧链
9.重量	73t

第二部分　专业核心知识点

1.刮板输送机的操作方法。
2.刮板输送机的日常维护与检修方法。
3.刮板输送机的故障分析及处理方法。
4.刮板输送机常见事故及预防方法。

第三部分　专业技能训练

技能一　刮板输送机的操作

一、技能训练目的

1.了解刮板输送机的安全操作规程。

2.掌握刮板输送机的基本操作及步骤。

3.熟悉对操作者的有关要求。

4.掌握刮板输送机的基本操作技能。

5.培养良好的职业道德。

二、技能训练内容

此训练在实训室或煤矿现场进行,可分2步进行:

1.学生先手指口述刮板输送机的结构组成及各部分的作用,然后口述刮板输送机的安全操作规程,运转前的检查,包括一般检查和重点检查内容以及启动、停止时的注意事项。

2.学生进行对刮板输送机检查、启动、停止的各项训练。操作顺序是:

检查→发出信号试运转→检查处理问题→正式启动→喷雾→正式运转→结束停机。具体步骤及注意事项可参照本章第四节内容。

技能二　刮板输送机的维护及故障处理

一、技能训练目的

熟练掌握刮板输送机常见故障分析及处理的方法,提高学生的实践能力。

二、技能训练内容

技能训练可在实训室或现场进行。在实训室,指导教师可根据实际情况,设置带式输送机的常见故障,让学生分析、判断,并进行处理。现场中,针对带式输送机现场出现的故障,学生应在教师或技术人员的指导下,进行分析、处理,以保证人员、设备的安全,并不影响生产。总之,应根据实际情况进行实训,既能达到实训目的,又能保证安全。

带式输送机的常见故障的设置可参见本章第五节内容。

技能三　液力偶合器的检修

一、技能训练目的

1.了解液力偶合器的结构及工作原理。

2.熟练掌握液力偶合器的检修步骤。

二、技能训练内容

1.排空工作油，然后进行下列检查步骤：

(1)打开润滑油滤网并检查和清洗。

(2)拆下联轴器并检查。

(3)检查输入轴、输出轴的径向跳动。

(4)从箱体上拆下滑动调节器及传动杠杆。

(5)拆下辅助润滑油泵及电机。

(6)拆下辅助工作油泵及电机。

2.拆下并吊开箱盖后，检查齿轮的啮合情况。

3.拆下并解体输入轴及转子部件后要进行以下检查步骤：

(1)检查泵轮和涡轮(叶片共振试验)。

(2)拆下轴承，测量轴承间隙。

(3)检查勺管机构的磨损情况。

(4)检查易熔塞，必要时更换新备件。

(5)重新研刮轴瓦后回装(必要时研磨轴径)。

(6)清理转动外壳内的积油及污垢。

4.将密封面涂上密封胶(耐温130℃)。

5.重新组装转子部件。

6.清理油箱、箱座及箱盖。

7.将输入轴及转子部件装回箱座上。

8.装上并紧固好箱盖后的步骤：

(1)回装好辅助润滑油泵及电机。

(2)回装辅助工作油泵及电机。

9.装上滑动调节器并加油润滑。

10.检查偶合器与驱动电机、泵的对中，并做好记录。

11.清洗并检查冷油器后进行耐压试验。

12.将油箱及冷油器灌油至要求的位置。

13.完成上述工作并检查仪表正常后，即可进行试转，在试转前应进行如下检查：

(1)启动备用工作油泵，看能否正常工作。

(2)当工作油压高于0.25MPa时，工作油排到冷油器，备用工作油泵应断开。

(3)启动备用润滑油泵，看润滑油压能否达到规定的0.25MPa。

14.在试运转过程中应进行如下检查：

(1)听诊齿轮传动装置是否有不正常的撞击、杂音或振动。

(2)检查各轴承温度不得超过70℃。

(3)检查各轴承、齿轮的润滑油的入口温度不得超过45~50℃。

(4)检查偶合器工作油温度不得超过75℃。在冷油器的冷却水温度很高且滑差较大时,允许在运行中短时间内的工作油温度达到110℃。

(5)检查油箱的温度不得超过55℃。

(6)每隔4小时将偶合器的负载提高额定的25%,直至液力偶合器满负荷工作后,将驱动电机电源切断,检查液力偶合器的齿轮啮合情况并记下齿在长、宽上的啮合印记所占的百分比。

(7)清理油过滤器,检查沉积在过滤器中的沉淀物的性质。

(8)在试运行完成后,将油箱中的油全面更换为清洁的。

(9)发现齿轮传动装置运行异常时,必须找出原因并予以排除。

复习题

1.简述刮板输送机的组成及工作原理。

2.刮板输送机的特点是什么?

3.液力偶合器的结构及特点是什么?

4.刮板输送机运转时的注意事项。

5.简述桥式转载机的主要组成部分及其用途。

讨论题

1.刮板输送机司机的岗位责任制包含哪些内容?并逐条分析提出各项内容的原因和目的。

2.在刮板输送机的日常操作和维修过程中,是否存在一些违规现象?列出几种展开讨论。

3.刮板输送机在运转中,司机应做到“四勤”,其内容包括哪些?

第六章　带式输送机

第一部分　系统理论知识

第一节　概　述

带式输送机具有运输能力大、工作阻力小、耗电量低，能适应较大倾角、运距长及连续作业的特点，许多煤矿从采掘工作面、采区上下山、运输大巷直到地面运煤系统都采用了带式输送机。但带式输送机也有它的缺点，如输送带成本高、初期投资大、易损坏、不能承受较大的冲击与摩擦，机身高、需专门的装载设备，不适于运送有棱角的货载，对弯曲巷道的适应性也比较差。因此在煤矿选用运输设备时要综合考虑其利弊，发挥出其最大的作用。

一、带式输送机的组成及工作原理

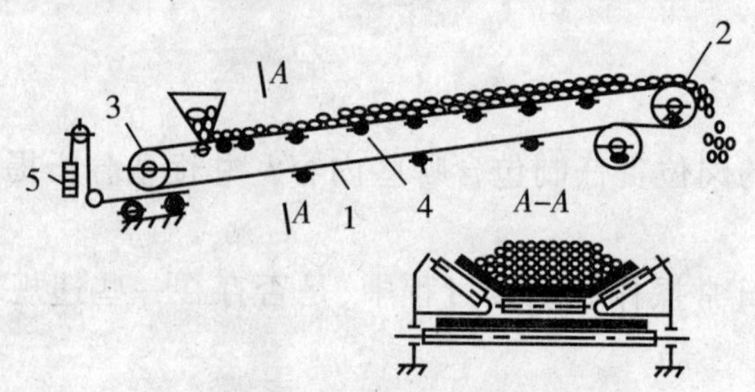

图6–1　带式输送机工作原理图

1——输送带；2——驱动滚筒；3——机尾换向滚筒；4——托辊；5——拉紧装置

带式输送机是以胶带兼作牵引机构和承载机构的连续运输机械。其组成部分及工作原理如图6–1所示。

胶带1绕经驱动滚筒2和机尾换向滚筒3形成一个无级环形带。上下胶带都支撑在托辊4上。拉紧装置5给胶带以正常运转所需的张紧力。工作时，驱动滚筒通过它和胶带之间的摩擦力带动胶带运行。货载装在胶带上和胶带一同运转。带式输送机一般是利用上段胶带运送货载的，并且在端部卸载，利用专门的卸载装置也可在中间卸载。

带式输送机的机身横断面如图A–A。上段胶带利用一组槽形托辊支承，以增加装载断面积。下段为平形。托辊内两端装有轴承，转动灵活，运行阻力较小。

二、煤矿常用带式输送机类型

1.通用固定式带式输送机

TD型普通型带式输送机，是一种通用固定式带式输送机。TD–75型（T——通用，D——

带式，75——定型年度为1975年）带式输送机由于输送量大、结构简单、维修方便、成本低、通用性强等优点，而被广泛地应用在冶金、煤炭、交通、水电、化工等部门。其特点是托辊安装在固定的机架上，机架是落地式的，并固定在底板或基础上。煤矿采区运输的特点是空间狭小，巷道底板不平，采煤工作面经常移动，巷道服务时间短；而且随着采煤机械化程度的提高，工作面进度的加快，普通型带式输送机由于拆装麻烦而不能满足采区运输的需要。因此一般使用在运输距离不太长，一旦敷设就永久使用的地点，如矿井地面选煤厂及井下主要运输巷道里。

2.绳架吊挂式带式输送机

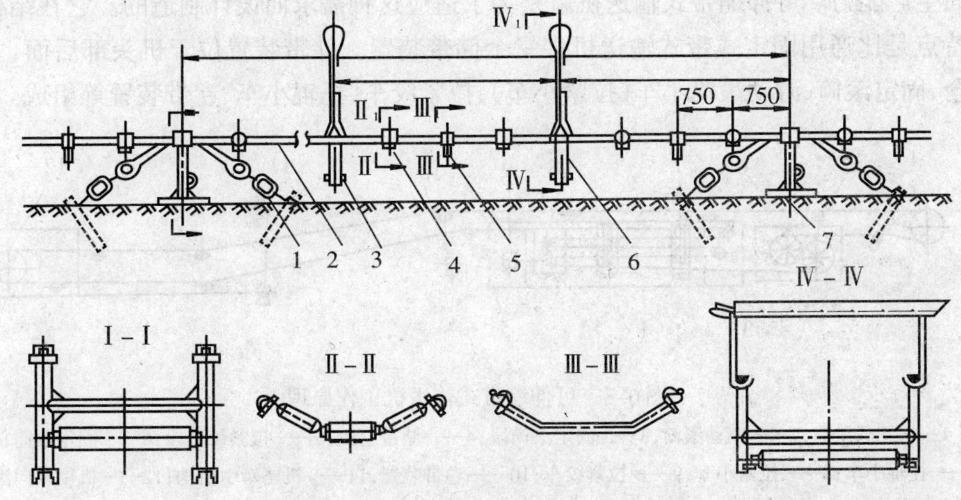

图6-2　绳架吊挂式输送机的钢丝绳架

1——紧绳装置；2——钢丝绳；3——下托辊；4——铰接槽形托辊；5——分绳架；6——中间吊架；7——紧绳托架

SPJ-800型绳架吊挂式带式输送机的传动系统及钢丝绳机架，如图6-2所示。这种机架是由2根纵向平行布置的钢丝绳组成，每隔60米安装一个紧绳托架7，通过紧绳装置1拉紧钢丝绳。由于机架是用吊架6吊挂在巷道顶梁上，机身高度可以调节，不受巷道底板地鼓的影响。为了保证两根钢丝绳的间距，在两个槽形托辊之间安装一个分绳架。根据实际运输任务和输送长度对功率的要求，可采用双电机或单电机驱动。这种输送机主要用于煤矿井下采区顺槽和集中运输巷中作为运输煤炭的设备。在条件适宜的情况下，也可用于采区上、下山运输。这种输送机具有以下特点：

（1）结构简单，节省钢材，安装拆卸及调整很方便，并且可以利用矿井运输、提升换下来的旧钢丝绳。

（2）上托辊由3个托辊铰接而成，由于钢丝具有弹性，铰接托辊槽形角可随负载大小而变化，因而可以提高运输能力和减少撒煤现象，还可减轻大块煤通过托辊时产生的冲击，延长胶带和托辊的使用寿命。

（3）机身吊挂在巷道支架上，也可架设在底板上，机身高度可以调节。采用吊挂机身便于清扫巷道底板，并能适应底板不稳定的巷道。

(4)输送机可用双电动机驱动,也可用单电机驱动,以适应各种运输任务和输送长度和功率的要求。传动装置中装有液力联轴器,以改善输送机启动性能,并保证在双电机驱动时负荷分配趋于均衡。

(5)胶带的张紧装置在机头部,利用蜗轮蜗杆传动钢丝绳将张紧滚筒拉紧,操作简便省力,司机可及时调整胶带的张紧力。

3.可伸缩带式输送机

由于综合机械化采煤工作面推进速度比较快,顺槽的长度和运输距离变化比较快,这就要求顺槽运输设备能够比较灵活迅速地进行伸长或缩短,以减少拆移次数,节省时间,提高工作面生产能力。可伸缩带式输送机就是为了适应这种需求而设计制造的。它在结构上的主要特点是比通用固定式带式输送机多一个储带装置。储带装置位于机头部后面,主要由储带仓、固定滚筒、游动滚筒小车(拉紧小车)、拉紧绞车,托辊小车、卷带装置等组成。

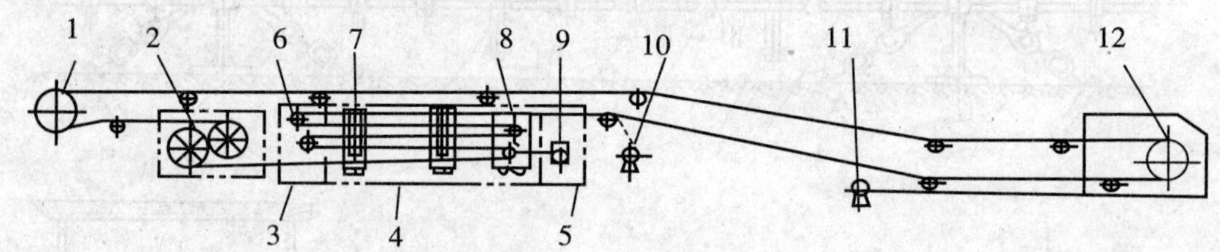

图6–3 可伸缩带式输送机工作原理

1——卸载滚筒;2——驱动滚筒;3——固定滚筒段;4——储带仓段;5——拉紧绞车段;6——固定滚筒;7——托辊小车;8——拉紧小车;9——拉紧绞车;10——卷带装置;11——机尾牵引机构;12——机尾改向滚筒

需要缩短带式输送机时,先拆除机尾部前端的机架,用机尾牵引机构使机尾前移,游动滚筒小车在拉紧绞车的牵引下向后移动,输送带重叠成4层储存在储带仓内;需要伸长时,操作拉紧绞车松绳,游动滚筒小车前移,储带仓中的输送带放出,机尾后移,并相应地增设机架。输送机伸缩作业完成后,拉紧绞车仍以适当的拉力将输送带张紧,使输送机正常运行。托辊小车用来托住储带仓内折返的输送带,以免垂度过大引起上下输送带互相摩擦,保证输送带正常运行。卷带装置的作用是用来收放输送带。

4.钢丝绳芯带式输送机

钢丝绳芯带式输送机又称强力带式输送机。其特点是用钢丝绳芯输送带代替了帆布层芯输送带,输送带强度大。作为长距离、大运量的运煤设备,主要用于平硐、主斜井、大型矿井的主要运输巷道及地面的运输。

5.钢丝绳牵引带式输送机

钢丝绳牵引带式输送机是一种特殊形式的强力带式输送机。它以钢丝绳作为牵引机构,而输送带只起承载作用,不承受牵引力。这样,使牵引机构和承载机构分开,从而解决了运输距离长、运输量大、输送带强度不够的矛盾。

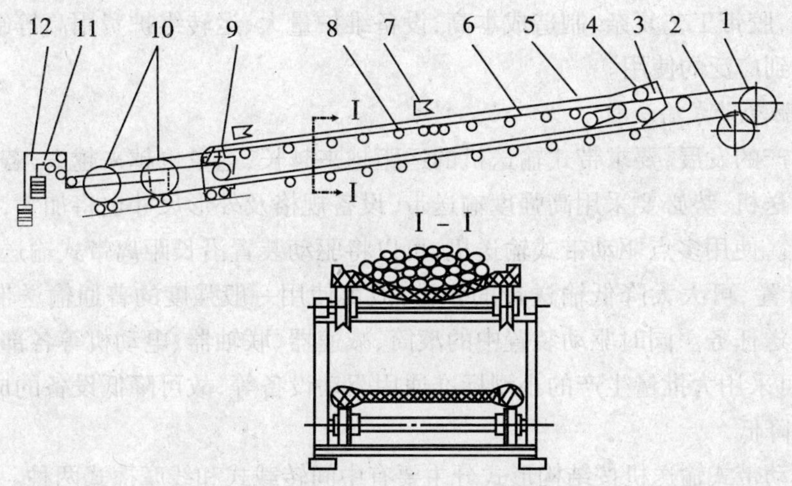

图6-4　钢丝绳牵引带式输送机

1——传动轮；2——导绳轮；3——卸载漏斗；4——输送带换向滚筒；5——输送带；6——牵引钢丝绳；7——给煤机；8——托绳轮；9——输送带张紧车；10——钢丝绳张紧车；11、12——拉紧重锤

钢丝绳牵引带式输送机的2条平行的无极钢丝绳6，绕过主动绳轮1和尾部钢丝绳张紧车上的绳轮10。主动绳轮1转动时借助于其衬垫与钢丝绳之间的摩擦力，带动钢丝绳6运行。输送带5以其特制的绳槽搭在2条钢丝绳上。靠输送带与钢丝绳之间的摩擦力而被拖动运行，完成货载输送任务。钢丝绳的空、重段布置托绳轮8支承。

输送带在机头及机尾换向滚筒处应脱离钢丝绳，而从2条钢丝绳之间弯曲，因此在输送带换向弯曲处必须使输送带抬高，使两条钢丝绳间距加大，因而在输送带张紧车9上设有分绳轮，在输送带卸载架上也设有分绳轮。

为了保证钢丝绳的一定张力和使钢丝绳在托绳轮8间的悬垂度不超过一定限度，在机尾设有钢丝绳拉紧装置，10为钢丝绳张紧车，12为钢丝绳拉紧重锤。输送带拉紧装置的作用是使输送带不至于松弛。9为输送带张紧车，11为输送带张紧重锤。钢丝绳带式输送机设有尾部和中间装载设备，为保证装载均匀，一般采用给煤机装煤。卸载一般在机头换向滚筒处借助卸载漏斗实现。

该输送机与滚筒驱动带式输送机相比，有以下优点：

(1)输送距离长，输送能力大。由于胶带只作承载机构，不作牵引机构，胶带所受张力较小，因此输送距离长。

(2)功率消耗少。因牵引钢丝绳支承在托绳轮上，故其运行阻力较小，所以降低了电动机功率消耗。

(3)运行平稳。因胶带本身有横向钢条，故刚性好，在胶带下面又有钢丝绳支承，胶带运行平稳，物料撒落情况减少。

(4)由于单机长度大，转载次数少，操作简单，故便于实现自动化。

(5)可以乘人。

但由于该带式输送机传动装置复杂且体积大，设备费用和基建投资高，钢丝绳及托绳轮衬垫寿命短，胶带工艺复杂、制造成本高，设备维护量大、运转维护费用高等缺点，该设备在煤矿没有得到广泛的使用。

6.多点驱动带式输送机

随着生产的发展，要求带式输送机的运距越来越长，运量也越来越大，若仍采用一般形式的带式输送机，势必要采用高强度输送带，设备规格及外形尺寸也将加大，而这是生产现场不允许的。使用多点驱动带式输送机，可以将驱动装置沿长距离带式输送机的整个长度进行多点布置，可大大降低输送带的张力，故可使用一般强度的普通输送带完成长距离、大运量的输送任务。同时驱动装置中的滚筒、减速器、联轴器、电动机等各部件的尺寸可相应减小，亦可采用大批量生产的小型标准通用驱动设备等，故可降低设备的成本，从而使初期投资大大降低。

多点驱动带式输送机按结构形式分主要有中间转载式和线摩擦式两种。所谓中间转载式（如图6–5）是指在带式输送机承载输送带的适当位置，通过胶带的弯曲缠绕，设置驱动装置。它的特点是结构简单，传动装置可以通用，节省胶带，拆装方便，比较适合井下工作面运输巷运行条件。但由于这种方式增加了胶带的弯曲和冲击频次，使胶带寿命缩短，且增加功耗，并且胶带清扫困难。而线摩擦式多点驱动带式输送机（如图6–6），实质上是一种直线摩擦驱动形式，在一台长距离带式输送机承载胶带之间，装设若干台短的带式输送机作为中间驱动装置。利用托辊及压辊使承载胶带的直线工作段分别与中间驱动装置的驱动带相互贴紧，借助二者相互贴紧所产生的摩擦力来驱动带式输送机。其特点是胶带回转弯曲次数少，有利于延长胶带使用寿命，尤其适用于老设备改造。但胶带总量增加，总传动效率较低，故障率高。

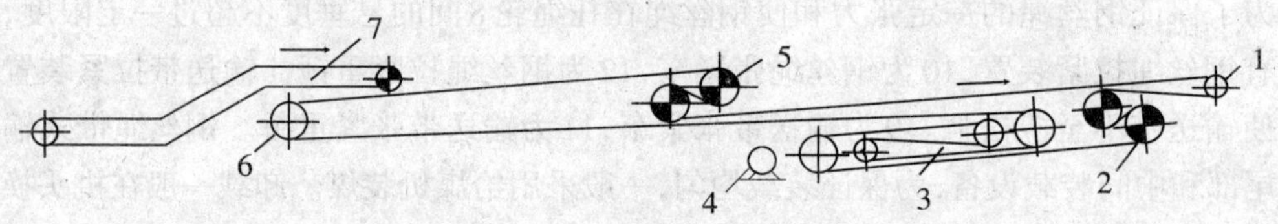

图6–5　中间转载式带式输送机系统图

1——卸载滚筒；2——机头驱动滚筒；3——储带仓；4——自动拉紧绞车；5——中间驱动滚筒；6——机尾改向滚筒；7——桥式转载机

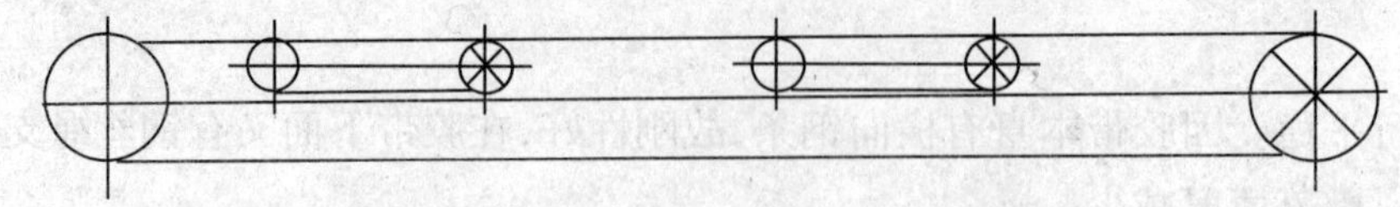

图6–6　线摩擦式多点驱动带式输送机

第二节　带式输送机的主要结构

带式输送机主要由驱动装置、输送带、托辊与机架、张紧装置、制动装置、清扫装置及保护装置等部分组成。

一、驱动装置

驱动装置是将电动机的转矩传给胶带，使胶带连续运动的装置。它由电动机、联轴器、减速器、传动滚筒等组成。

1.电动机：一般采用交流电动机，电压等级通常采用660V/1140V。随着技术不断进步，输送机运输能力的提高，运输距离的加长，电动机的功率不断增加，矿井带式输送机的电机也逐步采用了6000V高压电动机。多电动机传动也在逐渐增多。采用多电动机传动，可以减少传动装置的高度和宽度。

2.联轴器：带式输送机通常采用液力联轴器和柱销联轴器。

3.减速器：是将电动机传动的高转速低扭矩，通过齿轮传递，使驱动滚筒获得低转速高扭矩的装置。

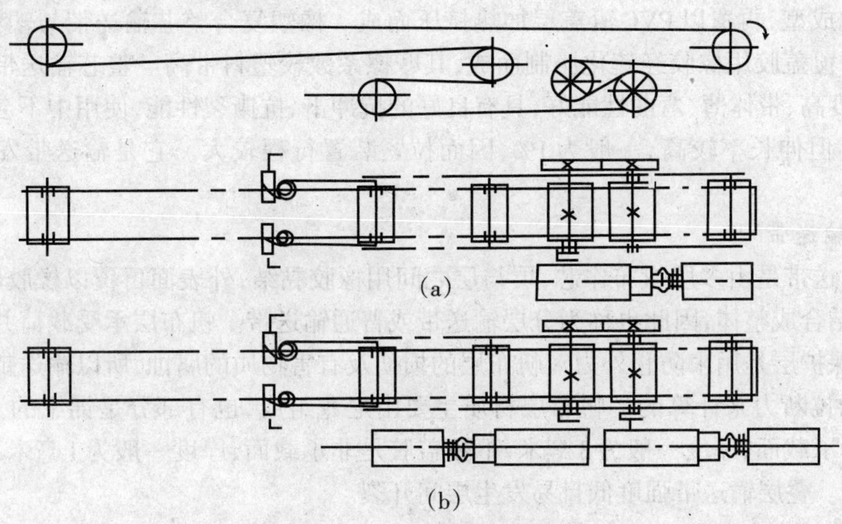

图6–7　双滚筒驱动示意图

(a)双滚筒共同驱动；(b)双滚筒分别驱动

4.驱动滚筒和导向滚筒：驱动滚筒的作用是靠滚筒的外缘与输送带的摩擦力来牵引输送带运动。驱动滚筒有单滚筒和双滚筒之分。单滚筒传动具有传动系统简单、部件少的优点。但在矿井下，为了结构紧凑，增大包角，以适应井下的不利条件，常采用双滚筒传动（如图6–7所示）。驱动滚筒用钢板焊接或用钢铸成，其表面有光面、包胶和铸胶等3种。在环境湿度小、功率不大的情况下，可采用光面滚筒；在环境潮湿、容易打滑的情况下，功率不大时可采用包胶滚筒，功率较大时宜采用铸胶滚筒，以防止胶带在滚筒上打滑。

导向滚筒的作用是增大驱动滚筒的围包角及改变输送带运动方向，从而使驱动滚筒有足够的牵引力，使输送带正常运转。导向滚筒应根据驱动滚筒的设置及现场条件来设置。

二、输送带

(一)输送带的类型

输送带在带式输送机中，既是承载构件又是牵引构件，它不仅要有承载能力，还要有足够的强度。输送带种类很多，根据《煤矿带式输送机用输送带分类及规格MT/T1018-2006》规定，输送带按以下方法分类：

按输送带覆盖层材料划分为橡胶输送带和塑料输送带；

按输送带带芯材料划分为织物芯输送带和钢丝绳芯输送带；

按输送带表面形状划分为平面输送带、花纹输送带和挡边输送带；

按输送带带芯结构划分为整芯输送带和叠层输送带；

按输送带安全性能划分为阻燃型和非阻燃型。

1.整芯输送带

整芯输送带又分为塑料整芯输送带和橡胶复合整芯输送带。塑料整芯输送带的芯体是用棉纤和合成纤维并股捻成线，按经纬方向编织成3层或3层以上的整体织物结构，浸以塑料树脂塑化成型，再覆以PVC覆盖层加热挤压而成。橡塑复合整芯输送带与塑料带相同，区别是上下覆盖胶用橡胶经硫化压制而成，其摩擦系数较塑料带高。整芯输送带的特点是成本低、强度高、带体薄、弯曲性能好，具有良好的抗冲击、抗撕裂性能，使用中不会发生层间开裂现象。但伸长率较高，一般为1%，因而拉紧装置行程较大。它是输送带发展的方向之一。

2.叠层输送带

叠层输送带是由多层帆布作芯，层与层之间用橡胶黏结，外表面再覆以橡胶覆盖层、边胶，经硫化结合成整体，因此也称为分层输送带或普通输送带。帆布层承受载荷并传递牵引力，而橡胶保护层是用来防止外力对帆布层的损伤及有害物质的腐蚀，所以输送带的强度是按帆布层的拉断力来计算的。帆布层材质主要由尼龙组成，也有部分是锦纶的。上覆盖胶接触货载为承载面，厚度一般为3毫米，下覆盖胶是非承载面，厚度一般为1毫米，在使用时要正确安装。叠层输送带强度低且易发生层间开裂。

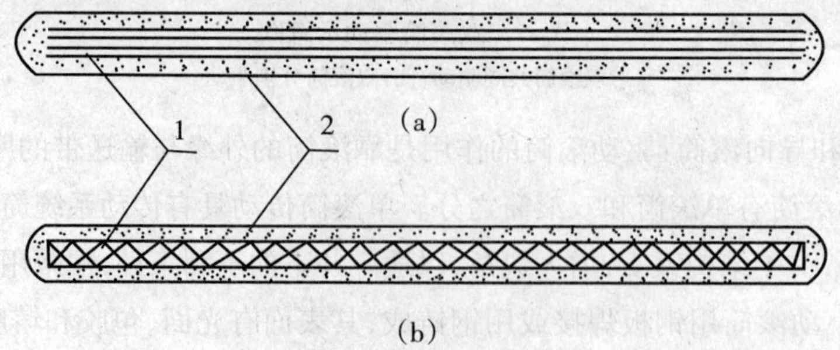

图6-8 织物芯输送带

(a)分层输送带；(b)整芯输送带

1——帆布层；2——覆盖层

3.钢丝绳芯输送带

钢丝绳芯输送带由按一定间距纵向排列的钢丝绳带芯和上、下覆盖层组成，有普通型和加强型两种。在钢丝绳芯输送带中，钢丝绳的质量是决定输送带使用寿命长短的关键因素之一，它必须具有较高的破断强度、耐疲劳强度和较好的柔性，并且绳芯和橡胶应具有较高的粘着力。上下覆盖层多采用天然橡胶，芯胶要用具有良好黏合性能的橡胶，以保证钢丝绳具有较高的拔出强度。加强型又称防撕裂型，与普通型的区别是：在覆盖胶内，横向加了按一定间距排列的细钢丝绳或1~2层合成纤维线绳的加强体，提高了输送带的防撕裂性。钢丝绳芯输送带具有强度高、铺设长度长、伸长率小（1‰）、成槽性好等优点，但价格较贵，带体厚重、消耗功率大。

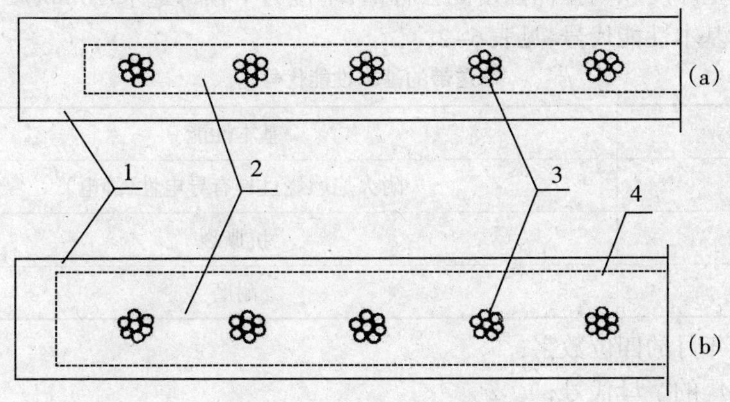

图6-9　钢绳芯输送带

(a)普通型 (b)防撕裂型

1——覆盖胶；2——中间胶；3——钢丝绳芯；4——加强层

4.阻燃输送带

《煤矿安全规程》规定井下必须使用阻燃输送带。阻燃输送带的机理就是在组成输送带的原材料中，按一定比例加入阻燃剂，经加温处理后原材料的可燃性显著下降。阻燃输送带的性能应符合《矿用阻燃输送带》(MT668-1997)标准的要求。目前，阻燃输送带的种类有：阻燃整芯输送带、阻燃多层芯输送带和阻燃钢绳芯输送带。相比较而言，阻燃整芯输送带阻燃性能好，随着阻燃整芯输送带质量的进一步提高，产品品种的增多，在煤矿井下将逐步替代其他两种阻燃输送带。

(二)输送带的标志

输送带的标志内容按以下顺序在标志中出现：

1.煤矿矿用产品安全标志："MA"；

2.输送带的结构代号，见表6-1；

表6–1 输送带的结构代号

代 号	结 构
–	整芯输送带
–	叠层输送带
St	钢丝绳芯输送带
H	花纹输送带
B	挡边输送带

3.输送带的全厚度纵向拉伸强度的公称值,单位为牛顿每毫米(*N/mm*);

4.输送带的基本性能代号,见表6–2;

表6–2 输送带的基本性能代号

代号	基本性能
S	耐火焰燃烧且具有导电性(静电)
H	抗撕裂
D	耐磨

5.表示制造年月的四位数字;

6.标识生产厂的字母代号;

7.输送带的公称宽度,单位为毫米;

8.输送带的带芯材质和代号应符合GB/T 5752–2002中4.6的规定;

9.叠层输送带的带芯层数;

10.输送带上下覆盖层厚度,单位为毫米;

11.花纹输送带中花纹的凸出高度(凹陷深度)或挡边输送带中挡边的高度,单位为毫米。

例如:

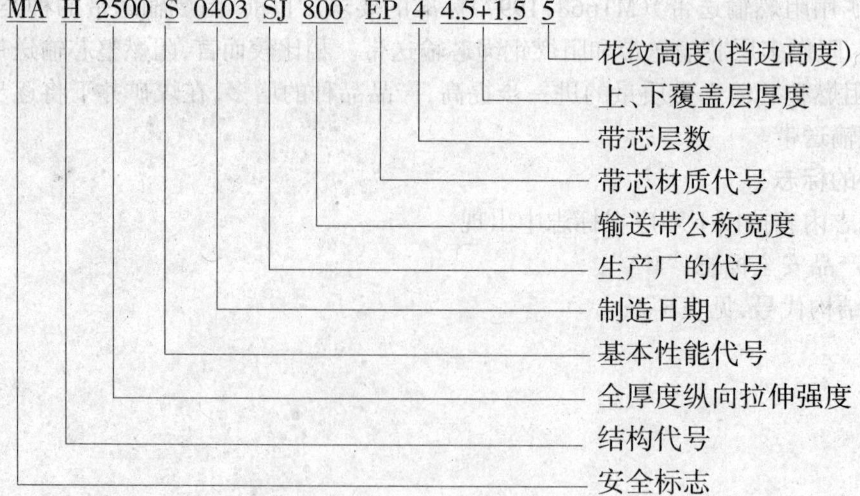

(三)输送带的连接

输送带出厂的单卷长度一般为50m、100m和200m 3种，使用时按需要进行连接，连接方法有以下几种：

1.机械连接法。机械连接法用于叠层芯输送带和整芯输送带的连接。常用的皮带扣配有专门的钉扣机或配有专门的冲模。连接时要注意输送带切口与其中心线必须垂直，皮带扣不能歪斜，以免造成宽度方向受力不均，引起输送带跑偏或拉豁输送带。

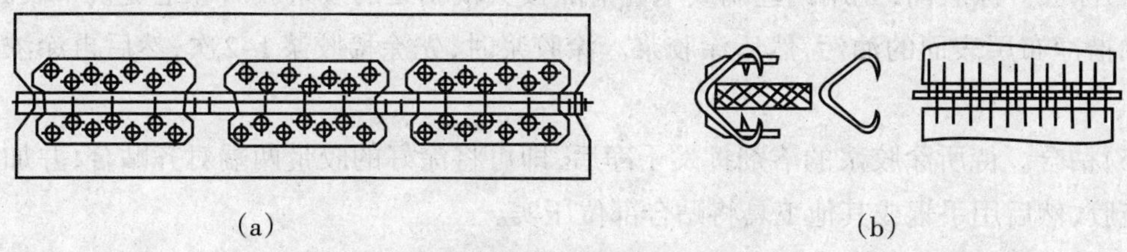

图6-10　普通胶带机械连接方法示意图

2.硫化连接法。硫化连接法(也称热硫化)用于多层芯输送带和钢丝绳芯输送带的连接。其原理是将连接用的胶料(生胶片)置于接头连接处，使用接头硫化器，加压、加热，并保持一段时间，使缺少弹性和强度的胶料，变成具有高弹性、高粘结强度的熟胶，把2条输送带的芯体连接在一起。硫化时，多层芯输送带的2个接头按帆布层切成阶梯形斜角切口，如图6-11所示，在右接头的各阶梯层放置胶片；钢绳芯输送带的2个接头也是切成斜角切口，但2个接头的覆盖胶和芯胶要全部剥离，两端头钢丝绳分一级、二级、三级、四级4种搭接方式，依据输送带强度，钢丝绳直径及中心距选择搭接方式。

硫化连接大体分为下列几步：

(1)拉紧。先将带式输送机的拉紧装置放松，然后把准备胶接的胶带用夹具夹住并拉紧，拉紧程度视胶带及输送机规格而定，拉紧后隔20min再拉紧一次。

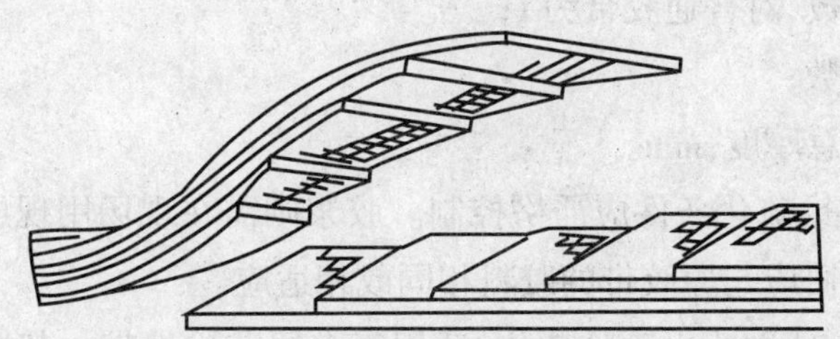
图6-11　多层芯胶带硫化连接的阶梯切口示意图

(2)划线。胶带拉紧并确定长度以后，可以在准备胶接的端部划线以备裁剥。一般胶带的胶接都用对接方法。使用对接方法时，先将胶带裁剥成阶梯形，一层布一阶，接头两端相对应。接头的长度L一般等于胶带的宽度，接头的角度常用60°或72°，即L/B=1/2或L/B=1/3。每阶梯层的长度可用下式计算：

$$B=\frac{L}{n-1}$$

式中　L——每阶梯层的长度，mm；

n——包括上、下覆盖层在内的胶带层数。

在上、下覆盖层的对口处，覆盖胶可剥掉长度2 mm~8 mm，供胶接时防止填充胶用。

(3)裁剥。划好线后，按划线标记用刀切掉胶带的多余部分，并按阶逐层裁剥覆盖胶和布层。

(4)涂胶。涂胶前，先用钢丝刷或木锉清除接头裁剥处的残余胶屑和毛糙帆布表面，并用汽油揩净布层表面的油污，然后涂胶浆。涂胶浆时，先涂稀胶浆1~2次，然后再涂浓胶浆1~2次。

(5)粘合。待所涂胶浆的溶剂挥发干净后，即可将涂好的胶带两端对齐贴合，并加贴封口填充胶，然后用手辊或其他工具将贴合部位压实。

(6)硫化。胶带硫化的设备有很多种。有一种最简单的硫化胶接电热板构架，在胶带的机架上用槽钢将下电热板架高，架置的高度相当于胶带的正常位置，需要胶接的胶带平放在下电热板的表面上，胶带上方放置上电热板，最后用螺杆将上、下电热板夹紧(为了对胶带胶合面加压，也可以采用顶丝)。为了防止胶带粘贴在金属板上，在胶带与金属板接触面上垫有纸张。准备完毕后，给压升温，开始硫化。

硫化是在一定温度、一定压力下，经一定时间完成，温度、压力和时间是硫化胶接的3个要素。现场胶接，硫化的压力最好能在0.5MP以上，温度可为135℃~150℃。硫化时间可用下式计算：

$$T=t+kn+\delta$$

式中　T——总硫化时间(包括升温时间)，min；

t——基本硫化时间，min，用天然胶浆胶t=10 min，用覆盖胶料配方t=15min；

k——时间系数，对普通胶带为1；

n——帆布层数；

δ——覆盖层总厚度，mm。

为了保证胶接质量，硫化条件应严格控制。胶浆则需在现场用现成胶料自行配制。胶接所用胶料的橡胶品种，应与原胶带的胶料相同或相适应。

3.冷粘连接法。这种方式也称冷硫化，适用于多层芯输送带。其操作过程与热硫化胶接基本相同，但不需加热，将糊状的胶料(氯丁胶，由氧化镁、氧化锌、防老剂和酚醛树脂及纯苯液按一定的比例配制而成)涂在阶梯形切口上，施加适当的压力保持一定时间即可。硫化时间大大缩短，劳动强度低，接头强度与热硫化胶接差不多。

4.塑化连接法。此法适用于塑料带，对于帆布层芯体的输送带，接头的切口和接头搭接方向与硫化连接相同，只是工艺不同，对于整编芯体的输送带，是将接头处的编织体拆散，然后将拆散的两端互相编结，包覆塑料片后施加适当的温度和压力。塑化接头的强度可达到输送带本身强度的75%~80%。

三、托辊和支架

托辊和支架的作用是支承胶带和胶带上所承载的物料，使胶带保持在一定垂度下平稳地运行。托辊沿输送机全长分布，数量很多，它的工作情况好坏直接影响输送机的运行。托辊的制造质量主要表现为旋转阻力和使用寿命。托辊由中心轴、轴承和套筒3部分组成。

托辊按用途可分为：

1.槽形托辊

槽形托辊用于输送散装货载，一般由3个短托辊组合而成。外面的两个托辊设置成20°、35°、45°等不同槽形角，以便增加运输能力。通用固定带式输送机的槽形托辊固定在机架上，上托辊的间距一般为1.5m。

2.平行托辊和V形托辊

平行托辊用于支承回空段输送带，下托辊的间距一般为3m，下托辊的轴头卡在机架的支座里。V形托辊具有防跑偏作用，一般隔数个平行托辊放置一个V形托辊，槽形角一般为10°。

3.缓冲托辊

缓冲托辊装在带式输送机的装载处，用于缓冲货载对输送带的冲击，保护输送带。其结构与一般托辊相同，只是在管体外部加装了阻燃橡胶圈。

4.调偏托辊

调偏托辊具有防止和纠正输送带跑偏的作用，主要用于固定式输送机。重载段一般每隔10组上托辊放置一组回转式槽形调偏托辊。回空段每隔6~10组下托辊放置一组回转式平形调偏托辊。两种调偏托辊的结构相似，调偏原理相同。当输送带跑偏时，碰撞立辊，使其带动回转架及槽形托辊向运行方向旋转一个角度。输送带给托辊的力分解成为沿托辊轴线的力F_1和垂直于托辊轴线的力F_2。而F_1的作用使托辊产生一个对输送带的反作用力使其回正。

机架的结构分为落地式和吊挂式两种，落地式又分为固定式（图6-12）和可拆卸式（图6-13）两种。一般在主要运输巷道内用固定式，采区顺槽则多采用拆卸式或吊挂机架。

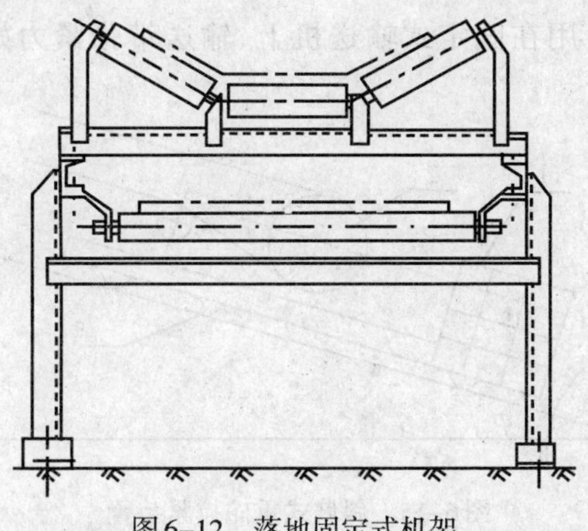

图6-12　落地固定式机架

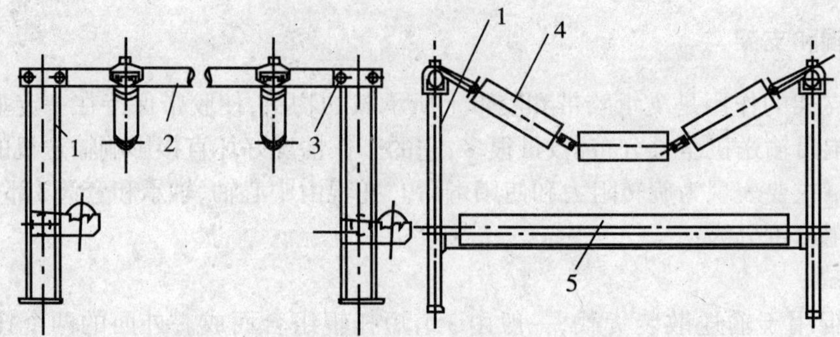

图6-13 落地可拆式机架和托辊

1——H型中间机架；2——纵向钢管；3——连接销；4——槽形上托辊；5——平形下托辊

四、拉紧装置

拉紧装置有2个作用：一是保证输送带保持足够的张力，使滚筒与输送带之间产生必要的摩擦力；二是限制输送带在托辊间的悬垂度，确保输送机的正常运转。

拉紧装置可分为螺杆式、重锤式、钢丝绳卷筒式和液压式等，下面介绍两种简单的拉紧装置。

1.螺杆拉紧装置（如图6-14所示）由于行程的限制，又由于不能自动保持预拉力，一般适用于距离短（小于80mm）、功率小的输送机。拉紧行程可按机长的1%选取。

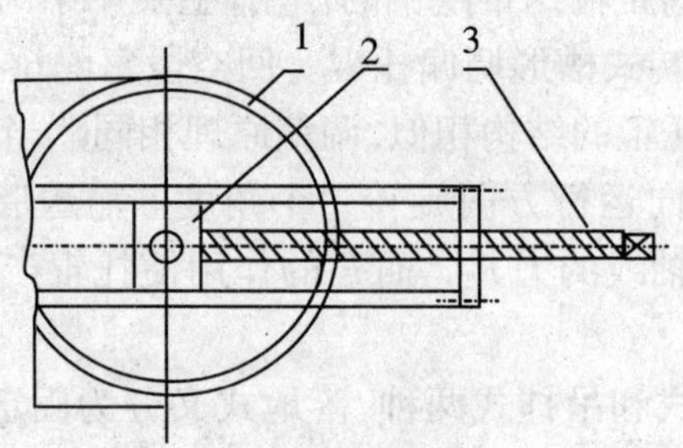

图6-14 螺杆式拉紧装置

1——拉紧滚筒；2——滑块；3——螺杆

2.重锤拉紧装置一般用在固定式输送机上，输送带张紧力始终不变，但体积庞大而笨重。

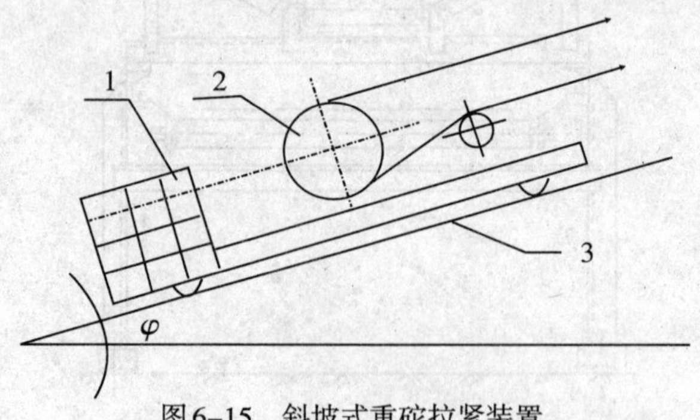

图6-15 斜坡式重砣拉紧装置

1——拉紧小车及重砣；2——拉紧滚筒；3——轨道

五、清扫装置

输送带卸载后为了保持其清洁,防止输送带损坏,保证带式输送机的正常运行,必须对输送带表面进行清扫。清扫装置,安装在机头卸载滚筒的下部,使刮板紧贴输送带的外表面;另外安装在靠近机尾换向滚筒处,一般为犁形清扫器。过去都使用重锤式清扫刮板,现已广泛改用弹簧式清扫刮板。

清扫装置对双滚筒传动尤为重要。因为装煤的输送带上表面要与传动滚筒接触,若清扫不净,会使输送带受到损坏,或由于煤粉等杂质粘结滚筒表面,使输送带过快磨损和发生输送带跑偏。

在机尾处的清扫器如果使用不当,由于输送带跑偏等各种原因造成输送带下表面的杂物进入机尾滚筒与输送带之间,不仅会损坏输送带,而且大块矸石等还会卡住输送带,使输送带打滑甚至拉断输送带或拉翻机尾,后果十分严重。

六、制动装置

对倾斜输送物料的带式输送机,为了防止有载停车时发生倒转或顺滑现象,或者对于停车时间有严格要求的带式输送机,应设置制动装置。

制动装置的作用有2个,一是正常停机,即输送机在空载或满载情况下停车时,能可靠地制动住输送机;二是紧急停机,即当输送机工作不正常或发生紧急事故时,对输送机进行紧急制动。

制动装置按工作方式不同分为逆止器和制动器。织物芯带式输送机常用塞带逆止器、滚柱逆止器和液压电磁闸瓦制动器,钢绳芯带式输送机则常用液压电磁闸瓦制动器及盘式制动器等。

七、带式输送机的保护装置

(一)《煤矿安全规程》中关于滚筒驱动带式输送机运输时的规定

1.必须使用阻燃输送带。托辊的非金属材料零部件和包胶滚筒的胶料,其阻燃性和抗静电性必须符合规定。

2.巷道内应有充分照明。

3.必须装设驱动滚筒防滑保护、堆煤保护和防跑偏装置。

4.应装设温度保护、烟雾保护和自动洒水装置。

5.在主要运输巷道内安设的带式输送机还必须安设:

(1)输送带张紧力下降保护装置和防撕裂保护装置;

(2)在机头和机尾防止人员与驱动滚筒和导向滚筒相接触的防护栏。

6.倾斜井巷中使用的带式输送机 ,上运时,必须同时装设防逆转装置和制动装置;下运时,必须装设制动装置。

7.液力偶合器严禁使用可燃性传动介质。

8.带式输送机巷道中行人跨越带式输送机处应设过桥。

9.带式输送机应加设软启动装置,下运带式输送机应加设软制动装置。

(二)带式输送机各种保护装置的类型及工作原理

1.防滑保护装置

驱动滚筒转动而输送带不动或不同步运行,这种现象称为输送带打滑。打滑保护装置的工作原理是采用传感器分别测量带速和驱动滚筒速度,然后进行比较,正常运行时两者无差值,因而无输出。如发生打滑,则有差值输出,经延时后进行保护。常用的传感器类型有管式、滚轮式等。

管式断带打滑保护装置由速度传感器及控制箱构成。磁铁安装在机头导向滚筒轮辐侧面上,速度传感器安装在支架上,与磁铁对正(如图6-16所示)。

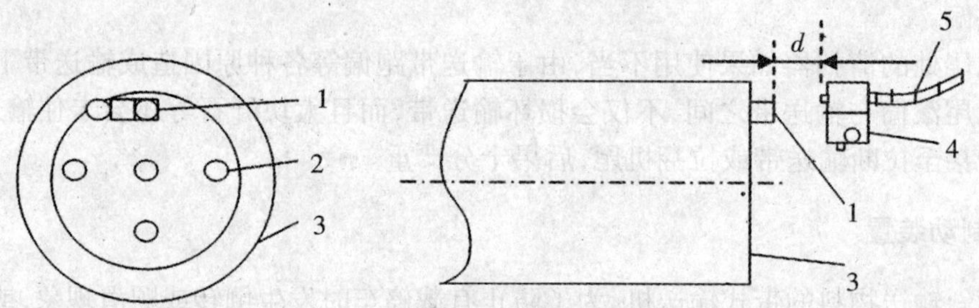

图6-16　速度传感器结构与布置图

1——磁铁;2——导向滚筒端盖固定螺钉(d≤20mm);3——带式输送机的导向滚筒;4——传感器的固定装孔;5——传感器引线

带式输送机的滚筒每转1周,安装在滚筒端面的磁铁就转1周,并经过速度传感器1次,通过磁力作用,送入1个脉冲信号给保护装置。当发生断带、打滑时,机头导向滚筒转速降低,当达到设定值时(如滚筒的转速低于正常速度的70%时),控制箱控制带式输送机停机。

滚轮式打滑保护装置,由滚轮传感器和控制箱组成。正常运转时,在输送带的带动下,滚轮保持一定速度,保护装置不动作。当发生打滑时,输送带运行速度减慢或停止,当滚轮速度达到设定值时,发出开关信号,带式输送机停止运转。

2.防跑偏保护装置

在运行中输送带中心脱离输送机的中心线而偏向一方,这种现象称为输送带的跑偏。传感器通常在输送带两边成对使用,分别安装在带式输送机的机头、机身、机尾等输送带容易跑偏处;当带式输送机的输送带运行超过托辊边缘20 mm时,使传感器的导杆偏离一定角度,并持续一段时间,实现保护后延时停机。

3.防撕裂保护装置

在带式输送机运行中,当有铁棒、尖角矿石等异物落到输送带上卡住时,会造成输送带纵向撕裂,其撕裂部分主要在装载点,因而该装置安装在装载点处的重载皮带下方。当胶带纵向撕裂时,煤从裂缝中漏到胶带下方的传感器上,当煤堆积到一定重量时,实现保护后立即停机。常用的有超声波检测器、测振式检测装置等十余种输送带纵向撕裂保护装置。

4.堆煤保护装置

堆煤保护装置,又叫煤位保护装置。当卸载点的煤发生堆积或堵塞,使煤位超出预定位置并持续一定时间时,实现保护后延时停机。它安装在煤仓上口或2部带式输送机搭接处。其传感器采用两种方式,其一是偏摆式堆煤保护装置,也称煤位开关型,当煤位上升时,传感器倾斜到一定角度,内部行程开关动作,实现保护;其二是碳极式堆煤保护装置,采用电极式煤位探头,利用探头与煤堆之间的煤电阻变化,实现保护。

5.烟温报警灭火系统装置

烟温报警灭火系统装置能够连续监测矿井带式输送机系统温度和烟雾变化的情况。当带式输送机周围温度和烟尘浓度达到设定值时,装置中的报警器发出声光报警,同时断电停机,洒水灭火。烟雾保护多采用气敏性传感器,利用气敏元件对橡胶、煤燃烧的烟雾反映敏感的特性,当输送带或其他非金属材料过热或燃料产生烟雾时,利用传感元件输出电流的变化来探测烟雾,实现保护后立即停机。温度保护是在带式输送机运行过程中,因摩擦或其他不明原因使滚筒或其他驱动设备产生过高温度时,传感器通过感触被测物的检测点温度高于预先整定值,实现保护后立即停机,同时驱动洒水装置,喷水降温。

6.沿线保护装置

沿线保护装置的作用就是带式输送机的任何部位都可以人为地停止运转,及时控制带式输送机事故的发生和扩展。有按钮式沿线保护装置和拉线式沿线保护装置。如采用双向拉绳开关,沿带式输送机的沿线行人一侧,从机头开始,每间隔50 m设置一台,在运行过程中,当输送机沿线发生故障时,操作人员拉动拉绳开关,实现保护后立即停车。

7.逆止保护装置

逆止保护装置的作用就是防止倾斜上运的带式输送机发生逆转飞车事故。煤矿带式输送机采用的逆止保护装置主要有两种:一种是塞带式逆止保护装置,一种是滚柱式逆止保护装置。它们主要用在上运带式输送机上。

(1)塞带式逆止保护装置:当带式输送机正向运行时,塞带逆止器允许皮带通过,当带式输送机发生逆转时,塞带逆止器的输送带塞入滚筒,阻止带式输送机逆转。

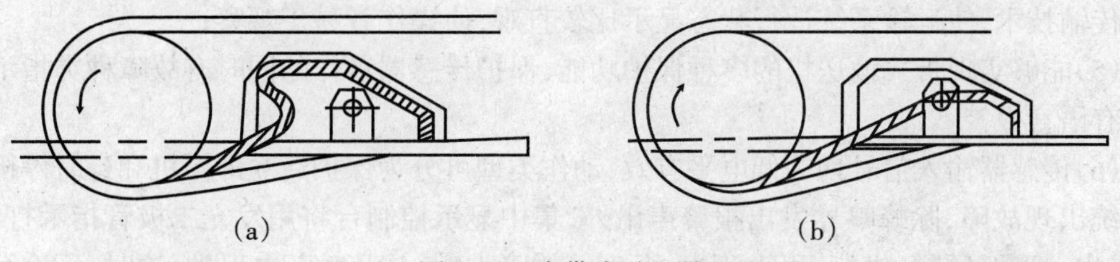

图6-17 塞带式逆止器

(a)正常运转状态;(b)制动状态

(2)滚柱式逆止保护装置:当带式输送机正向运行时,滚柱被控制在棘轮爪中间部位;当带式输送机发生逆转时,滚柱在离心力的作用下被甩到棘轮爪与外套的缝隙卡住棘轮。由于外套安装在固定的支架上,带式输送机停止运转。

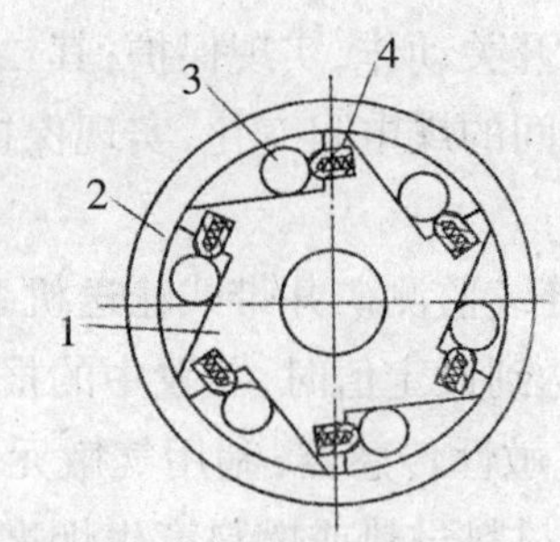

图6-18 滚柱逆止器

1——星轮；2——固定圈；3——滚柱；4——弹簧

8.飞带保护装置

飞带保护装置用在倾斜下运的带式输送机上。它的作用就是在下运带式输送机失控的情况下或在制动后胶带与滚筒打滑的情况下，及时捕捉胶带，防止发生飞带事故。

9.综合保护与集中控制装置

现有煤矿带式输送机综合保护装置，虽然其性能互有差异，但大多是由继电器组成的硬线逻辑电路、运算放大器、CMOS集成电路、可编程控制器（PLC）等构成。所有控制及传感器信号输入控制箱，进行分析判断，并发出控制各种设备的指令，使带式输送机的安全运转得到完善保护。

带式输送机综合保护装置具有的功能特点是：

（1）有工作状态、故障种类的LED指示；

（2）开车前能够发出开车预警信号，有些还具有语言预警及语言事故报警功能；

（3）既能单机使用，又可实现由多条带式输送机组成集中控制的运输系统，并在集中控制时能够实现通讯；

（4）集中控制时，各台单机均可显示自己在集中控制中的位置，有些由于成功地采用双音频传输技术，使运输系统运行状态显示比较直观，使操作者易于观察；

（5）能够实现带式输送机的多种保护功能，保护传感器动作的同时有故障种类指示及警报或有语言报警。

（6）传感器输入信号均为低电平有效，动作类型可分为保护后立即停机和延时停机。一旦系统出现故障，除蜂鸣器发出报警声讯外，集中显示控制台将用发光二极管指示打滑、跑偏、堆煤、烟雾、闭锁、纵撕、灭火洒水、温度等故障类型，并及时断电保护，这时，不论系统在何种方式下工作，都将无法开车。

该装置的工作原理是：通过与带式输送机综合保护装置配套的测控元件、传感器，把有关的信息输入到PLC内；PLC采集这些信息，并结合键盘命令及主站命令，进行逻辑分析与判断，并发出相应的控制命令，通过执行器完成对带式输送机相应的控制。例如：生产中出现了煤仓堆煤故障，物料探测器动作；PLC采集物料探测器信号并进行逻辑分析与判断；确认出现堆煤故障，发出命令，停主电机，蜂鸣器报警，“堆煤”指示灯亮。综合保护装置不仅可以适时监控带式输送机的工作状态，自动报警、显示、处理各种运行故障，还可以避免人为误操作带来的各种损失。

10.软启动装置

软启动装置的作用就是使胶带输送机启动平稳,可以减少启动电流对电网的冲击,减轻启动力矩对负载带来的机械振动。

目前使用的软启动类型主要有以下几种:

(1)液力调速装置。

液力偶合器是传统的软启动方式,对于一些功率较小、运距不长的设备、移动设备可以优先采用液力偶合器作为软启动装置。液力偶合器的电机平均启动电流可降至140%~200%的额定电流,平均启动系数K为1.2~1.5,降低20%左右的胶带张力。从结构和原理的角度来看,液力偶合器的输出转速和输入转速之比通常不能高于97%,否则无法实现输入轴和输出轴的同步运行,因而必然存在较大的功率损失,降低了传动系统的效率。对于大功率传动来说这种功率损失往往是不容忽视的。

(2)电软启动装置。

电软启动的类型很多,包括变频启动、定子电路中串接电阻、电抗器启动、自耦变压器降压启动、晶闸管斩波降压启动等。其中利用晶闸管斩波技术进行工频电压调节是一种新型软启动方式,适合带式输送机的启动控制。

电软启动的优点是:

①启动时无冲击电流,通过逐渐增大晶闸管导通角,使启动电流从零线性上升至设定值;

②恒流启动,软启动器可引入电流闭环控制,使电动机在启动过程中保持恒流,确保电动机平稳启动;

③采用了由速度闭环—电流截止负反馈闭环组成的双闭环控制系统,闭环控制采用PI调节方式,有效地克服了传统的开环调压调速系统无法适应负载变化的缺点;

④可根据负载情况及电网继电保护特性选择,能自由地无级调整至最佳的启动电流;

⑤可选择实现软启动和软停止、双斜坡启动、突跳启动、准确停车控制功能;

⑥最大限度地消除启动和停车过程中对系统的机械冲击;

⑦最大限度地消除设备在启动过程中对电网的冲击,降低启动电流和网络压降。

(3)液粘性可控驱动装置。

液体粘性传动是70年代中期发展起来的一种新型流体传动形式,它利用存在于主、从动件之间的油膜剪切作用力来传递动力,能够实现主、从动轴之间的无级调速和同步运行,并且还能对传动系统进行过载保护。如美国Dodge公司的CST软启动装置,这种装置是利用液体的粘性和油膜剪切原理,其力矩是通过多摩擦片主动与被动间的剪切力传递的,实现了输出转速的无级调节。目前这种型式的软启动装置大多从国外引进,价格比较昂贵,国内类似产品正在研制过程中。

对于大型煤矿机械,尤其是负载变化较大、使用年限长的固定设备(例如矿井主运输胶带机、主排水泵等),应尽量采用电软启动或CST一类的软启动器;对于一些功率较小、运距不长的设备、移动设备可以优先采用液力偶合器作为软启动装置。液力调速装置的启动调速精度虽不及其他两种,但价格低廉,只有其他两种的1/8~1/10,性价比最佳,是最理想的软启动装置。对于只需可控启动,无需变速运行,启动调速精度的要求也不高的场合,液力调速装置就可满足可控启动要求,但在控制精度等方面仍存在不足。

第三节　带式输送机的安装与调试

一、安装要求

(1)输送机的安装巷道净高不得低于2m,顶板、煤帮的支护应良好,巷道内不应有积水现象,输送机两侧有足够的宽度,行人经常跨越的地点应设行人过桥。

(2)直线运行的输送机机头、机身和机尾的中心线应成一条直线。

(3)机头、机尾各滚筒、铰接托辊、吊架的位置必须与输送机中心线垂直。

(4)胶带接头必须保证垂直。

(5)输送机与支柱间应留有间隙,一面不小于0.4m,另一面不小于0.7 m,靠近机头和机尾的过道不应小于0.6 m。

(6)对于绳架吊挂式的机身钢丝绳两端必须固定牢固,不允许有松动;两根钢丝绳高度应相同,张紧程度应一致,机尾固定钢丝绳必须系结牢固。

二、安装程序

带式输送机的安装一般按以下几个阶段进行:

(一)安装机头

带式输送机安装是从机头架开始的。安装时,按以下程序执行:

1.测量确定输送机中心线,安放机头架并调整其中心线位置与安装中心线重合;

2.沿中心线方向移动机头架,使其符合落煤要求;

3.在机头架底座下加减垫片,调整机头架底座标高要求;

4.紧固地脚螺栓,固定机头架的位置。

(二)安装驱动装置

1.将驱动滚筒装入机头架,调整滚筒轴承座位置(轴承座下加减垫片),保证传动滚筒轴中心线与输送机中心线垂直,再将水平仪放在滚筒测量基准面上(筒体外圆上或包胶外圆上),在垂直方向调整轴承座高度,使滚筒水平度符合要求。然后紧固滚筒轴承座的连接螺栓,将驱动滚筒定位。

2.依次安装其他滚筒,调整滚筒轴承座使滚筒保持水平并使轴中心线与传动滚筒中心线平行。

3.安装减速器时,有两种情况:一是驱动架与机头架为分离结构。安装时,先将减速器初步固定在驱动架上,然后连同驱动架一起进行安装调整。此时以减速器输出轴为基准件,移动整个驱动架,使减速器输出轴中心线与传动滚筒轴中心线基本同轴,并保持水平状态,同时调整驱动架标高和水平,并紧固驱动架地脚螺栓。地脚螺栓紧固后,松开减速器机座固定螺栓,在减速器机座下加减垫片,二次调整减速器输出轴与传动滚筒轴同心,并使其符合安装技术要求。二是驱动架与机头架为整体结构。安装时,将减速器吊放在驱动架上,调整减速器位置和中心高度,使输出轴与传动滚筒轴中心线同轴,并保持水平。

（三）安装中间架

安装中间架可以与安装驱动装置平行作业。机头架位置确定后，先安装过渡架，顺次安装各中间架。安装中间架时，首先要在带式输送机全长引拉中心线，使各中间架对称中心线与输送机中心线在一直线上；其次，要保持中间架正面对正，与输送机中心线倾斜度不超标；最后调整中间架支腿高度，使各支腿高度符合要求。

（四）装设尾架

尾架的位置一般也是由测量部门先确定中心线然后进行安装的，所以，安装尾架往往与安装机头架平行作业，安装方法与安装机头架相同，并合理安装尾滚筒，最后与通过尾部过渡架与中间架相连，则完成整个机架的安装。

（五）拉紧装置安装

拉紧装置安装与机头架安装相似，其中各滚筒与传动滚筒轴线平行，并保持水平。也应与带式输送机中心线垂直。

（六）安装托辊

在机架、传动装置和拉紧装置安装以后，可以安装上、下托辊的托辊架，托辊架的轴线应与输送机中心线垂直。有凸弧和凹弧胶带，应该根据安装图装设托辊架，使胶带具有缓慢变向的弯弧。弯转段的托辊架间距为正常托辊间距的1/2～1/3。托辊装上后，其回转应灵活轻快。

（七）机架的最后找准

在传动滚筒及托辊架安装以后，应对输送机的中心线和水平找准。然后将机架用螺栓固定在基础或横板上。带式输送机固定以后，可以装设给料和卸料装置。

（八）挂设胶带

挂设胶带时，先将胶带铺在空载段的托辊上，围抱过驱动滚筒以后，敷在重载段的托辊上。挂设胶带可以利用0.5t~1.5t手摇绞车。在拉紧胶带进行连接时，应将拉紧装置的滚筒移到极限位置。最后，用机械或硫化连接方法将胶带连接起来。

现场施工过程中，为了使铺设胶带更为方便，常在中间架、下托辊安装完毕后和上托辊架安装之前，先铺设下皮带，然后安装上托辊架，再安装上托辊。这样可以减小铺设皮带时在托辊架之间穿带的工作量，其缺点是调整中间架时胶带压在架上移动难度大。

三、试运转

带式输送机安装以后，需要进行空转试车。试运转中应做好下列工作：

（1）全面检查各部分安装质量。

（2）各润滑部位注油量应达到规定量。

（3）液力联轴器注22号透平油。30 kW电动机的液力联轴器注油7～7.5升；17kW电动机的液力联轴器注油5.5～6升。油温应在20℃左右，油质必须保持洁净，严禁混有各种杂物。

（4）试按启动按钮，观察两传动滚筒转动方向是否正确，证实各部分正确无误、无卡劲现象后，方可正常开车运行。

（5）试运转时注意观察和检查输送带及各组成部分的运转情况。倘若输送带在驱动滚筒上打滑或个别部件有异响，则必须停止运转，检查处理后再进行试运。

(6)调整输送带的跑偏。

(7)调整液力联轴器充油量。

(8)查看传动部分的运转温度，托辊运转中的活动情况，逆止器的安装是否正确，与输送带表面的接触严密程度等，清扫装置和导料板，同时要进行必要的调整。

(9)各部件正常以后，才可进行带负荷运转试车。如果采用螺旋式拉紧装置，带负荷运转试车时，还要对其松紧程度再进行一次调整。

第四节　带式输送机的安全运行

一、带式输送机开机前应检查的项目与要求

1.各部位螺栓齐全紧固。

2.清扫器齐全，清扫器与输送带的距离不大于2~3mm，并有足够多的压力，接触长度应在85%以上。

3.机架连接牢固可靠，机头、机尾固定牢固。

4.托辊齐全，并与带式输送机中心线垂直。

5.输送带张紧力合适(不得打滑、不得超过出厂规定)。

6.输送带接头平直、合格。

7.油位、油质和油封必须符合规定。

8.通讯、信号系统可靠无故障。

9.各种保护装置灵敏可靠。

10.滚筒、轴承座是否牢固。

11.驱动滚筒及托辊处有无浮煤和其他障碍物，如有要及时清理。

二、带式输送机的操作运行

1.启动前必须与机头、机尾及各装载点取得信号联系，待收到正确信号，所有人员离开转动部位后方可开机。

2.开机时，取下控制开关上的停电牌，合上控制开关，发出开机信号并喊话，让人员离开输送机转动部位，先点动2次，再转动1周以上，并检查下列各项：

(1) 各部位运转声音是否正常，输送带有无跑偏、打滑、跳动或刮卡现象，输送带松紧是否合适，张紧拉力表指示是否正确。

(2) 控制按钮、信号、通讯等设施是否灵敏可靠。

(3) 检查试验各种保护是否灵敏可靠。

上述各项经检查与处理合格后，方可正式操作运行。

3.必须按规定的信号开、停输送机。未使用集中控制的多台带式输送机联合运转时，应按逆煤流方向逐台启动。

4.不准超负荷强行启动。发现闷车时，先启动2次（每次不超过15秒），仍不能启动时，必须卸掉输送带上的煤，待正常运转后，再将煤装上输送带运出。

5.在运转过程中，随时注意运行状况；经常检查电动机、减速器、轴承的温度；倾听各部位运转声音；保持正常洒水喷雾。

6.保证所有托辊转动灵活，机头、机尾无积煤、浮煤。

7.停机前应将输送带上的煤拉空。

8.操作工离开岗位时要切断电源。

9.发现下列情况之一时，必须停机，妥善处理后，方可继续运行：

（1）输送带跑偏、撕裂、接头卡子断裂。

（2）输送带打滑或闷车。

（3）电气、机械部件温升超限或运转声音不正常。

（4）液力偶合器的易熔塞熔化或偶合器内的工作介质喷出。

（5）输送带上有大块煤（矸石）、铁器、超长材料等。

（6）危及人身安全时。

（7）信号不明或下一台输送机停机时。

三、带式输送机运行中的安全注意事项

1.尽量避免在短时间内频繁启动电动机，正常情况下应做到空载启动。

2.信号不清、保护装置不灵、电动机及减速箱埋住、机械设备有异常故障、电动机温度超过80℃，不许开车。

3.经常监视各部运转情况，如发现故障，应立即停车处理。

4.不准用带式输送机运送坑木及机器零部件或工具等。

5.经常检查输送带的张紧程度，发现有松弛现象应立即张紧，张紧后应调整输送带，防止跑偏。

6.机头、机尾各传动滚筒应定期注入润滑油脂。

7.机尾装煤时应力求把煤装在输送带中间，不允许在较大的高度内向输送带直接装煤，以防大块煤或矸石砸坏输送带。

8.严禁人员乘坐带式输送机，不准用带式输送机运送设备和笨重物料。

9.输送机的电动机及开关附近20 m以内风流中瓦斯浓度达到1.5 %时，必须停止工作，切断电源，撤出人员，进行处理。

10.输送机运转时禁止清理机头、机尾滚筒及其附近的浮煤。不许拉动输送带的清扫器。

11.除控制开关的接触器触头粘住外，禁止用控制开关的手把直接切断电动机。

12.必须经常检查输送机巷道内的消防及喷雾降尘设施，并保持完好有效。

第五节　带式输送机的维护和保养

一、带式输送机的日常维护

带式输送机在日常维护时，应按以下几方面进行：

(1)每日至少对主要部件进行1次全面检查。观察电动机、减速器、联轴节等是否运行正常，有无异响及振动。

(2)检查各部紧固件是否松动，如发现有松动现象，应及时紧固。

(3)检查胶带的拉紧程度，以空段胶带略成弧形为宜。检查拉紧装置是否灵活有效，张紧小车是否掉道，轨道是否阻塞；重锤拉紧装置悬挂的重锤是否被煤掩埋或托起；对于阻塞、堆煤部位进行清理，使张紧小车在轨道上有效地工作，胶带张紧程度调整合适。

(4)检查胶带及接头部位是否脱胶，接头处是否变形、破裂，金属卡子连接的胶带接头根部是否有横向裂纹，金属卡子是否被刮变形，若发现胶带接头异常变形及破裂，应及时检修处理。

(5)检查胶带是否有跑偏及打滑等不正常的工作状态，胶带上是否有大块物料及铁器等。若发现胶带跑偏、打滑等不正常的工作状态，应及时进行调整；对于胶带上的大块物料及铁器等杂物，应及时停机清除。

(6)检查滚筒、托辊是否有变形、损坏、缺油，轴承部位温度是否超过标准，转动是否灵活，对于严重变形和损坏的滚筒及托辊应及时更换。缺油部位应当及时注油。

(7)检查减速器、各滚筒轴承的润滑情况，是否漏油或缺油。应对漏油部位进行处理，若缺油应及时补充。

(8)检查空段或重段清扫器是否能工作正常，要使清扫装置与胶带接触良好，当清扫器上清扫带固定架下端与输送带最小距离达到5 mm ~ 8mm时，应及时更换清扫带。

(9)检查和试验皮带综合保护装置的工作情况，动作要灵敏可靠。

(10)检查溜煤板是否牢固，卸料板位置是否正确。应把溜煤板、卸料板位置调整合适，固定牢固。

二、各主要部件的检查与维护

(一)减速器的检查与维护

(1)取下减速器的油尺，观察油迹在油尺上的刻度值，油位应保持在大齿轮半径的1/3左右，低于该油面时，应补充润滑油。

(2)煤炭标准MT148-95规定：新制造或大修后的减速器，在工作250h后应更换新油，以后每隔3~6个月彻底清洗换油。

(3)当出现下列情况时也必须换油：

①油的外来杂质含量达到2% 。而被磨损的金属颗粒含量超过0.5%时。

②除油包水齿轮油外，油中水含量高于2%时。

③油质不符合要求时。

(二)胶面滚筒的维护保养

(1) 经常清扫滚筒表面。在滚筒处除安装清扫器外,可以用工具或者用水洗、风吹等办法清除滚筒表面的附着物,使滚筒表面始终保持清洁。

(2) 滚筒的胶面有破损包胶脱离滚筒表面的情况,可用刀具把破损或脱离部分割除,防止破损或脱离状况蔓延扩大。

(3) 当胶面脱离滚筒表面面积较大时,应更换包胶或送厂家重新铸胶。

(4) 及时紧固包胶松动的螺钉,以保证包胶的每个部位与滚筒外壳牢牢贴紧。对于磨薄露出螺钉的包胶,应及时更换新包胶。

(三)托辊的维护保养

(1) 坚持巡回检查制度,按时检查,发现有异响或不转的托辊及时更换,将换下的托辊及时修好,准备再用。

(2) 分段或整机拆检更换托辊。应根据使用经验,确定出检修周期,集中人力,分段或整机拆检更换托辊。

(3) 经常清除托辊间夹杂的煤及杂物,使托辊保持转动灵活。

(4) 对于缺油的托辊及时注油,以延长托辊的使用寿命。

(四)胶带的维护保养

(1) 在条件允许的情况下,尽量减小给煤嘴与胶带之间的距离,减缓物料对胶带的冲击和摩擦。

(2) 对缓冲托辊进行重点检查,对磨损严重的缓冲托辊进行及时更换或修复,严禁用普通托辊代用,否则会导致胶带严重损坏。

(3) 严格控制水煤、大块物料及铁器传送到胶带上。已经传送到胶带上的大块物料及铁器被发现后,要及时停机,将大块物料或铁器搬离后再开机。

(4) 对胶带边部磨损、中部纵向撕裂和脱胶部位及时修补。

(5) 对于胶带接头严重变形、破裂,金属卡子变形、损坏,要重新接头、整形或更换金属卡子。

(6) 增设必要的调心托辊,防跑偏保护,断带、打滑保护,以保证胶带正常工作,使带式输送机在事故运转中能及时自动停机,防止事故扩大,从而保护胶带。出现一般的胶带跑偏现象,调心托辊可以调正胶带方向。

(7) 严格按操作规程操作带式输送机。

(8) 有淋水的带式输送机,应采取防水措施。

三、胶带输送机主要部件的检修质量标准

1.胶带输送机滚筒、托辊检修质量标准

(1)各传动滚筒表面应光滑、无损坏,运转灵活、可靠,滚筒边缘无毛刺,去尖角或倒钝;

(2)滚筒表面的硫化橡胶应均匀,粘结牢固,若胶层沟槽磨平后,应按设计要求重新制造硫化胶层;

(3)两个驱动滚筒直径应一致,其直径相差不大于1mm;

(4)承载托辊与回程托辊运转应灵活可靠,无卡阻和噪声;

(5)承载缓冲托辊表面胶层磨损量不超过凸起部分高度的1/3;

(6)各轴承注油部位应保持清洁,注油量应为注油室的2/3。

2.胶带输送机机头、尾架、中间架、机尾承载段检修质量标准

(1)各类框架无变形、开焊现象;

(2)机头卸载臂缓冲板,卸载滚筒调节机构应完整无损,卸载漏斗应无变形、开焊现象;

(3)机尾承载段、转载机运行轨道应平直、无变形,长度上的弯曲度不得超过全长的5%;

(4)机头、尾架左右底平面高度差不大于3mm。

四、检修时的注意事项

1.在检修煤仓上口的机头卸载滚筒部分时,必须将煤仓上口挡严。

2.处理输送带跑偏时严禁用手、脚及身体的其他部位直接接触输送带。

3.拆卸液力偶合器的注油塞、易熔塞、防爆片时,应戴手套,面部避开喷油方向,轻拧松几扣后停一会,待放气后再慢慢拧下。禁止使用不合格的易熔塞、防爆片或其他代用品。

4.在输送机上检修、处理故障或做其他工作时,必须闭锁输送机的控制开关,挂上"有人工作,不许合闸"的停电牌。除处理故障外,不许开倒车运转。严禁站在输送机上点动开车。

第六节　带式输送机常见故障分析与预防

一、输送带跑偏

输送带的跑偏是带式输送机最常见的故障,轻则影响输送机的使用寿命和输送量,重则造成洒料甚至停机事故,直接影响生产。因此,对其及时准确地处理是安全稳定运行的保障。

(1)承载托辊组安装不当。

承载托辊组安装位置与输送机中心线的垂直度误差较大时,导致胶带在承载段向一侧跑偏。如图6-19所示,胶带向前运行时给托辊一个向前的牵引力Fq,这个牵引力分解为使托辊转动的分力Fz和一个横向分力Fc,这个横向分力使托辊轴向窜动,由于托辊支架的固定托辊是无法轴向窜动的,它必然就会对胶带产生一个反作用力Fy,它使胶带向另一侧移动,从而导致了跑偏。此类跑偏可通过调整托辊组位置进行排除,调整时带往哪边跑,就将哪边的托辊向带前进的方向移动,也可通过安装调心托辊组进行消除。

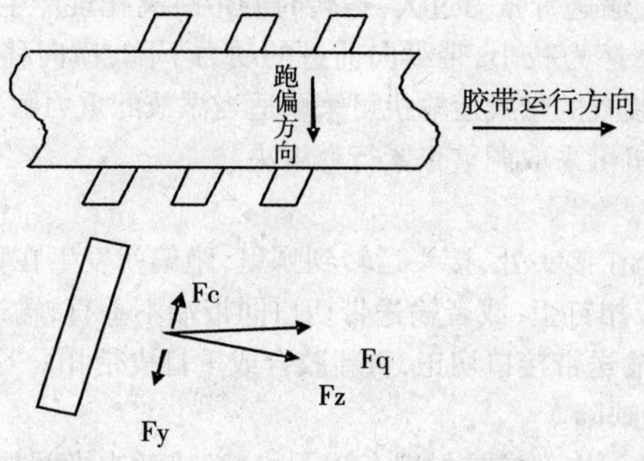

图6-19　承载托辊组安装偏斜时受力分析

(2)头部滚筒与尾部滚筒位置安装不当。

头部驱动滚筒或尾部改向滚筒的轴线与输送机中心线不垂直导致滚筒偏斜时，胶带在滚筒两侧的松紧度不一致，沿宽度方向上所受牵引力也就不一致，导致输送带向紧的一侧移动跑偏。出现这种情况，若跑偏不严重时，可以调整滚筒轴承座前后位置。对于头部滚筒，如胶带向滚筒右侧跑偏，则右侧轴承座应当向前移动；左侧跑偏，则左侧轴承座应当向前移动。相对应的也可将左侧轴承座后移或右侧轴承座后移。尾部滚筒的调整方法与头部滚筒刚好相反。但这种方法调整移动的位置有限，当跑偏严重时，就必须对机架重新安装。

(3)滚筒外表面加工误差、粘物料或磨损不均。

滚筒外表面加工误差、粘物料或磨损不均时，导致滚筒表面呈圆锥面，致使输送带向直径较大的一侧跑偏。其受力情况如图6-20所示。胶带的牵引力Fq产生一个向直径大侧的移动分力Fy，在分力Fy的作用下，胶带产生偏移。解决的方法是清理干净滚筒表面粘的物料，最根本的是要经常检查清扫器并人工清扫回程输送带上的物料；对加工误差大和磨损不均的滚筒要做重新加工包胶处理。

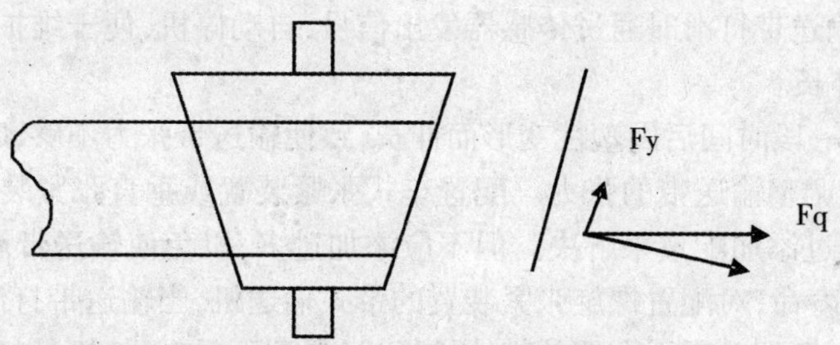

图6-20　滚筒直径大小不一的受力情况

(4)落料口位置不正确。

输送带空转正常，一加上负载就跑偏。这一情况可能是由于物料落点不在输送带中间，物料在胶带上分布偏向一侧，带受偏心力跑偏。此时应改变落料口处挡板的位置或结构，使落料位于输送带中间。

(5)胶带张紧力不当。

输送机空转时跑偏，而加上物料后跑偏减弱或运转正常。这种现象一般都是输送带松弛或初张力过大造成的,输送带张力过大,运转时胶带跳离托辊产生飘浮摆动;输送带张力过小,滚筒与带之间的摩擦力减小,带纵向前进的动力下降,横向移动的阻力减小,造成跑偏。对于使用重锤张紧装置的带式运输机可采取适当添减配重力解决。对于使用螺旋张紧或液压张紧的带式运输机可采取调整张紧行程解决。

(6)输送带接头不当。

运转时,最大跑偏处在接头处,接头运转到哪里,跑偏就发生在哪里。这主要是由于输送带接头两端不齐、皮带扣钉歪,或者输送带切口同带端不垂直,输送带受到的拉力不均匀造成的。解决方法是将输送带接口切正,重新胶合或重打皮带扣。

(7)输送带存在质量缺陷。

输送带制造质量不好,内部抗拉材料布置不均匀,或者边缘磨损严重,胶带张力合成中心线与胶带几何中心线不重合,或者胶带使用时间过长,发生塑性变形,出现表面弯曲不直,使输送带两边长短不一,受到的拉力不一致,造成跑偏位置不固定。出现这种情况时应及时修补或更换输送带。

输送带跑偏的方向和规律可以用“大、高、紧、后”4个字来总结。

“大”也就是偏大不偏小:滚筒托辊直径不一时,向直径大的一侧跑偏;

“高”是偏高不偏低:支撑装置不在同一水平面上,会造成向高的一侧跑偏;

“紧”是偏紧不偏松:输送带两侧的松紧程度不一样,运行中向紧的一侧跑偏;

“后”是偏后不偏前:托辊或滚筒不在运行方向的垂直面内,一前一后,则会向后的一侧跑偏。

二、带式输送机打滑

(1)运输阻力过大。

由于托辊损坏、杂物缠绕、物料埋压等原因会使大量的托辊不转,损坏的输送带或接头在通过托辊时阻力增加,输送带跑偏严重,装载货物过多等均使输送带阻力过大而引起输送带打滑。因此要加强输送机的运行管理、控制给物料量、禁止超载运行。另外,正常使用打滑保护装置,当输送带打滑时通过传感器发出信号,自动停机,便于维护处理。

(2)输送带伸长。

输送带使用一段时间后因塑性变形而伸长,致使输送带张力不够,摩擦牵引力降低而打滑。定期或及时调整输送带的张力。配置车式张紧装置或垂直张紧装置的带式输送机,输送带打滑时可通过添加配重来解决。但不应添加过多,以免使输送带承受不必要的过大张力而降低其使用寿命;对配置螺旋张紧装置的带式输送机,当输送带打滑时可调整张紧行程来增大张紧力;对于那些露天布置的带式输送机,遇到雨、雪天气极易打滑,最好配置液压张紧装置。液压张紧装置具有自动增加张紧力补偿功能,同时具有断带自动停机功能。

(3)摩擦系数降低。

输送带与驱动滚筒的接触面浸入泥水、粉尘时,摩擦系数急剧下降,从而输送带打滑。采取防淋水措施,采用花纹胶面滚筒,增设上带非工作面清扫器,增强操作者的责任心,及时清除滚筒上的泥水、物料等杂物。

(4)启动速度太快也能形成打滑。此时可慢速启动,如使用鼠笼电机,可点动2次后再启动,也能有效克服打滑现象。

三、输送带撕裂

(1)由于井下工作条件的限制以及管理上的不完善,井下运至机尾落料口的煤块中,往往夹带着大块的矸石、角钢、槽钢等异物,这些异物常常有较锐利的边口,极易扎伤胶带,或卡在架子或托辊上,形成对输送带表层的压力和持续划擦,且愈卡愈紧,胶带表层一旦被刺破划伤则其伤口便会迅速加深,最终划透输送带,形成撕带。根据统计,撕带事故大多数发生在机尾装载点处,约占所有撕带事故的80%。必须在装料处安装纵向撕裂保护装置。

(2)胶带跑偏后,被托辊端盖或机架边口割开,进而造成撕带,这种情况可能发生在胶带机全长的任何位置。要及时调整张紧程度,避免输送带长期跑偏,安设防跑偏装置并及时处理跑偏胶带。

(3)输送带保管不善,胶带表面受到油或化学品污染;铺设过短产生挠曲次数超过限值,都会导致输送带提前老化开裂。要严格按照输送带保管要求贮存,尽量避免短距离铺设使用。

四、输送带断带

(1)输送带张紧力过大,胶带所受应力超过疲劳极限引起断带。应经常检查和调整输送带张紧装置,使输送带保持适宜张紧力。

(2)装载分布严重不均或严重超载,导致胶带局部拉力过大而断带。应把输送带上的货物装载均匀,防止局部超载或偏载。

(3)驱动滚筒或机尾滚筒带入较大的异物。胶带瞬间受力增大。应加强责任心,发现异物要及时停机进行清理。

(4)输送带接头质量不符合要求,使胶带允许承受的载荷下降。应严格按标准使用合格的输送带扣,并经常检查接头质量。

(5)输送带磨损超限、老化或其本身质量不合格,导致承载能力降低,应使用合格的输送带,加强检查,及时更换磨损超限的输送带。

五、托辊运转不灵

(1)托辊的制造质量差。托辊制造方面的问题主要表现在轴承座的刚度不够,难以保证托辊的装配精度,从而制约了托辊运转的灵活性。在托辊的制造工艺上保证规定精度的要求,例如冲压轴承座的内孔精度要达到3级,管体两端的尺寸公差、同轴度和椭圆度都必须符合国标,不能超差。

(2)密封润滑及使用维护不当。由于带式输送机的工作环境较为恶劣,一般来说现场粉尘都很大,轴承座的密封形式对托辊运转灵活性影响很大,如果密封不好,污物就容易进入轴承内造成托辊转动不灵活;另外,轴承润滑脂如果采用一般钙基润滑脂很容易变色变干,不能起到很好的润滑作用。这就需要配较好的润滑材料,如采用锂基润滑脂,可以改善轴承的润滑情况,这对延长托辊的使用寿命是非常必要的。轴承座采用向心球轴承支撑、塑料密封环迷宫式密封结构,这样既可保证托辊工作时受力合理,同时防尘效果好,阻力小,且装拆方便,便于维护,可有效降低输送机的运营成本。

(3)托辊与输送带不接触。应垫高托辊位置,使之与输送带接触。

(4)托辊外壳被物料卡阻,或托辊端面与托辊支座干涉。此时,须清除物料,干涉部位加垫圈或校正托辊支座,使端面脱离接触。

六、逆转飞车

(1)带式输送机运输负载大,下滑力矩大于驱动力矩。应控制给料量,做到均匀装料,禁止超负荷运转。

(2)运转速度高,紧急停车时产生的惯性大。应尽量避免紧急刹车,正常情况下应空载停车。

(3)制动器或防逆转装置失灵,制动力矩不足。应改善制动器或防逆转装置的性能,使其始终保持灵活可靠状态。调整闸轮(闸盘)与闸瓦的间隙,使其保证合适的制动力矩,满足制动要求。

七、异常噪音

带式输送机运行时,其驱动装置、传动滚筒和改向滚筒以及托辊组在不正常时会发出异常噪音,根据异常噪音可判断设备的故障。

(1)改向滚筒与传动滚筒的异常噪音。改向滚筒与传动滚筒正常工作时噪音很小,发生异常噪音时一般是轴承损坏,轴承座处发出“咯咯”的响声,此时需及时更换轴承。

(2)联轴器两轴不同心时的噪音。当联轴器两轴不同心时,会在电机与减速器之间的联轴器或带制动轮的联轴器处发出异常噪音,这种噪音也伴有与电机转动频率相同的振动。

此时,应及时调整电机和减速机轴的同心度,以避免减速机输入轴断裂。

(3)托辊严重偏心时的噪音。带式输送机运行时,托辊常会发出异常噪音,并伴有周期性的振动。尤其是回程托辊,因其长度和重量均较大,噪音也比较大。发生噪音的主要原因有两个:一是制造托辊的无缝钢管壁厚不均匀,断面跳动过大,产生的离心力较大;一是加工时两端轴承孔中心与外圆圆心偏差较大,使离心力过大,在轴承未损坏并允许噪音存在的情况下,仍可继续使用。

八、减速器断轴

减速器断轴多发生在其高速轴上,最常见的是在减速器第一级的圆锥齿轮高速轴上。发生断轴主要有2个原因:

(1)轴的强度不足。这种情况一般发生在轴肩处。由于此处有过渡圆角,如圆角过小就会产生应力集中,容易发生疲劳破坏,在较短的时间内就会断轴,而且断口通常比较平齐。发生这种情况时,应立即更换减速机或修改减速机的设计。

(2)联轴器不同轴。联轴器上电机轴与减速器高速轴不同心时,会使减速器输入轴的径向载荷增大,加大轴上的弯矩,长期运转会发生断轴现象。在安装与维修时应仔细调整其位置,保证两轴的同心度。通常情况下电机轴不会发生断裂,因为电机轴的材料大多是45号钢,轴径也比较粗,应力集中情况要好一些,所以不易断裂。

九、减速器漏油

(1)轴端漏油:轴承和减速器内回油沟堵塞;毡垫和胶圈损坏或老化,密封失效等造成。需疏通减速器内回油沟,在轴上加装挡油盘更换毡垫及密封胶圈。

(2)轴承压盖螺钉孔漏油或轴承压盖端面与减速器外壳结合面处漏油:轴承压盖螺钉不紧固或垫片损坏。需紧固轴承压盖螺钉,更换损坏的垫片。

(3)减速器外壳对口平面处漏油:减速器外壳对口平面变形;对口螺栓连接不紧及密封胶损坏失效。减速器外壳对口处采用耐油橡胶垫,紧固对口螺栓,重新更换密封胶。

第二部分 专业核心知识点

1.带式输送机的安全运行。

2.带式输送机的日常维护与检修方法。

3.带式输送机的故障分析及处理方法。

第三部分　专业技能训练

技能一　带式输送机的操作

技能训练目的：

1.熟悉带式输送机的结构、性能、工作原理和各种保护的原理和检查试验方法。
2.掌握带式输送机安全操作的有关规定。
3.掌握带式输送机操作的方法和程序。

技能训练内容及要求：

本训练可在实训室也可在现场进行。
1.手指口述带式输送机的结构、各组成部分的作用及原理。
2.叙述带式输送机操作的有关安全规定。
3.正确操作带式输送机(具体步骤参照本章第四节内容)。

技能二　带式输送机常见故障的处理

一、技能训练目的

熟练掌握带式输送机常见故障分析及处理的方法，提高学生的实践能力。

二、技能训练内容

技能训练可在实训室或现场进行。在实训室，指导教师可根据实际情况，设置常见故障，让学生分析、判断，并进行处理。现场中，针对带式输送机现场出现的故障，学生应在教师或技术人员的指导下，进行分析、处理，以保证人员、设备的安全，并不影响生产。总之，应根据实际情况进行实训，既能达到实训目的，又能保证安全。

带式输送机的常见故障的设置可参见本章第六节内容。

复习题

1.带式输送机是由哪几部分组成的？各部分的作用是什么？
2.带式输送机有哪几种类型？各有什么特点？
3.输送带的连接方法有哪几种？
4.简述输送带打滑的原因及预防措施。
5.简述输送带跑偏的原因及预防措施。

讨论题

1.带式输送机常见的故障有哪些？如何处理？并针对性提出预防措施。
2.搜集近年来带式输送机运行中造成的伤人事故。分析原因并提出预防措施。
3.带式输送机的保护装置有哪些？分别起什么作用？

第七章　矿用电机车

第一部分　系统理论知识

第一节　概　述

矿用电机车是矿山的重要运输工具，主要用于煤矿生产中的煤炭、矸石、各种设备、材料等物料的运输。当井下水平运输距离较长时，往往以电机车作为主运输设备。目前，我国使用的电机车都是直流电机车，按供电方式分为架线式和蓄电池式两种。由于电机车是依靠牵引电机驱动车轮转动，借助车轮与轨面间的摩擦力，使机车在轨道上运行。它的牵引力不仅受牵引电机功率的限制，还受车轮与轨面间的摩擦制约。因此，机车运输能行驶的坡度是有限制的，运输轨道适宜坡度一般为3‰左右，局部限制坡度不超过30‰。

一、电机车的工作过程

(一)矿用电机车的工作过程

1.架线式电机车的工作过程

如图7–1所示，高压交流电经牵引变流所降压、整流后，正极接到架空线上，负极接到铁轨上。机车上的受电弓与架空线接触，将电流引入车内，再经空气自动开关、控制器、电阻箱进入牵引电动机，驱动电动机运转。

电动机通过传动装置带动车轮转动，从而牵引列车行驶。从电动机流出的电流经轨道流回变流所。

架线式电机车运行时，受电弓与架空线间难免产生火花。因此架线式电机车在低瓦斯矿井进风(全风压通风)的主要运输巷道内使用时，巷道支护必须使用不燃性材料；如在高瓦斯矿井进风(全风压通风)的主要运输巷道内使用架线式电机车，必须遵守《煤矿安全规程》有关规定。

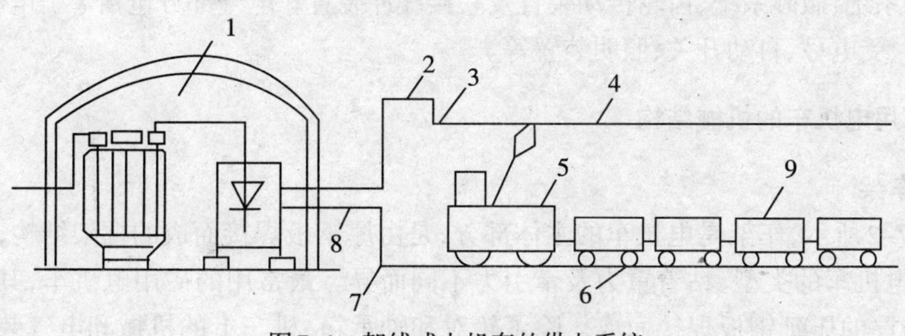

图7–1　架线式电机车的供电系统

1——牵引交流所；2——馈电线；3——馈电点；4——架空裸导线；5——电机车；6——运输轨道；7——回电点；8——回电线；9——矿车

2.蓄电池式电机车的工作过程

蓄电池提供的直流电经隔爆插销、控制器、电阻箱进入电动机，驱动电动机运转。电动机通过传动装置带动车轮转动，从而牵引列车行驶。

蓄电池式电机车由车上携带的蓄电池供电，运输线路不受限制，但需要充电设施，蓄电池放电到规定值时需更换。蓄电池电机车，只一端有驾驶室，向另一端运行时，电池箱阻碍司机视线，司机只好探身向外望，容易发生事故。采用双驾驶室能解决这一不安全因素，现在已有双驾驶室蓄电池式电机车。

蓄电池式电机车按其防爆安全性能分为：

(1)防爆安全型。电动机、控制器、灯具、电缆插销等均为防爆型，蓄电池和电池箱为普通安全型，用于以全风压通风的瓦斯矿井主要运输巷道、掘进岩石巷道。

(2)防爆特殊型。电动机、控制器、灯具、电缆插销等为隔爆型，蓄电池则为防爆特殊型，主要用于瓦斯矿井的主要回风巷和采区进风及回风巷中。

二、矿用电机车的形式和分类

电机车按电能来源分为矿用直流架线式电机车(ZK型)和矿用蓄电池电机车(XK型)。

按电机车的黏着质量(能够产生牵引力的质量，即作用于主轮对上的质量)分类，架线式电机车有1.5t、3t、7t、10t、14t、20t几种；蓄电池有2t、2.5t、8t、12t几种。小于7t的电机车一般用作短距离调车用，或用于输送量不大的采区平巷。

按电机车的轨距分为600mm、762mm、900mm 3种，其中762mm轨距主要用于较大的金属矿井中，中小型煤矿多采用600mm轨距，大型煤矿多采用900mm轨距。

按电压等级，架线式电机车有100(97)V、250V、550V 3种，其中100(97)V用于3t及以下吨位的电机车；蓄电池电机车有40/48V与110/132V 2个等级，同一台电机车，使用铁镍蓄电池时为斜线下边值，40/48V电压等级用于2.5t以下吨位的机车。

第二节　矿用电机车的结构

矿用电机车由机械和电气两大部分组成。机械部分包括车架、轮对、轴承和轴箱、弹簧托架、制动系统、撒砂系统、齿轮传动装置及联接缓冲装置。电气部分包括牵引电动机、控制器、电阻器、受电弓、自动开关、照明装置等。

一、矿用电机车的机械结构

(一)车架

如图7-2所示，车架是电机车的主体部分，是由厚钢板焊接而成的框架结构，各钢板的厚度根据电机车的类型、粘着重力及牵引力不同而异。最常用的矿用电机车，其车架系用25～35mm厚的压延钢板焊接而成。除了轮对和轴承箱，机车上的机械和电气装置都安装在车架上。车架用弹簧托架支承在轴承箱上，运行中因常受到冲击、碰撞，而产生变形，所以应加大钢板厚度或采取相应的增加车架刚度的措施。

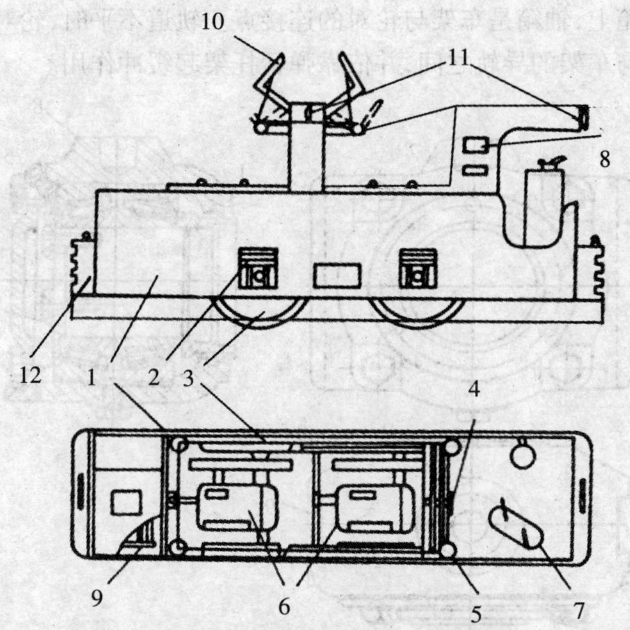

图7-2　架线式电机车基本组成

1——车架;2——轴承箱;3——轮对;4——制动手轮;5——砂箱;6——牵引电动机;7——控制器;8——自动开关;9——起动电阻;10——受电弓;11——车灯;12——缓冲器及连接器

(二)轮对

轮对是由2个车轮压装在一根轴上所构成,如图7-3所示。电机车的全部重量通过轮对传递给钢轨,牵引电机的转矩也通过轮对作用于钢轨。车轮有两种,一种是轮箍和轮芯热压装在一起的结构,另一种是整体车轮。前者的优点是轮箍磨损到极限时,只更换轮箍不用报废整个车轮。驱动轮对有传动齿轮,电动机经齿轮减速后带动轮对旋转。

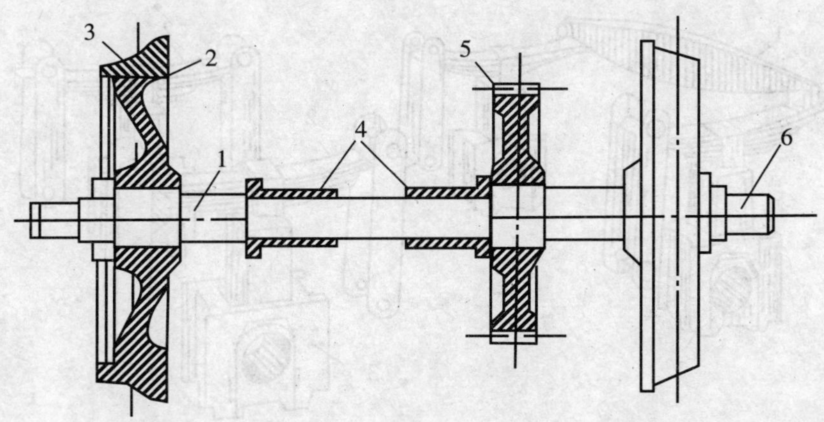

图7-3　轮 对

1——车轴;2——轮心;3——轮箍;4——轴瓦;5——齿轮;6——轴颈

(三)轴箱

如图7-4所示,轴箱是轴承箱的简称,是一个带盖的铸钢或铸铁箱体。它与轮对两端的轴颈配合安装,轴箱两侧的滑槽与车架上的导轨相配,上面有安放弹簧托架的座孔。车架靠弹簧托架支承在轴箱上,轴箱是车架与轮对的连接点。轨道不平时,轮对与车架的相对运动发生在轴箱的滑槽与车架的导轨之间,并依靠弹簧托架起缓冲作用。

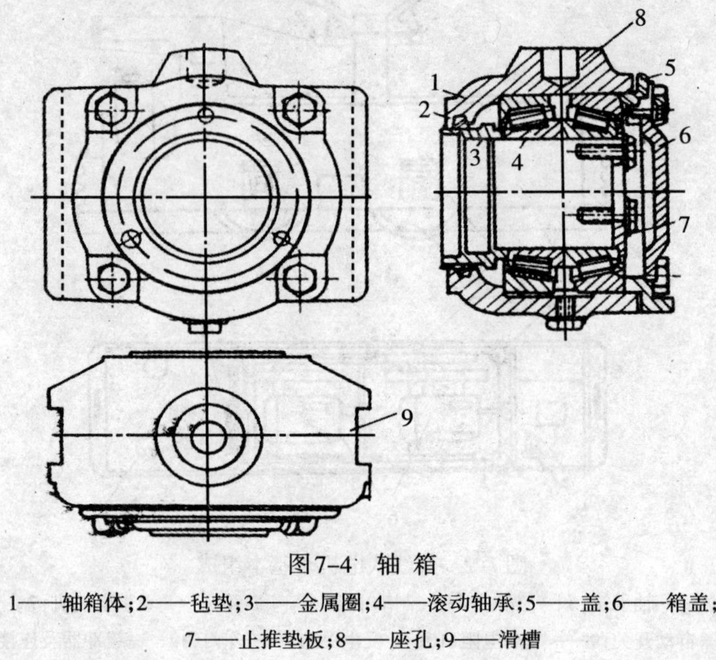

图7–4 轴 箱

1——轴箱体;2——毡垫;3——金属圈;4——滚动轴承;5——盖;6——箱盖;7——止推垫板;8——座孔;9——滑槽

(四)弹簧托架

弹簧托架是一个组件,由缓冲元件、均衡梁及联接零件组成,其作用是缓和电机车的冲击和振动,把机车重力均匀地分配到各车轮上,并通过轮对弹性地传递到钢轨上。图7–5是一种使用板簧的弹簧托架。每个轴箱上座装一付板簧,板簧用连杆与车架相连。均衡梁在轨道不平或局部有凹陷时,起均衡各车轮上负荷的作用。

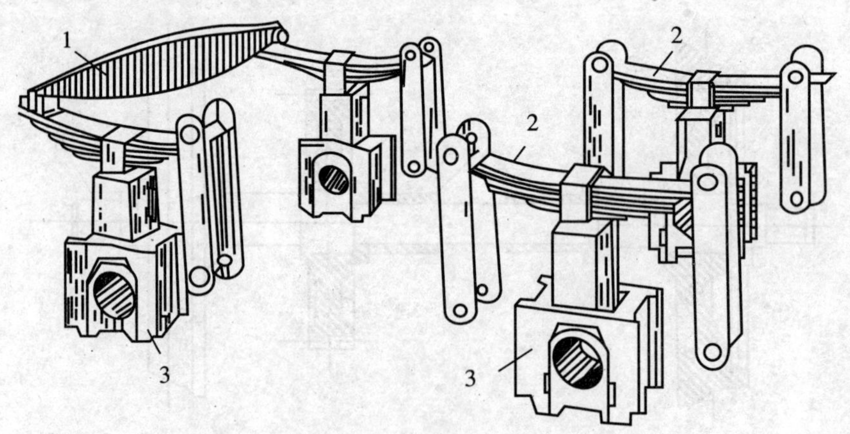

图7–5 弹簧托架

1——均衡梁;2——板簧;3——轴箱

(五)齿轮传动装置

牵引电动机的转矩通过齿轮传动装置传递给轮对。齿轮传动装置一般由从动齿轮、主动齿轮和齿轮罩组成,如图7–6所示。矿用电机车的齿轮传动装置有两种型式:一种是单级开式齿轮传动，其结构如图7-6(a)；另一种是两级闭式齿轮减速箱，其结构如图7-6(b)。开式传动方式传动效率低，传动比较小，而闭式齿轮箱传动效率较高，齿轮使用寿命较长。

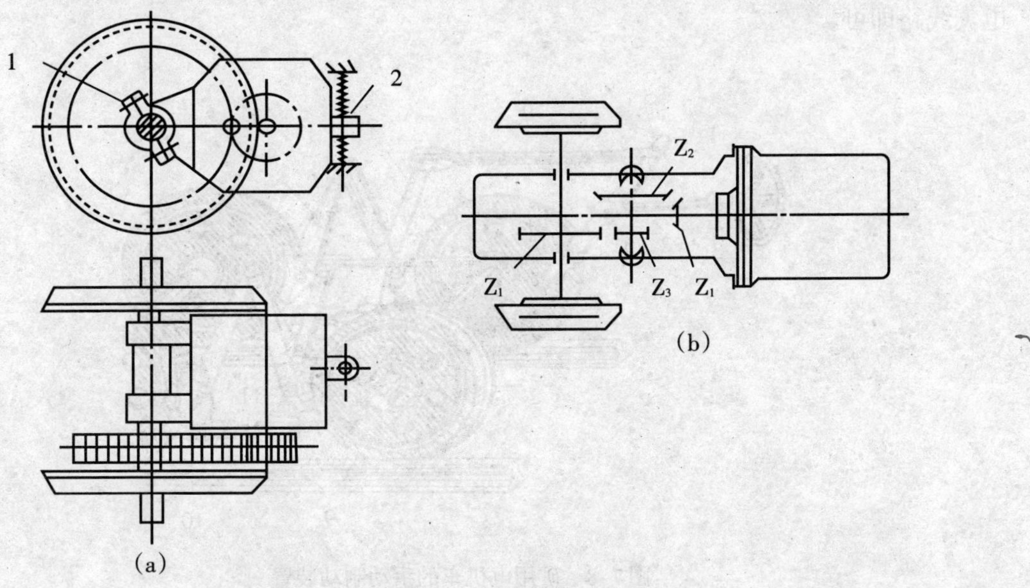

图7-6 矿用电机车的齿轮传动装置

(a)单级开式齿轮传动；(b)闭式齿轮减速箱传动；

1——抱轴承；2——挂耳

(六)撒砂装置

机车上的撒砂装置是用来向车轮前沿轨面上撒砂，其目的是增大粘着系数，以便获得较大的牵引力和刹车力，保证运输的需要和行车的安全。砂箱内装的砂子应是粒度不大于1mm的干砂，其结构如图所示。

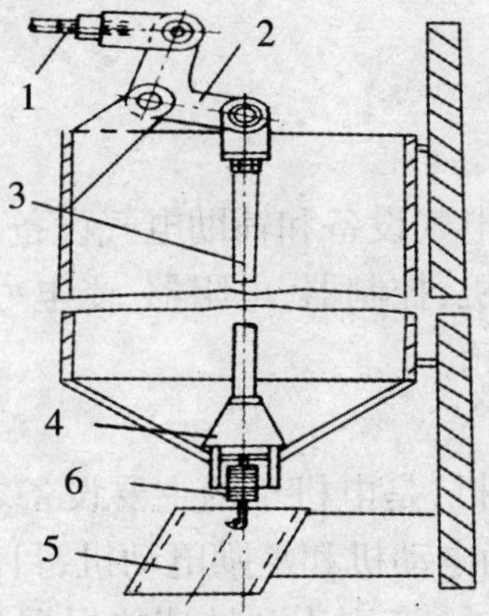

图7-7 矿用电机车的撒砂装置

1、3——拉杆；2——摇臂；4——锥体；5——砂管；6——弹簧

(七)制动装置

电机车的制动装置分为：

1.机械制动。利用制动闸或制动器进行制动，是为电机车在运行过程中能随时减速或停车而设置的。矿用电机车的制动闸多是闸瓦式，用杠杆使闸瓦紧压车轮踏面，借助闸瓦与车轮的摩擦力形成制动力矩。操作方式有手动、气动和液动3种。手动操作的制动装置

如图7–8所示。

2.电气制动。电气制动是牵引电动机的能耗制动，不需要专门设置，只须用控制器改变电气线路即可。

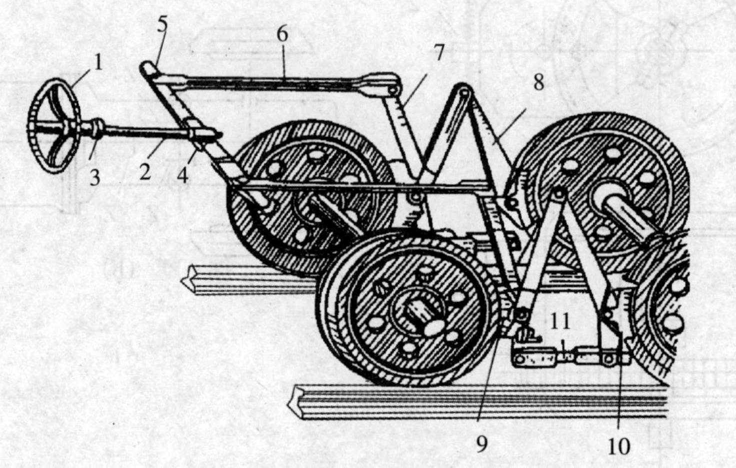

图7–8　矿用电机车的手动制动装置

1——手轮；2——螺杆；3——衬套；4——螺母；5——均衡杆；6——拉杆；7、8——制动杆；9、10——闸瓦；11——正反扣调节螺丝

（八）缓冲器及连接器

缓冲器设在车架的两端，用以承受冲撞。采用弹簧缓冲器能减轻冲击。

连接器用来连接被牵引的列车。为了能连接不同牵引高度的矿车，机车上的连接器做成多层接口。目前矿用电机车的连接器还多是手动摘挂，已有改用自动连接器的机车在使用。

二、电机车的电气设备

电机车的电气设备分为主要电气设备和辅助电气设备。

主要电气设备包括牵引电动机、控制器、电阻器、受电弓、自动开关等。辅助电气设备有逆变电源、照明装置、警铃和电源箱。

（一）牵引电动机

牵引电动机都采用直流电动机，是电机车的主要设备之一。直流电动机按励磁方式分为：他励电动机、并励电动机、串励电动机和复励电动机，目前矿用电机车均采用直流串励电动机，因为它结构简单、启动电流小；牵引力和转速能根据列车行驶条件及运行阻力自动进行调节；在牵引电网的电压波动时，只影响其转数而不影响其牵引力；2台电动机并联工作时，负荷分配比较均匀。

（二）电阻器

电阻器是牵引电动机进行启动、调速和电气制动的重要装置，一般使用带状电阻。带状电阻是不同断面高电阻率的铜或铁铬镍合金带做成的螺旋状电阻。

(三)受电弓

受电弓是架线式电机车用来从架空导线获取电能的装置,由弓圈、接触件、绝缘棒、导线和导线连接螺栓组成。

受电弓的滑动接触部分采用碳素滑板和铸铝滑板。碳素滑板是由以石墨为主的多种材料加压、焙烧而成,具有润滑、抗磨、导电性能好、使用寿命长等特点。而铸铝板易受电火花灼伤和磨损,使用寿命短。

(四)自动开关

自动开关是架线式电机车的电源总开关,有过流保护装置。自动开关由操作机械和衔铁机械2部分组成。操作机械有合闸和跳闸用的手动装置及静动触头;衔铁机械有过电流线圈、消弧线圈等。

(五)蓄电池组

蓄电池组是蓄电池电机车的电源装置,由许多蓄电池组成。蓄电池的主要技术特征是额定电压和额定容量。蓄电池的容量是:充足电之后,以恒定电流,连续放电至端电压为极限电压时为止,其放电电流与放电时间的乘积,单位为A·h。蓄电池的容量与放电电流有关,放电电流愈大,容量愈小。电机车的蓄电池一般以5h制(放电时间为5h)为额定标准。

矿用蓄电池有一般型和防爆特殊型两种。矿用一般型没有防爆性能;防爆特殊型有防爆性能。防爆特殊型蓄电池的防爆性不是依靠采用隔爆外壳,而是在蓄电池本身和蓄电池箱内采用特殊措施,使蓄电池在正常和故障时不发生电弧和电火花,消除火源,并防止氢气在箱内聚集的办法,使蓄电池箱内不产生爆炸的因素,达到防爆目的。

(六)电控装置

电控装置是控制牵引电动机和电机车运行的重要设备。它的作用是操纵电机车前进或后退运行的方向,并控制电机车的启动、调速、停车及电气制动。按控制方式分为两种,一种是利用控制器进行控制的有触点的电控装置,另一种是利用晶闸管脉冲调速的无触点的电控装置。

第三节 电机车运行理论

列车运行理论是研究作用于列车上的各种力与其运动状态的关系以及列车牵引力和制动力的产生等问题。

一、列车运行的基本方程式

列车在井下运行,工作环境较复杂,影响因素很多,为便于研究列车运行的力学问题,假定电机车和矿车组间的连接是刚性的,即认为在运行的任何瞬间,列车各部件的速度和加速度都是相等的。这与实际情况虽有差异,但对研究结果影响很小。

列车运行有3种基本状态:

(1)牵引状态,列车在牵引电动机产生的牵引力作用下加速起动或匀速运动。

(2)惯性状态,牵引电动机断电后,列车靠惯性运行,一般这种状态为减速运行。

(3)制动状态,列车在制动闸瓦或牵引电动机产生的制动力矩作用下减速运行或停车。

列车在牵引状态时，作用在列车上的力有3个：牵引电动机产生的与列车运行方向一致的牵引力F；与列车运行方向相反的静阻力Wj；列车加速运行时产生的惯性阻力Wa（也称动阻力）。根据力的平衡原理，列车在牵引状态下力的平衡方程式为：

$$F-Wj-Wa=0 \tag{7-1}$$

（一）惯性阻力

列车在平移运动的同时，还有电动机的电枢、齿轮及轮对等部件的旋转运动。为了考虑旋转部件的转动对平动惯性阻力的影响，引入一个惯性系数来计算列车的惯性阻力。其计算公式为

$$Wa=m(1+r)a \tag{7-2}$$

式中　Wa——列车的惯性阻力，N；

m——列车全部质量，kg，$m=1000(m_D+Q)$；

m_D——电机车质量，t；

Q——矿车组质量，t；

r——惯性系数，对矿用电机车一般取平均值r=0.075，也可近似取r=0.10；

a——列车加速度，对矿用电机车一般取0.03～0.05 m／s²。

将r值和m值代入式（7-2）中可得

$$Wa=\pm 1100a(m_D+Q) \tag{7-3}$$

上式中，列车加速时取“+”号，减速时取“—”号。

（二）静阻力

列车运行的静阻力，只计算基本阻力和坡道阻力。因列车的运行速度较低，故弯道阻力、道岔阻力、空气阻力等在计算时均忽略不计。

1.基本阻力

基本阻力Wo是指轴颈与轴承间的摩擦阻力、车轮在轨道上的滚动摩擦阻力、轮缘与轨道间的滑动摩擦阻力以及矿车在轨道上运行时的冲击振动所引起的附加阻力等。通常基本阻力是通过试验来确定的，表7-1列出了列车运行阻力系数。

基本阻力用下式计算

$$Wo=1000(m_D+Q)g\omega \tag{7-4}$$

式中　Wo——列车运行的基本阻力，N；

ω——列车运行基本阻力系数；

g——重力加速度，取10 m／s²。

表7-1　列车运行阻力系数

单个矿车的货载质量/t	列车运行		列车启动	
	w_{zh}	w_k	w'_{zh}	w'_k
1	0.009	0.011	0.0135	0.0165
3	0.007	0.009	0.0105	0.0135
5	0.006	0.008	0.009	0.0120

2.坡道阻力

坡道阻力Wi是列车在坡道上运行时，由于列车重力沿坡道倾斜方向的分力所引起的

阻力。

可用下式计算

$$Wi=\pm1000(m_D+Q)g\sin\beta \tag{7-5}$$

式中　β——坡道倾角。

电机车运输时β角很小，因此，$\sin\beta\approx\tan\beta=i$，$i$为轨道坡度，一般取平均坡度3‰。将式(7–5)中的$\sin\beta$用i代入得

$$Wi=\pm1000(m_D+Q)gi \tag{7-6}$$

在计算时，列车上坡运行上式取"+"号，下坡运行取"–"号。

列车运行全部静阻力为基本阻力与坡道阻力之和，即

$$Wj=Wo+Wi=1000(m_D+Q)g(\omega\pm i) \tag{7-7}$$

将式(7–3)、式(7–7)代入式(7–1)中，整理得出列车在牵引状态下电机车必须给出的牵引力为

$$F=1000(m_D+Q)[(\omega\pm i)g\pm1.1a] \tag{7-8}$$

这就是列车在牵引状态下的基本方程式。利用这个方程式可求出在一定条件下电机车必须给出的牵引力，或根据电机车额定的牵引力计算出列车中的矿车数。

二、电机车的牵引力

电机车的电动机产生的旋转力矩，通过减速器传递给机车的主动轮对时，车轮在轨道上滚动，机车牵引矿车组向前运行。下面分析电动机给出的转矩怎样转化成机车牵引力，且牵引力与哪些因素有关。

设矿用机车的2个轮对，均为由牵引电机驱动的主动轮对，如图7–9(a)所示。设机车的质量为Po，取一个轮对为隔离体，作用于该轮对上的力见图7–9(b)，P_og为机车作用在该轮对上的重力；M为牵引电动机传递到该轮对上的转矩；W为列车运行阻力；No为钢轨的反力；F_f为轮对与轨面间的摩擦力。将转矩M用一个作用在轮轨接触点C和轮心的等效力偶代替，若车轮的直径为D，则力偶力的大小Fo为

$$Fo=\frac{2M}{D} \tag{7-9}$$

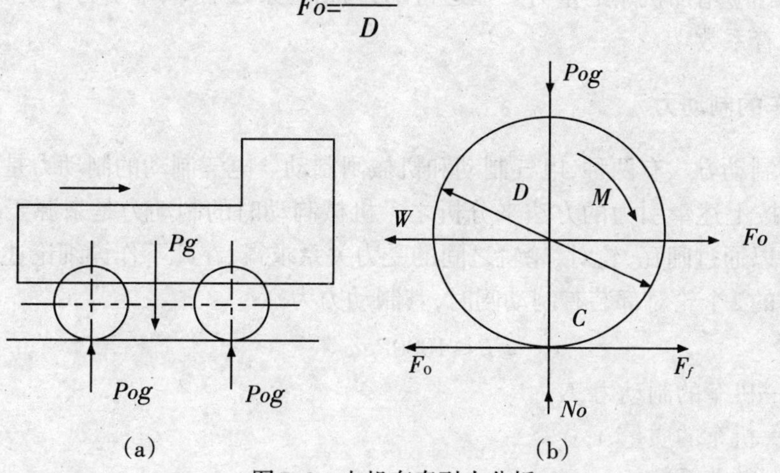

图7–9　电机车牵引力分析

当轮轨接触点C处的$Fo \leq F_{f,max}$时,摩擦力F_f与力偶力Fo总是大小相等方向相反,车轮在C点无滑移,在轮心处的Fo力作用下,车轮以C点为瞬心,向前滚动前进。轮心处的Fo力,即为一个轮对上的牵引力,Fo与阻力W相平衡。

若$Fo > F_{f,max}$时,车轮在C点受力不平衡,车轮将克服轨面的摩擦空转而不前进。

在两个车轮都作纯滚动前进时,轮对与轨道之间摩擦力的极限值为:

$$F_{f,max}=1000P_o gf \tag{7-10}$$

式中 $F_{f,max}$——轮轨间的极限摩擦力,N;

Po——一个轮对上分配的机车质量,t;

f——车轮与轨道间的静摩擦系数。

上面是取机车的一个轮对作为隔离体的分析,矿用车的2个轮对都是主动轮对,所以整台机车的最大粘着牵引力为:

$$F_{n,max}=1000Pg\varphi \tag{7-11}$$

式中 $F_{n,max}$——最大粘着牵引力,N;

P——机车的质量,t;

φ——粘着系数。

计算时取用的粘着系数与许多因素有关,如轮和轨材料、轨面状况、行车速度等。计算时按下述条件取用:

撒砂启动:$\varphi=0.24$;

撒砂制动:$\varphi=0.17$;

不撒砂制动:井下巷道中$\varphi=0.09$;地面$\varphi=0.12$。

从前面分析可知,机车的牵引力不能超过最大粘着牵引力

$$F \leq F_{n,max}$$

$$F \leq 1000Pg\varphi \tag{7-12}$$

由式(7-9)、式(7-12)可以看出,机车的牵引力不仅受牵引电动机给出的转矩的影响,还受机车粘着力即机车的重力及粘着系数的限制。为增大牵引力,在加大牵引电动机功率的同时还必须相应增加机车的重力。在运行中,因粘着系数下降,牵引力不足时可在轨面上撒砂以增大粘着系数。

三、电机车的制动力

电机车的制动方式有两种,电气制动和机械闸制动。电气制动的制动力是来源于牵引电动机,故可按上述牵引力的方法来分析之。机械制动时的制动力是来源于机械闸,其制动力的产生可以通过闸瓦、轮对、轮轨之间的受力关系求得,在此不作详细论述。

当电机车的2个轮对都装有制动闸时,其制动力为

$$B \leq 1000Pg\varphi \tag{7-13}$$

式中 B——机车的制动力,N;

P——机车的质量,t;

φ——粘着系数。

第四节　矿用电机车的安全运行

一、《煤矿安全规程》中矿用电机车的有关规定

(一)瓦斯矿井中使用机车运输时,应遵守下列规定:

1.低瓦斯矿井进风(全风压通风)的主要运输巷道内,可使用架线电机车,但巷道必须使用不燃性材料支护。

2.在高瓦斯矿井进风(全风压通风)的主要运输巷道内,应使用矿用防爆特殊型蓄电池电机车或矿用防爆柴油机车。如果使用架线电机车,必须遵守下列规定:

(1)沿煤层或穿过煤层的巷道必须砌碹或锚喷支护;

(2)有瓦斯涌出的掘进巷道的回风流,不得进入有架线的巷道中;

(3)采用炭素滑板或其他能减小火花的集电器;

(4)架线电机车必须装设便携式甲烷检测报警仪。

3.掘进的岩石巷道中,可使用矿用防爆特殊型蓄电池电机车或矿用防爆柴油机车。

4.瓦斯矿井的主要回风巷和采区进、回风巷内,应使用矿用防爆特殊型蓄电池电机车或矿用防爆柴油机车。

5.煤(岩)与瓦斯突出矿井和瓦斯喷出区域中,如果在全风压通风的主要风巷内使用机车运输,必须使用矿用防爆特殊型蓄电池电机车或矿用防爆柴油机车。

(二)机车司机必须按信号指令行车,在开车前必须发出开车信号。机车运行中,严禁将头或身体探出车外。司机离开座位时,必须切断电动机电源,将控制手把取下,扳紧车闸,但不得关闭车灯。

(三)必须定期检修机车和矿车,并经常检查,发现隐患应及时处理。

机车的闸、灯、警铃(喇叭)、连接装置和撒砂装置,任何一项不正常或防爆部分失去防爆性能时,都不得使用该机车。

(四)采用机车运输时,应遵守下列规定:

1.列车或单独机车都必须前有照明,后有红灯。

2.正常运行时,机车必须在列车前端。

3.同一区段轨道上,不得行驶非机动车辆。如果需要行驶时,必须经井下运输调度站同意。

4.列车通过的风门,必须设有当列车通过时能够发出使风门两侧都能接收到声光信号的装置。

5.巷道内应装设路标和警标。机车行近巷道口、硐室口、弯道、道岔、坡度较大或噪声大等地段,以及前面有车辆或视线有障碍时,都必须降低速度,并发出警号。

6.必须有用矿灯发送紧急停车信号的规定。非危险情况,任何人不得使用紧急停车信号。

7.2机车或2列车在同一轨道同一方向行驶时,必须保持不少于100m的距离。

8.列车的制动距离每年至少测定1次。运送物料时不得超过40m;运送人员时不得超过20m。

9.在弯道或司机视线受阻的区段,应设置列车占线闭塞信号;在新建和改扩建的大型矿

井井底车场和运输大巷,应设置信号集中闭塞系统。

(五)架线电机车运行的轨道应符合下列要求:

1.两平行钢轨之间,每隔50m应连接1根断面不小于50mm2的铜线或其他具有等效电阻的导线。

2.线路上所有钢轨接缝处,必须用导线或采用轨缝焊接工艺加以连接。连接后每个接缝处的电阻,不得大于下列规定:

(1)15kg/m钢轨,0.00027Ω;

(2)18kg/m钢轨,0.00024Ω;

(3)22kg/m钢轨,0.00021Ω;

(4)24kg/m钢轨,0.00020Ω;

(5)30kg/m钢轨,0.00019Ω;

(6)33kg/m钢轨,0.00018Ω;

(7)38kg/m钢轨,0.00017Ω;

(8)43kg/m钢轨,0.00016Ω。

3.不回电的轨道与架线电机车回电轨道之间,必须加以绝缘。第一绝缘点设在两种轨道的连接处;第二绝缘点设在不回电的轨道上,其与第一绝缘点之间的距离必须大于1列车的长度。对绝缘点必须经常检查维护,保持可靠绝缘。

在与架线电机车线路相联通的轨道上有钢丝绳跨越时,钢丝绳不得与轨道相接触。

(六)架线电机车使用的直流电压,不得超过600V。

(七)自轨面算起,电机车架空线的悬挂高度应符合下列要求:

1.在行人的巷道内、车场内以及人行道与运输巷道交叉的地方不小于2m;在不行人的巷道内不小于1.9m。

2.在井底车场内,从井底到乘车场不小于2.2m。

3.在地面或工业场地内,不与其他道路交叉的地方不小于2.2m。

(八)井下蓄电池充电室内必须采用矿用防爆型电气设备。测定电压时,可使用普通型电压表,但必须在揭开电池盖10min以后进行。

(九)井下矿用防爆型蓄电池电机车的电气设备,必须在车库内打开检修。

二、电机车的操作运行

(一)电机车的操作方法

1.*启动方法*

启动前应检查各连接部位的螺栓是否松动,各电气元件绝缘是否良好,各操作手把是否灵活。经检查无异常情况后,发出开车信号,提醒附近人员注意。按所需行进方向,操作控制器上的换向手把,确定机车前进方向。操作控制器上的调速手把,缓慢给出速度,完成启动过程。

2.*调速方法*

电机车在行进过程中,随时要根据道路坡度情况和生产运输情况进行调速。调速时,将操作控制器上的调速手把向加速或减速的方向转动，直到所需的速度。在调速过程中，应注意观察前方的路面状况及行人情况，防止意外事故发生。

3.换向方法

电机车换向的操作方法如下：把调速手把扳回速度零位，电机车减速停车。把换向手把扳到前进（或后退）方向。把调速手把从速度零位扳到所需速度档位。由于电机车控制器的调速和换向两手把存在机械闭锁，所以操作换向手把前，必须把调速手把扳回速度零位，才能扳动换向手把，这样可以防止误操作。

4.制动方法

当电机车遇到紧急情况需要立即停车时，应操作制动装置进行制动。

电机车制动的操作方法如下：

当顺时针旋转制动手轮时，通过拉杆、杠杆使闸瓦压紧车轮踏面，对车轮进行制动。

当逆时针旋转制动手轮时，通过拉杆、杠杆使闸瓦离开车轮踏面，进行松闸。

（二）电机车运行时的注意事项

1.操作电机车的司机必须经过培训并经考核合格后，方可驾驶电机车，严禁非电机车司机驾驶。

2.控制器的主轴手柄换位时，动作应迅速，不要停滞于两位置之间，以免引起电流烧坏触头。

3.发现车轮打滑时应立即把主轴手柄扳到零位，再逐渐转动手柄至正常位置。

4.必须避免在未切除全部电阻的位置行驶，以免烧坏变阻器及消耗过多电能。

5.降下受电弓后，必须迅速将控制器手柄转到零位。

6.停车时不应以逆流使电动机反转停车，只有2台电动机同时工作时才能产生电气制动。

7.过风门时，先停车，待风门完全开启后再通过，严禁边开车，边开风门，严禁用车头顶撞风门。

8.经常检查轴承箱。检查牵引电动机轴承与车轴连接处发热情况，检查电缆接头处是否完好，特别注意有无不正常的声音和气味。

9.用车辆运送人员时，每班发车前都应检查闸、灯、铃、轮轴、连接装置是否完好，严禁同时运送有爆炸性、易燃、易腐蚀的物品或附挂物料车。

10.在运送人员时，为确保安全，车速不得超过3m/s。

11.离开座位时，必须先切断电源，保管好控制手把，扳紧车闸，不得关闭车灯。

（三）电机车验收时的注意事项

电机车司机在车库验收时应注意以下方面：

1.检查一切可移动的盖子是否盖好，各处螺母是否已拧紧。

2.检查各导线保护套是否紧密完好。

3.检查各机械部分是否正常，各润滑点是否有足够的润滑剂；制动系统是否完好，制动闸瓦厚度不应小于10mm。

4.调整闸瓦间隙，使制动闸瓦与轮箍间的空隙在2mm~3mm范围内，闸瓦圆弧应与车轮同心。此外，司机还应重点检查下列部位：

(1)检查制动系统的制动和解除制动是否灵活可靠,左右两侧闸瓦动作是否同步;

(2)试验砂箱在2个方向撒砂时工作是否良好;

(3)升降受电弓机构是否灵活;

(4)前后车灯是否完好;

(5)电动机供电线路是否完好正常;

(6)交接班时,交班司机应把机车的技术状况全面告诉接班司机,接班司机应按前5条进行检查,轴承箱温度高于80℃时,机车必须回库检修。

第五节 电机车的维护保养

一、电机车的完好标准

1.车架

(1)车架无裂纹或明显变形,无严重锈蚀,侧板及顶板凸凹深度不超过30 mm。

(2)蓄电池机车托辊板平整,托辊转动灵活。

(3)缓冲装置(碰头)固定牢靠。弹簧无断裂,伸缩长度不小于30 mm。连接装置可靠,碰头销孔、连接销的磨损量不超过原尺寸的20%,刚性碰头不超过25%。

(4)均衡梁、弹簧、吊架等无裂纹或严重磨损。板弹簧各片厚度要一致,承载时应保持弓形。

2.轮对

(1)轮箍(车轮)踏面磨损余厚不小于原厚度的50%,踏面凹槽深度不超过5 mm。

(2)轮缘高度不超过30 mm,轮缘厚度磨损不超过原厚度的30%(用样板测量)。

(3)同一轴2车轮直径差不超过2 mm,前后轮对直径差不超过4 mm。

(4)车轴不得有裂纹,划痕深度不超过2.5 mm;轴颈磨损量不超过原直径的5%。

3.轴承箱、齿轮箱(罩)

(1)轴承箱与导向板间隙:沿行车方向不大于5 mm;沿车轴方向不大于9 mm。

(2)齿轮箱(罩)固定牢固,无损坏,不漏油。

4.制动装置

(1)机械、电力制动装置齐全可靠。

(2)制动手轮转动灵活,螺杆、螺母配合不松旷。

(3)各连接销轴不松旷、不缺油。

(4)闸瓦磨损余厚不小于10 mm,同一制动杆2闸瓦的厚度差不大于10 mm。在完全松闸状态下,闸瓦与车轮踏面间隙为3~5 mm。紧闸时,接触面积不小于60%。调整间隙装置灵活可靠。制动梁两端高低差不大于5 mm。

(5)抱闸式制动装置,闸带磨损余厚不小于3 mm,闸带与闸轮的间隙为2~3 mm,闸带无断裂,铜铆钉牢固,弹簧不失效。

(6)撒砂装置灵活可靠,砂管畅通,管口对准轨面中心,砂子干燥充足。

(7)制动距离应符合《煤矿安全规程》的规定。

5.控制器

(1)换向和操作手把灵活,位置准确,闭锁装置可靠。

(2)消弧罩完整齐全,不松脱。

(3)触头、接触片、连接线应牢固,触头接触面积不小于60%,接触压力为15~30N。

(4)触头烧损整修后余量不小于原厚度的50%,连接线断丝不超过25%。

6.电阻器

电阻器接线牢固无松动。电阻元件无变形及裂纹;绝缘管(板)无严重断裂,绝缘电阻不低于0.5MΩ。

7.集电器、自动开关、插销连接器

(1)集电器弹力合适,起落灵活,接触滑板无严重凹槽。

(2)电源引线截面符合规定,护套无破裂、无老化,线端采用接线端子(或卡爪)与接线螺栓连接牢固。

(3)自动开关零部件齐全完整,电流脱扣器要与电动机容量相匹配,动作灵敏可靠。

(4)插销连接器零部件齐全,插接良好,闭锁可靠,无严重烧痕。隔爆型插销的隔爆面、接线符合规定。

8.蓄电池、蓄电池箱

(1)蓄电池的电解液密度、液面高出极板高度、电解液温度应符合表7-2的规定。

表7-2　电解液的密度、高度、温度

蓄电池	密度(g/cm²)	液面高出极板高度(mm)	电解液温度(℃)
酸性	1.23-1.275	10-20	硫酸≤45
碱性	1.17-1.220	10-30	合成碱≤43
			苛性钠≤35

(2)单只蓄电池的端电压:酸性不得低于1.75V;碱性不得低于1.1V。

(3)蓄电池不渗漏电解液。碱性蓄电池壳体无严重腐蚀;酸性蓄电池槽和上盖板无破损及明显变形,封口胶无裂纹,注液孔盖齐全完整,封盖紧密,排气良好。

(4)蓄电池橡胶套、绝缘隔板齐全完整,无烧焦、老化或破损,连接线(片)截面符合要求,不脱焊,无断裂,螺栓紧固。

(5)防爆特殊型电机车应使用特殊型蓄电池。电池组绝缘良好,极柱及带电体不许外露,特殊工作栓(透气帽)齐全,透气良好。蓄电池任一极柱对地漏电电流值不大于100mA。极柱间漏电距离不小于35mm。

(6)蓄电池固定稳妥,锁紧装置可靠。箱盖、箱体无严重变形及破损,覆盖良好。绝缘衬垫齐全完整。箱内不得有积水、电解液及其结晶。防爆特殊型电池箱氢气浓度不得超过3%。

9.熔断器、照明灯、警铃(笛)

(1)熔断器的熔体与插销闭锁可靠,隔爆面符合规定。

(2)照明灯齐全明亮,照明有效光距离不小于40m,防护装置齐全,与控制器有闭锁装置。

(3) 警铃(笛)完整,声音清晰洪亮,音响距离大于40m。

二、矿用电机车的维护和保养

1.电机车的日常维护及保养

(1)检查制动系统的杠杆、销轴是否良好,动作是否灵活,并进行注油。

(2)检查闸瓦磨损情况,更换磨损超限的闸瓦;检查闸瓦与车轮踏面的间隙,超过规定的要及时调整;清除调节闸瓦螺杆和闸瓦上的泥垢。

(3)检查车轮有无裂纹,轮箍是否松动,车轮踏面磨损程度。

(4)检查传动齿轮及齿轮罩有无松动和磨损。

(5)检查车架弹簧有无裂纹及失效,清除弹簧上的泥垢,在铰接点及均衡梁之间进行注油。

(6)检查车体及各部螺栓销轴、开口销是否齐全,螺栓是否紧固,销轴和开口销连接是否良好。特别是吊挂牵引电动机的装置要仔细检查。

(7)检查连接装置是否有损伤、磨损超限。

(8)检查撒砂系统各部件是否齐全、连接良好,砂管有无堵塞,是否对准轨道中心,与车轮、轨道的距离是否符合要求。

(9)检查受电器弓簧压力是否足够,滑板是否断裂和磨损超限,各框架、螺栓及销子是否齐全完整。

(10)检查电阻器是否断裂,各接线端子是否松动,清扫尘垢。

(11)试验控制器的机械闭锁装置是否可靠,各接线端子有无松动现象;检查控制器各触头,特别是使用频繁的触头的烧损情况。

(12)电机车停运后立即检查牵引电动机、轴瓦及油箱的情况,电动机温度是否超限(75 ℃),轴瓦温度是否超限 (65 ℃),清除油箱积尘,定期注油、换油。

(13)照明灯是否完好,亮度足够,熔断器应符合规定。

2. 蓄电池电源装置的日常维护

电源装置的检查工作由充电工负责在充电室内进行,主要内容有:

(1)检查插销连接器与电缆的连接是否牢固,防爆性能是否良好。

(2)检查蓄电池组的连接线及极柱焊接处有无断裂、开焊。

(3)检查橡胶绝缘套有无损坏;极柱及带电部分有无裸露。

(4)检查蓄电池组、蓄电池有无短路现象。

(5)检查箱体腐蚀损坏情况,箱盖是否变形、开闭是否灵活,盖内绝缘衬垫或喷涂绝缘层是否完整,箱盖与箱体间机械闭锁是否良好。

(6)检查蓄电池槽和盖有无损坏漏酸;特殊工作栓有无丢失或损坏;耐酸橡胶垫是否良好;帽座有无脱落;蓄电池封口剂是否开裂漏酸。

(7)每周检查一次漏电电流,其值不得超过规定。电源装置额定电压60V及以下,不大于100mA;电源装置额定电压100V及以下,不大于60mA;电源装置额定电压150V及以下,不大于45 mA 。

(8)经常用清水冲洗蓄电池组,保持清洁。上述(1)-(7)项中,只要有1项不合格,即为失去防爆性能,必须停止使用,进行处理。

三、矿用电机车的检修内容

1.电机车周检内容

电机车除日常与交接班检查外,每周必须详细检查下列各项:

(1)控制器的外壳、各触头的烧损情况。

(2)用锉刀和砂布打磨触头烧痕,烧损严重的触头应更换。

(3)总开关、熔断丝、各部螺栓、铆钉、销是否松动,电路插销是否紧固。

(4)撒砂装置是否良好。

(5)照明、照明开关、熔断丝、警铃、喇叭等装置是否良好。

(6)受电弓是否损坏,受电弓引线是否紧固或烧损,起落是否灵活。

(7)连接器和碰头有无损坏,连接装置必须安全可靠。

(8)制动装置是否安全可靠,闸瓦磨损是否超限,闸瓦要正对轮踏面;如有磨损超限应更换新闸瓦。

(9)炭刷架是否松动,接线要牢固,炭刷在刷握内上下活动是否灵活,压力是否均匀;炭刷与整流子的接触面不低于75%,更换磨损超限的炭刷。

(10)整流子表面有无严重烧痕和发黑现象,整流子表面温度不超过90℃。

(11)清扫电动机的外壳、均衡梁、电阻及控制器等。

(12)轴瓦注油和润滑齿轮及各部机件。

(13)齿轮传动装置、大小齿轮是否松动,齿轮磨损是否超限。

(14)板弹簧有无变形和断裂。

(15)检查完毕要作一次启动和制动试验。

2.电机车小修内容

小修时除包括周检的全部内容外,还应进行下列各项:

(1)矫正制动系统弯曲的反正扣。

(2)矫正所有变形的拉杆、板条和杠杆,并清扫全部机件,润滑全部连接点。

(3)整修已损坏的齿轮罩。

(4)清洗轴承箱、轴承,更换新油。

(5)电枢在转动中有无火花现象。

(6)抽出电阻,紧固各部螺栓,更换断裂的电阻片,修复已烧损的电阻引线。

(7)用摇表测定电气部分的绝缘电阻。绝缘电阻不低于0.5MΩ(250V电机车用500v摇表,550V电机车用1000V摇表,下同)。

3.电机车中修内容

中修时除包括小修内容外,还要进行下列各项:

(1)将电动机全部拆卸,检查车轴和车轮;轴的磨损不得超限,应无严重伤痕。

(2)检查各部轴承和更换磨损超限的轴承。

(3)修理或更换已损坏的碰头和弹簧。

(4)测电动机绝缘电阻,若低于0.5MΩ时,必须进行干燥处理。

(5)检查修理插销、电阻箱、控制器和受电弓。

(6)对电机车进行涂漆。

4.电机车大修内容

电机车在大修时,除包括中修内容外,还应进行下列各项:

(1)修理电动机的整流子;整流子表面凹凸不平时,必须车圆。

(2)修理配线。

(3)更换不合格的电枢。

(4)修理车架,更换轴承箱、车轮和车轴。

(5)修理传动装置,更换磨损超过原厚度20%的齿轮;大齿轮配键,整修齿轮罩。

(6)更换损坏严重的控制器和总开关。

第六节 电机车的故障处理

电机车常见故障分析及预防

故障现象	产生原因	预防方法
电机车牵引速度低	1.供电线路电压偏低 2.列车的矿车数偏多 3.晶闸管脉冲调速装置电器元件损坏	1.升高线路电压达到额定值 2.减少矿车数 3.检修或更换损坏的电器元件
电机车牵引力太小	1.主动轮对轮缘表面有油污 2.轨道表面有水或污物 3.双电动机只有一台工作	1.清理油污 2.清理水或污物 3.维修控制器或电动机接线
电机车运行冲击力大	1.启动过程操作不当 2.弹簧托架的钢板折断 3.车轮轮箍磨损严重并失圆 4.轨道变形	1.按规程操作 2.更换弹簧钢板 3.更换轮对或轮箍 4.维修轨道
电动机不能正常启动	1.电枢绕组、励磁绕组接线因焊接不良或碳刷压力过大而开路 2.整流子火花太大,温升过高而开焊 3.换向器的焊点断开 4.碳刷过度磨损,压力不足 5.受电弓损坏或与架空线接触不良 6.晶闸管脉冲调速装置电器元件损坏 7.供电线路电压低于规定值	1.检查碳刷压力,维修线路 2.维修整流子和线路 3.维修焊接接点 4.更换碳刷 5.维修或更换受电弓 6.检查维修、更换损坏电器元件 7.升高线路电压达到额定值
电动机声音异常	1.轴承过度磨损或损坏 2.轴承润滑油不足或不洁 3.碳刷压力过大 4.固定磁极的螺钉松动 5.整流子失圆或损坏	1.更换轴承 2.补充或更换润滑油 3.调整碳刷压力 4.拧紧松动的螺钉 5.维修整流子

电动机过热	1.牵引的矿车数太多 2.电机车频繁启动 3.电动机轴承润滑油过多 4.电枢绕组短路 5.传动装置有故障	1.减少矿车数 2.避免短时间内多次启动 3.减少轴承润滑油的油量 4.维修电枢绕组 5.检查并维修
电动机轴承或抱轴承过热	1.轴承损坏 2.润滑油不足或不洁	1.更换轴承 2.补充或更换润滑油
轴承箱过热	1.轴承箱与车轮轮毂的间隙过小 2.箱内的润滑油时间太长或不洁 3.轴承损坏或轴承内外圈及滚柱表面有损伤和疲劳麻点	1.适当增大二者间的间隙 2.更换润滑油 3.更换轴承
齿轮箱有异常噪声	1.齿轮磨损严重,有剥蚀或断齿 2.润滑油量不足或不洁 3.操作不当,即电机车前进时突然过渡到后退,产生强大冲击	1.检查、更换齿轮,排除异物 2.补充或更换润滑油 3.按规程操作
撒砂不灵活	1.砂子的粒度偏大,含土量大 2.砂子太潮湿或砂箱进水 3.操纵杆等操作不灵活 4.压气制动控制阀或系统失灵	1.选用符合要求的砂子 2.选用干砂并防止砂箱进水 3.调整操纵杆 4.维修压气制动控制系统

第二部分　专业核心知识点

1.矿用电机车的操作运行。

2.矿用电机车的检查与维护。

3.矿用电机车常见故障分析与处理。

第三部分　专业技能训练

技能一　矿用电机车的操作

技能训练目的

1.熟悉所使用电机车的结构、性能、工作原理和各种保护的原理及检查试验方法。

2.掌握电机车安全操作的有关规定。

3.掌握电机车操作的方法和程序。

技能训练内容

一、手指口述电机车的结构、各组成部分的作用及原理

二、牢记电机车操作的有关安全规定

1.必须按信号指令行车,在开车前必须发出开车信号。机车运行中严禁将头或身体探出车外。严禁司机在车外开车。严禁不松闸就开车。

2.每班开车前必须对电机车的各种保护进行检查、试验;机车的闸、灯、警铃(喇叭)、连接装置和撒砂装置,任何一项不正常或防爆部分失去防爆性能时,都不得使用该机车。

3.严禁甩掉保护装置或擅自调大整定值,或用非熔金属代替保险丝(片)。

4.严禁在机车行驶中或尚未停稳前离开司机室。暂时离开时,必须切断电动机电源,将控制器手把转至零位,将控制器手把取下保管好,扳紧车闸,但不得关闭车灯。

5.不得在能自动滑行的坡道上停放机车或车辆,确需停放时,必须用可靠的制动器将车辆稳住。

6.严禁使用“逆电流”(即“打倒车”)的方法制动电机车。

7.使用蓄电池式电机车,应按时充电补液,不得使蓄电池过放电。

8.使用电机车牵引或推顶脱轨的机车或矿车复轨时,应有可靠的措施,如借助复轨器等。

9.车场调车确需用机车顶车时,严禁异轨道顶车,严禁不连环顶车。

10.列车占线停留,一般情况下应符合下列规定:

(1)在道岔警示标志位置以外停车。

(2)不应在主要运输线路“往返单线”上停车。

(3)应停在巷道较宽、无淋水或其他指定停靠的安全区段。

三、操作准备

操作前要对电机车认真进行如下检查:

1.司机室的顶棚和门是否完好。

2.连接器是否完好。

3.手闸(风闸)及撒砂装置是否灵活有效,砂箱是否有砂。

4.照明灯及红尾灯是否明亮。喇叭或警铃音响是否清晰、宏亮。

5.通讯装置是否正常。

6.蓄电池电压是否符合规定,防爆部分是否有失爆现象。

7.蓄电池箱安放是否稳妥,锁紧装置是否可靠。

8.在切断电源的情况下,控制器换向手把是否灵活,闭锁是否可靠。

9.集电弓起落是否灵活。

10.机车各注油点应按注油表的规定加注适量的合格润滑油;砂箱内应装满规定粒度的干燥细砂。

四、操作顺序

1.按顺序接通有关电(气)路,点亮红尾灯。

2.接到发车信号后,先鸣笛(敲铃)示警,然后将控制器换向手把扳到相应位置,松开车闸,顺时针方向转动控制器操作手把,使车速逐渐增加到运行速度。

3.控制器操作手把由零位转到第一位置时,若列车不动,允许转到第二位置(脉冲调速操作手把允许转至60°),若列车仍然不动,一般不应继续下转手把,而应将手把转回零位,查明原因。如系车轮打滑,可倒退机车,放松连接链环,然后重新撒砂启动。

严禁长时间强行拖拽空转;严禁为防止车轮打滑而施闸启动。

4.控制器操作手把由一个位置转到另一位置,一般应有3s左右的时间间隔(初启动时可稍长)。不得过快越档;不得停留在两个位置之间(脉冲调速操作手把应连续缓慢转动)。

五、正常操作

1.正常操作时应保持的姿势:坐在座位上,经常目视前方,左手握控制器操作手把,右手握制动手轮(手拉杆)或右脚踏刹闸阀。

制动手轮停放位置:应当保证手轮转紧圈数在2~3圈的范围内。

2.运行中,控制器操作手把只允许在规定的“正常运行位置”上长时间停留。如必须在其他位置稍长时间停留时,也应轮流停留在这些位置,避免过久固定在某一位置,防止过热。

3.调整车速时,应将控制器操作手把往复转至“正常运行”及“零位位置”停留,尽量避免利用手闸(风闸)控制车速。

4.正常运行时,机车必须在列车前端(调车和处理事故时不受此限)。如果用机车推行车辆,必须听从调车人的指挥,速度要慢。列车组列时,要随时注意插挂销链人员的安全。

5.行驶中,要按信号指令行车,严禁闯红灯。要注意观察人员、车辆、道岔岔尖位置、线路上的障碍物等,注意各种信号、仪表、仪器的显示。

6.两机车或两列车在同一轨道同一方向行驶时,必须保持不少于100米的距离。

7.列车行驶的速度:运送人员时不得超过4m/s;运送爆炸材料或大型设备、材料时,不得超过2m/s;车场调车时不得超过1.5m/s。

8.需要减速时,应将控制器操作手把按逆时针方向逐渐转动,直至返回零位。大幅度减速时操作手把应迅速回零。如果车速仍然较快,可适当施加手闸(风闸),并酌情辅以撒砂。

禁止拉下集电弓减速;禁止在操作手把未回零位时施闸。

需要停车时,应按上述操作顺序使列车缓慢驶至预定地点,再以手闸(风闸)停止机车。

六、特殊操作

1.不论任何原因造成电源中断，都应将控制器手把转回零位，然后重新启动。若仍然断电，应视为故障现象。机车运行中集电器脱落时，必须将操作手把转回零位，刹紧车闸，确认无误后方可处理。

2.列车出现故障或发生不正常现象时，都必须减速停车；有发生事故的危险或接到紧急停车信号时，都必须立即紧急停车。

3.需要紧急停车时，必须迅速将控制手把转至零位，电闸与手闸（风闸）并用，并连续均匀地撒砂。

4.制动时，不可施闸过急过猛，否则易出现闸瓦与车轮抱死致使车轮在轨道上滑行的现象。出现这种现象时，应迅速松闸，缓解后重新施闸。

5.制动结束后，必须及时将控制器手把转至零位。

技能二　矿用电机车的检查与维护

技能训练目的

1.熟悉所使用电机车的结构、性能、工作原理、《煤矿机电设备检修质量标准》和《煤矿安全规程》的相关规定。

2.掌握电机车的检查与维护方法。

技能训练内容

一、手指口述电机车的结构、各组成部分的作用及原理

二、牢记有关修理工作的安全规定

1.修理工作必须在机车停止运行的状态下进行。检修一般在维修车间（硐室）内进行，临时小故障的处理可在运行线路上进行，但必须切断架空线电源，并采取防止其他车辆冲撞检修车辆及检修人员的措施。

2.被检修的机车停稳后，要用止轮器或木楔等将机车稳住。架线机车要落下集电器，拉开总开关；蓄电池机车要拔开电池插销。

3.修理电气设备时，要切断电源并按规定程序进行验电，确认无电后方可进行作业。

4.井下蓄电池机车的电气设备，必须在车库内打开检修。

5.作业时必须穿戴规定的劳动保护用品。

三、对电机车的主要部件进行检查与维护

训练中根据实际情况，参考以下对各部件维护的不同要求，可对其中某一部件进行重点检查维护：

1.轴承与轴承箱

轴承箱如在运转中过热，应检查车轮轮毂与轴承座之间的间隙是否过小，润滑油是否太脏，轴承内、外圈及滚柱表面有无磨损或疲劳现象，出现微小局部麻点，应及时更换新轴承。

2.轮对

电机车轮对负担很重，磨损快，是机车的易损部件。每天检查机车时，需敲击轮箍以判断其完整性及对轮心的箍紧程度。轮箍表面若出现大于3mm深的缺陷或不均匀磨损度大于5mm时，需在车床上车光轮外圈，并保证主动轮的轮缘尺寸相等，且符合技术要求；轮箍磨损至20mm厚时，必须更换新轮箍。防止机车在运行中车轮打滑，是避免磨损的有效办法。

3.弹簧托架

对弹簧钢板应定期注油润滑，保持清洁。弹簧托架上所有连接处和横臂，应在换班时加油润滑，至少3天1次。弹簧钢板有折断时，应及时更换。

4.齿轮传动装置

每月至少换1次润滑油，换油时要清洁齿轮箱。禁止齿轮传动装置无外壳行驶。齿轮有损坏时应立即更换。

5.牵引电动机

电动机外部应经常用通风风囊或压缩空气吹洗。每半年应拆开电动机详细检查1次。当拆开电动机取出转子时，要特别小心保护绕组及整流子不被破坏。拆开后用风囊或压缩空气吹洗，用汽油洗去落在磁极上的油污，并擦干净。检查整流子表面是否平整及磨损情况，若整流子磨损不均匀时，需在车床上车光，磨损严重时应予更换；用布蘸汽油擦洗落在整流子上的油污，不得用汽油浸泡整流子。每隔2~3天检查一次电刷磨损程度及其与整流子间的接触情况，整流子与碳刷间的空隙应保持在3mm左右。新电刷装配前应在整流子上磨合，电刷的摩擦表面不得有裂缝。

6.控制器

应检查机械闭锁的可靠性及各触头铜片是否接触良好，闭合、断开是否灵活可靠，如触头被烧灼，应立即打磨光洁，烧灼严重者应立即更换。

复习题

1.矿用电机车由哪两部分组成？分别包括哪些部件？

2《规程》对在瓦斯矿井中使用直流架线式电机车有哪些规定？

3.在矿用电机车运行中的注意事项。

4.简述电机车的操作顺序。

讨论题

1.列车运行中引起的伤亡事故有哪几类？针对各类事故应采取哪些预防措施？

2.电机车的常见故障有哪些？如何处理及预防？

第八章　新工艺　新技术　新装备

一、矿井提升系统安全新装备

我国安装的矿井提升安全装备过去仅为了满足《煤矿安全规程》、标准化和现代化矿井的安全需要。随着矿井发展对安全高效需求的提高,一些故障预测、预报和状态维修的安全装备也在一些大型矿井安装使用,在此介绍适应于安全高效矿井提升的几种安全装备。

(一)过卷过放缓冲装置

过卷过放缓冲装置按其吸能或缓冲元件可分为塑性变形吸能装置、摩擦吸能装置、液压阻尼吸能装置和弹性缓冲装置。塑性变形类过卷过放缓冲装置是利用吸能元件工作时发生塑性变形来耗散能量,其主要结构有木质楔型罐道、拉伸钢制杆件、未拉伸尼龙绳、线性塑性应变钢带和柔性罐座。摩擦吸能装置是利用吸能元件相对运动时接触面间的摩擦功来耗散过卷容器的能量,其主要结构有钢丝绳螺旋绳槽式和摩擦卷筒式。液压阻尼吸能装置是通过阻尼孔产生的阻尼来耗散过卷容器的能量,有液力和气动两种形式。弹性缓冲装置是通过弹性元件将过卷容器的能量转换成变形能,使冲击力的作用时间增大,减少冲击力峰值,有弹簧和橡胶缓冲两种形式。从这些装置的原理可以看出,其作用都是事故发生后避免事故的扩大,属于后备保护。

1.BS型摩擦卷筒缓冲装置+FHT型防撞梁托罐保护装置

BS型摩擦卷筒缓冲装置,利用摩擦做功来吸收过卷(过放)容器的动能。正常提升时,提升容器碰不到缓冲托梁,过卷时,提升容器顶部碰到缓冲托梁,带着缓冲托梁向上运动。

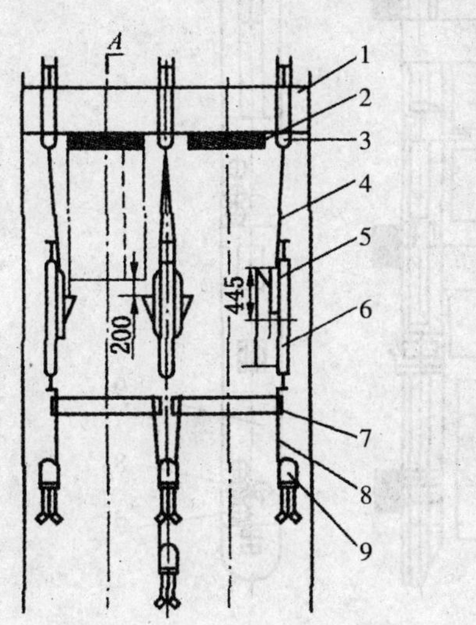

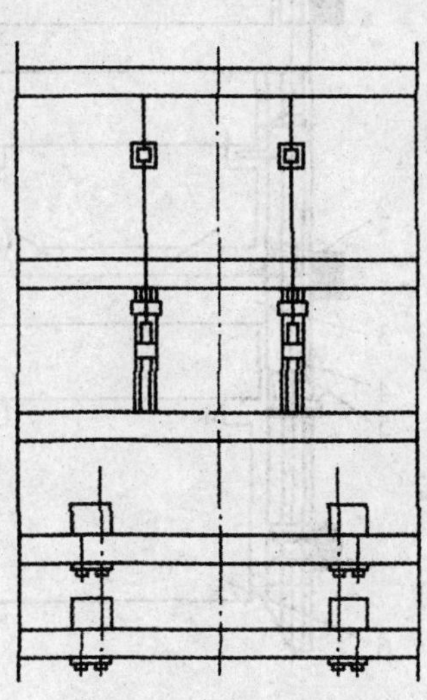

1——防撞梁;2——橡胶弹簧;3——FHT托罐缓冲器;4、8——钢丝绳;5——FHT托罐装置;
6——固定竖梁;7——防过卷缓冲器;9——BS防过卷缓冲器

图8-1　BS型摩擦卷筒缓冲装置+FHT型防撞梁托罐保护装置

缓冲托梁通过4根钢丝绳拉着4台缓冲器的卷筒转动,缓冲器给出一定的制动阻力,通过缓冲绳、缓冲托梁作用于提升容器,迫使提升容器停住。缓冲器的制动力是可以调定的。调定的原则是保证过卷后的容器平稳地停住,冲击减速度a<g。防撞梁采用工字钢梁,防撞梁下面采用橡胶弹簧进行缓冲。FHT型防撞梁托罐保护装置由缓冲器、滑槽、托爪等组成。提升容器过卷撞击托爪时能自动回缩,当容器继续上升到刚刚离开托罐装置时,托爪迅速伸出,托住下落容器。托罐保护装置既有托罐功能,又具有缓冲功能。整体结构如图8-1所示。

2.HZSN型多功能过卷保护装置

HZSN多功能过卷保护装置利用金属材料的塑性变形实现吸能缓冲,如图8-2所示,其加载机构及逆止机构的基本动作原理为:当过卷上升的提升容器在过卷距离内开始推动缓冲装置的横梁向上运动时,横梁横担着两根滑柱向上运动,同时逆止锁舌外侧的斜面受到固定(静止)套柱的下压而向内侧伸出,锁住顶在横梁之下的提升容器,使滑柱、横梁与提升容器锁在一起,无论向上或向下都必须一起运动。同样,压辊组被固定曲轨压迫的同时做水平移动,压辊组的运动使纵贯套柱、滑柱中心的钢带产生s形塑性变形且在曲轨的曲线段内逐步增大,缓冲制动力也随之增大。当中间压辊行至曲轨的上部直线段时,制动力达到最大值。其后,滑柱无论是向上运动,还是向下运动,都受限于钢带本身恒定的变形力,也就是缓冲制动力或逆止力。在横梁、滑柱、吸能元件钢带、逆止锁舌、压辊组的联合作用下,过卷的提升容器可在允许的过卷距离内可靠地缓冲制动,停止上升后即保持在该处不再反向下滑。一旦横梁被提升容器推至顶端,横梁将被套柱直接套住,此时横梁起到防撞梁的作用,而钢带、逆止锁等不会受到冲击,能够防止容器的回落,从而起到托罐装置的作用。此外,在提升容器的进入端,套柱有导入斜度,因此该装置还兼有罐道的功能。

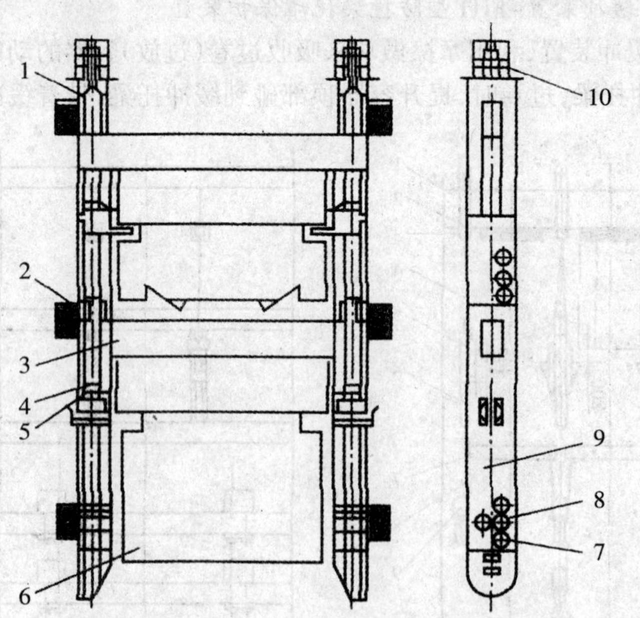

1——套柱;2——滑柱;3——横梁;4——钢带;5——逆止锁舌;6——提升容器;
7——压辊组;8——中间压辊;9——曲轨;10——弹簧组

图8-2 HZSN型多功能过卷保护装置

（二）制动器失效保护装置

盘式制动器补偿增压装置是在提升机安全回路节点动作以后才启动液压泵，并开始监测提升机测速电机的电压。若发现提升机未按设定的减速度减速制动，则立即实施补偿制动，同时将原制动器的松闸压力油与盘式制动器补偿增压装置的油箱接通，确保闸能贴上制动盘并补偿正压力，通过对测量减速度与设定减速度的比较控制补偿制动力的大小，以保证提升机减速停车的稳定性。

盘式制动器工作液压站与补偿增压液压站的系统关系如图8-3所示。

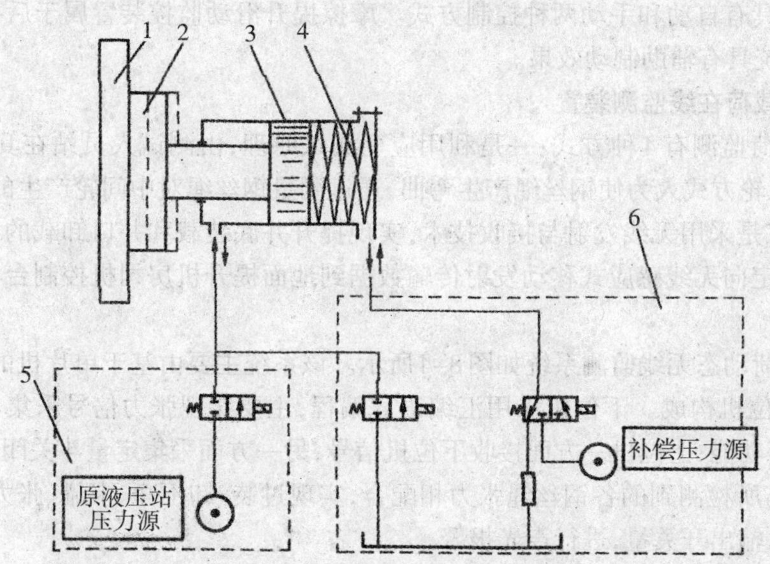

1——制动盘；2——闸瓦；3——活塞；4——碟形弹簧；5——原液压站；6——补偿液压站

图8-3 盘式制动器工作液压站与补偿增压液压站的系统关系

补偿制动器液压站设有如下可靠性保护功能：

1.适时和适度的补偿增压功能。根据检测回路的信号，对补偿制动的投入时机进行适时控制，只有检测到提升机处于危险失控状态时，补偿制动才投入使用；提升机正常运行时，补偿制动处于冷储备状态待命。对投入的补偿制动力进行适度控制，根据提升机制动器失控的程度提供分级的补偿制动力，保证提升机处于合理的制动减速度运行。

2.保压冷储备功能。为了随时能够产生补偿制动力，设计有蓄能回路，保证蓄能器中始终具有一定压力的油液，使蓄能回路处于待命状态，在补偿时与液压泵同时向制动器供油，缩短补偿制动的空动时间，以保证补偿增压的响应速度。提升机正常运行时，补偿增压装置对原制动系统不产生附加作用力及任何影响。

3.回油不畅监控功能。在现役制动器液压站电磁阀故障或管路堵塞造成制动器不能回油的故障情况下，通过设置的油路压力监测传感器检测其故障，并能实施安全制动使得管路回油顺畅。

4.防止沉罐功能。在提升机停车时，为避免残压过高引发的沉罐。甚至“放大滑”的重大事故发生，通过设置的油路压力监测传感器检测残压，并能实施安全制动使其安全停车。

5.可编程控制功能。补偿增压装置的电控系统采用PLC控制，制动器的补偿增压动作可以自动或手动启动。

（三）摩擦提升滑动监控装置

摩擦提升滑动监控装置包括滑动监测和消除滑动两部分。在提升机运行过程中，通过光电编码器和单片机组成的监测仪对滑动速度进行检测和判断，一旦出现滑动，发出报警、断开安全回路，实现摩擦轮制动，并利用特制的钢丝绳制动机构的作用消除滑动，实现滑动保护。该装置具有自动和手动两种控制方式。摩擦提升滑动监控装置属于后备保护装置，同时对提升系统具有辅助制动效果。

（四）提升载荷在线监测装置

提升机载荷监测有4种方式：一是利用应变测试原理，由测试人员站在箕斗上进行测试；二是采用三轮方式人为使钢丝绳产生弯曲，通过测量钢丝绳对中间轮产生的横向力推算钢丝绳张力；三是采用无线发射与接收技术，实现提升井底装载和井口卸载的载荷监测；四是通过钢丝绳定向无线感应式移动发射传输数据到地面提升机房司机控制台，实现提升载荷动态监测。

提升机载荷动态无线监测系统如图8-4所示。该系统主要由基于单片机的下位机和基于工控机的上位机构成。下位机采用汇编语言编程，主要实现张力信号采集、电源电量判断、串行通信等功能；上位机一方面接收下位机信号，另一方面采集定量斗关闭、箕斗到位等开关量信号，与所检测到的各钢丝绳张力相配合，实现过装、卸不净、卡罐、张力不平衡的判断，并在需要时输出开关量，进行声光报警。

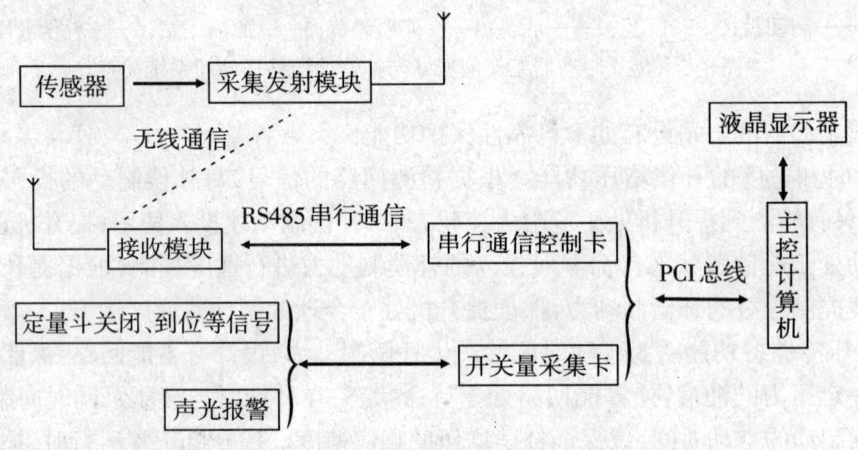

图8-4　提升机载荷动态无线监测系统组成

（五）提升状态监护装置

提升机状态监护包括制动盘过热、变形、闸瓦磨损、闸瓦间歇、制动弹簧断裂的在线监测，国内研制的矿井提升状态监护装置实现了提升机盘式制动系统的性能监测，对制动系统的超限状态具有预警提示，同时对提升机的运行速度进行实时跟踪显示，具有制动系统状态参数,运行速度图的数据(提升速度、加速度和高度)和图形存储记忆的“黑匣子”功能。提升机状态监护装置不仅实现了安全监护,而且可引导司机规范操作,对故障分析还可以提供可靠的技术数据,其工作原理如图8-5所示。

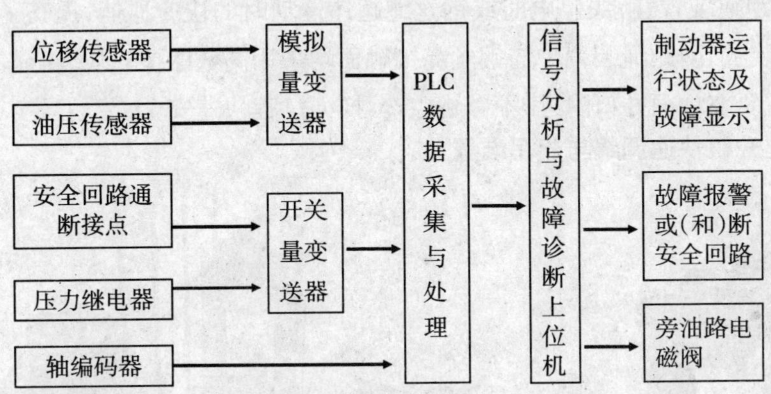

图8-5 提升机状态监护原理

(六)多绳摩擦提升机首绳快速更换装置

多绳摩擦提升机首绳快速更换装置可将多绳摩擦提升机的首绳同时更换。其连续式送绳小车,将钢丝绳引入天轮和滚筒,极大地提高了换绳效率且减轻了工人的劳动强度;具有能够方便调节夹紧力大小和控制其开闭环状况的交替步进送绳装置,解决了引绳、送绳、防

图8-6 快速换绳装置直线式示意图

缠绕、防止受载前钢丝绳发生扭转以及张力不平衡等问题；具有双摩擦副的楔形块能够安全自锁的可控防跑绳装置；具有能够监测监控快速换绳装置全过程的自动控制系统。

其特点是：PLC在线监测和实时控制，在原绞车松闸不参与运行的条件下，实现多绳同时自动更换；具有防跑绳装置，解决停电时或钢丝绳超速运动时的快速抓捕，提高了安全可靠性；交替步进送绳装置、防跑绳装置中与钢丝绳接触面均采用高效摩擦衬块，新绳不受损；换绳前的准备工作主要在地面井口附近，不影响生产；换绳过程快速安全、劳动强度小。

（七）多绳摩擦提升机快速调绳与起吊装置

单组调绳起吊装置　　调绳与起吊装置

图8-15　多绳摩擦提升机快速调绳与起吊装置

多绳摩擦提升机快速调绳与起吊装置由底座、液压缸、上下卡绳器和控制液压站等组成。上卡绳器可由双液压缸举升，下卡绳器固定在底座上，通过上下卡绳器能够交替动作与油缸配合可实现罐笼大距离提升。上下卡绳器的侧面开口实现钢丝绳快速在线与离线转换。

特点：

实现大步距的调绳，防止钢丝绳张紧力不平衡；

定点固定提升容器，解决了重载深井首绳调节和提升容器定点固定十分困难的问题；

与换绳装置配合可实现立井多绳摩擦提升机免支罐快速换绳。

二、空压机的监测监控

随着电子技术的迅猛发展，机电一体化技术在压缩机的监测监控方面得到应用和发展。特别是使用了程序控制器（PLC）后，压缩机监测监控系统变得更安全、更可靠、更方便。压缩机应装设的热工仪表和保护装置见表8-1。压缩机装置上的热工测量仪表可以就地安装，也可以集中安装。为了便于对机组的运行集中监护和控制，宜单机集中安装或全机房集中安装。集中安装时，设有集中操作盘。煤矿空压机房多设在地面，少数设在井下，对井下空压机房的监测监控系统应注意防爆要求。

表 8-1　　　　　　压缩机用热工测量仪表和保护装置

仪表类型	设置部位及监测量	设置要求
温度	各级汽缸吸气和排气温度	应装
	后冷却器出口气体温度	宜装
	冷却水进水总管水温	宜装
	冷却水排水温度	宜装
	机组主轴承温度	宜装
	传动机构润滑油温度	应装
压力	各级汽缸排气压力	应装
	储汽缸内气体压力	应装
	机组冷却水进口压力	应装
	传动机构润滑油压力	应装
液位	液气分离器底部的油水液位	宜装
流量	冷却水进口总管内水流量	宜装
	压缩机的容积流量	宜装
电量	压缩机驱动电动机的电流和电压	应装
保护装置	机组近旁的紧急停车按钮	应装
	各级汽缸排气温度超限的声、光报警	应装
	冷却水压超限的声、光显示及自动停车控制	应装
	润滑油压力超限的声、光显示及自动停车控制	应装
	电动机的电压和电流超限的声、光显示及自动停车控制	应装

(一)螺杆式空压机的监测监控与故障诊断

KJC-5型空压机智能控制系统,运用PLC控制、传感器、网络通信及计算机监控等技术,实现了无人值守,主要适用于矿井、化工等螺杆式空压机的空压机房。它具备就地手动、就地集中控制和远方集中控制3种控制方式,提供单步、半自动和全自动3种运行方式。该监测监控系统实现螺杆式空压机的启停、检测、运行、保护、报警、排污、减荷、显示记录、通信等方面的控制。数据管理功能强大,工况画面丰富,包括数据存储、查询、打印,可以生成报表、曲线等多种形式。

系统采用集中管理、分散控制系统结构。整个系统分为3层,即现场测量控制层、中央控制层和远程监控层。现场测量控制层由各类传感器、变送器及执行机构组成,主要完成现场数据的采集、处理及控制。

中央控制层由PLC组成,通过该PLC系统实现对空压机等工况的实时监测,同时实现空压机房内设备的全自动联动运行。此外,中央控制层还负责与控制中心进行实时通信。中央控制层与控制中心之间的数据传输使用光缆进行,具有很强的抗干扰能力。中央控制层PLC系统配备有触摸屏,作为人机界面,可以实时显示现场运行工况,并能实现各类控制功能。

远程监控层由监控主机组成,通过工业以太网与中央控制层PLC进行通信,采集现场各种运行信息并下发各类控制信息,实现对空压机房的远程集中监控。远程监控层监控主机上装有上位机监控软件,软件采用国际著名组态软件InTouch编制。

(二)往复压缩机的状态监测与故障诊断

随着计算机技术的发展,对于压缩机用计算机进行状态监测与故障诊断,已成为一种发展趋势。图8-8所示是往复压缩机在线状态监测系统。

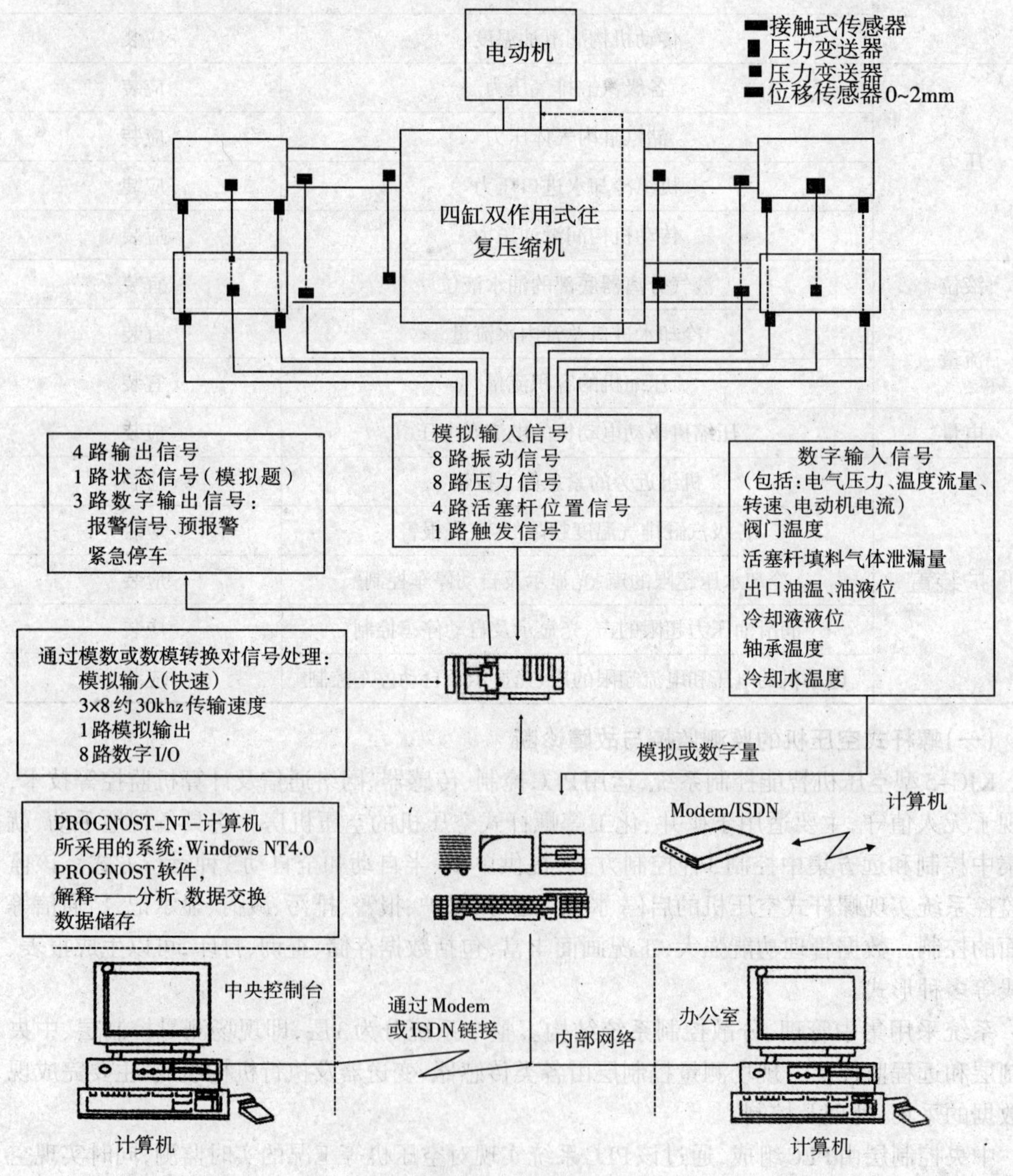

图8-8 采用了PROGNOST—NT软件的往复压缩机在线监测系统

在四缸双作用式往复压缩机上合适的位置，分别安装了温度传感器、压力变运器、加速度传感器、位移传感器以及触发式传感器，分别检测压缩机的温度、压力、转速、振动等参量。从传感器来的信号经过放大、模数转换输入到下位计算机中进行存储及分析处理。下位计算机根据运行状态，可以输出报警信号、预报警信号及紧急停车信号。下位计算机通过Medeln33.6K／ISDN可以通过电话或专用光缆，向远程终端发送该压缩机运行状态资料。同时下位计算机还与工厂的中央控制室的上位计算机，以及操作室的上位计算机相连，向上位机传递状态监测信息，并接受上位机的指令。在操作室的计算机可以在线分析压缩机的示功图、振动频谱分布等，并根据专用软件PROGOST发出合适的指令。

该系统不仅能实现压缩机的在线状态监测，而且利用现代网络技术，将压缩机制造厂与运行厂紧紧联系在一起，更便于对大型压缩机的状态监控和故障分析处理。因此，这是压缩机技术发展的方向。

三、带式输送机新技术

（一）基于能量转换的矿用倾斜带式输送机防抱死安全制动关键技术

“基于能量转换的矿用倾斜带式输送机防抱死安全制动关键技术”是针对大量矿用倾斜带式输送机减速制动时在重力势能和惯性能作用下出现局部高温或摩擦火花诱发的安全制动问题，属于矿山科学技术领域的能量自动转换、滚筒防抱死、不发热无磨损、保证制动力有效传递安全制动关键技术，主要包含液压调速软制动器、轮式防抱液压机械闸、带式输送机自动张紧、带式输送机盘式制动装置，形成了基于模块化和系列化的矿用倾斜带式输送机安全制动系统，对保证串联主煤流的连续高效运行、避免重大安全事故发生具有十分重要意义。

本技术是将重力势能和惯性能自动转化利用，不需外动力就可形成可调可控的液压制动力矩；模糊PID溢流同步控制和过零速释放机械势能产生稳车制动机理，保证了输送机滚

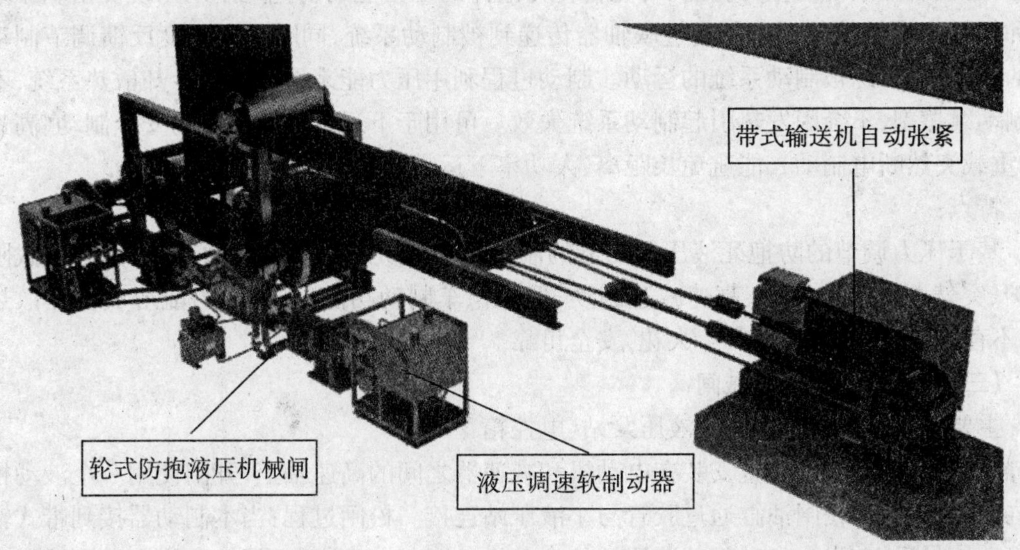

图8-9　基于能量转换的矿用倾斜带式输送机防抱死安全制动系统

筒防抱死性能;非制动工况零阻尼回路和机械势能静态平衡使制动器不发热、无磨损;长距离输送带张力自动调节,保证了制动力矩有效传递。随着对安全生产和管理的加强,安全制动系统还可在串联主煤流生产线上发挥更大更多的作用。特别是对实现沿倾斜煤层顶底板开拓布置采区和巷道主煤流运输系统,提供了重要的技术支持;对减少巷道作业量、解决顺槽可伸缩机头驱动下运制动的难题、避免由于制动失效引起的各种恶性事故有十分重要的意义。

目前,这项技术已经被多家设计院和专业煤矿机械厂采纳应用,在潞安矿业集团、同煤集团、西山煤电集团、霍州煤电集团、神华准格尔能源有限公司等煤矿的多条串联主煤流生产线上发挥着巨大作用。

(二)液压调速软制动器

主要组成:二点式刹车变量泵、液压站、电控箱

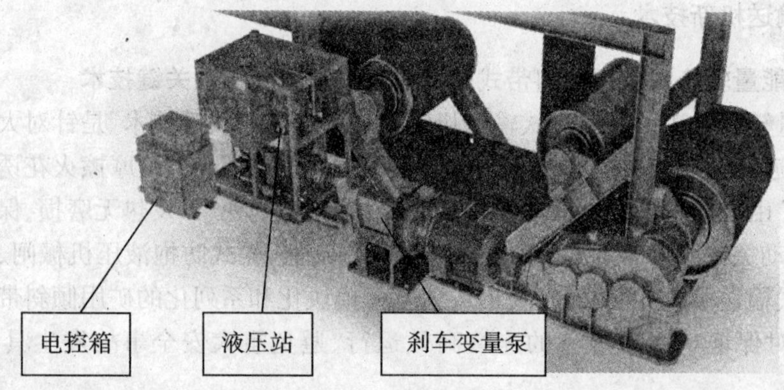

工作原理:非制动状态时,二点式刹车变量泵在低压力小流量的状态工作。当带式输送机制动时,电控箱指挥液压站将液压泵的出口压力升高,使整个系统工作在高压力大流量的状态,将被制动系统的重力势能、动能转化为液体的压力能的防抱死制动系统。由刹车泵压力和排量形成的软制动力矩通过联轴器传递到被制动系统,同时利用速度反馈调节制动系统的压力,来跟踪被制动系统的运动。制动过程利用压力能来形成自然冷却散热系统,不存在制动摩擦副,不会因发热引起制动系统失效。可用于下运带式输送机的安全制动(高速减速、重载突然断电制动),能避免长距离、大功率下运带式输送机的恶性事故。

特点:

基于压力调节的防抱死液压制动器的制动力矩随负载变化而自动调节;具有超载限速保护、突然断电应急制动、高速减速制动、低速稳车制动功能;利用压力能形成自然散热系统,不存在制动摩擦副,不产生火花,安全可靠。

(三)轮式防抱液压机械闸

主要组成:轮式制动架、小液压泵站、电控箱

工作原理:本制动装置安装在电动机和减速器之间的高速轴上,开闸使用一个液动松闸油缸来完成,液动松闸油缸通过胶管与小液压站连接。松闸过程:当本制动器接到带式输送机启动信号后,首先会自动起动液压站的电动机,液压站向液动松闸油缸注入液压油活塞杆

伸出并将制动闸松开，液压缸的活塞杆伸出到设定位置后，装在活塞上的位置传感器发出信号，电控箱控制液压站上的电磁球阀得电，封闭液压缸内的液压油，使液压缸保持在松闸状态，这时液压站的电动机断电停止运转。制动上闸过程：当电控箱接到带式输送机停车制动信号时，电控箱控制液压站上的电磁球阀失电，放掉液动松闸油缸内的液压油，在制动架弹簧的作用下，制动架实施抱闸制动。本装置与逆止器配合可作为上运带式输送机制动的最佳配置；与液压调速软制动器配合可作为下运带式输送机制动的最佳配置，是带式输送机的重要制动装置。

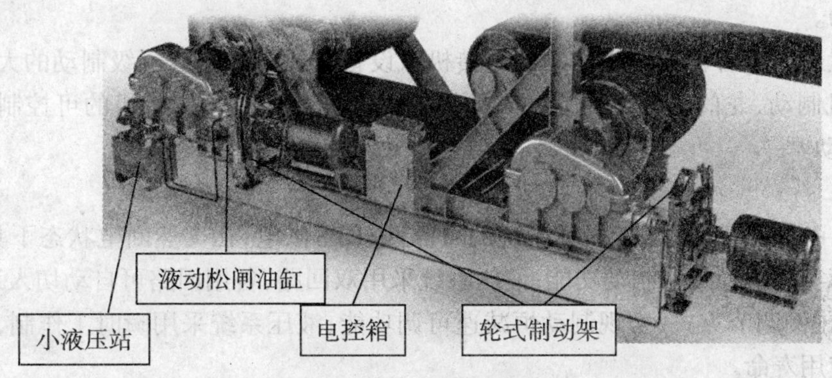

图8-10 轮式防抱液压机械闸示意图

特点：电动机采用瞬时工作制，不仅节能降耗，而且避免因摩擦发热引起的制动失效，可靠性高；采用PLC闭环控制，与液压调速软制动器配合或利用运动阻尼实现过零速制动；应用间接测量和非接触检测技术，实时在线进行松闸状态监测和故障报警。

（四）带式输送机盘式制动器

组成：带式输送机盘式制动器主要由液压泵站、电控箱、制动盘、制动头及其安装架等组成。

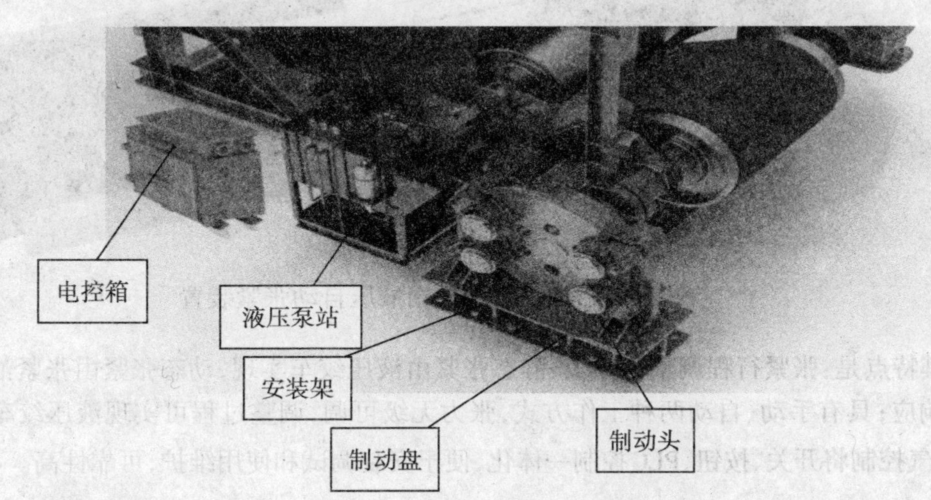

图8-12 带式输送机盘式制动器示意图

工作原理：本制动装置安装在滚筒伸出的低速轴上。与轮式防抱液压机械闸的工作方式大致相同。松闸过程：当本制动器接到带式输送机启动信号后，首先会自动起动液压站的电动机，液压站向制动头（俗称娃娃头）注入液压油，使制动头的制动片离开制动盘，当到达设定位置后，装在制动头上的位置传感器发出信号，电控箱控制液压站上的电磁球阀得电，封闭制动头内的液压油，使制动头保持在松闸状态，这时液压站的电动机断电停止运转。压力传感器时刻检测液压系统的压力，一旦发现压力低于设定值电动机启动补压，补压完成再次停止电动机。制动上闸过程：当电控箱接到带式输送机停车制动信号时，电控箱控制液压站上的电磁球阀失电，放掉制动头内的液压油，在制动头内部碟形弹簧的作用下，制动头实施抱闸制动。

本装置适用于各种长时工作制的旋转机械设备或要求多级或无级制动的大型设备（如带式输送机制动、龙门吊的工作制动和防风制动），尤其适用于皮带机的可控制动、停车制动、稳车制动。

特点：

采用N+1回路控制方式，提高系统的可靠性；UPS供电，在突然断电状态下具有液压系统平稳泄荷实现平稳减速制动功能；液压系统采用双回路，备用回路可自动切入系统的正常运行；采用比例调节方式，实现制动恒减速可调功能；液压系统采用瞬时工作制，降低能耗，提高设备使用寿命。

（五）带式输送机用液压自动张紧装置

自动张紧装置主要由液压泵站、液压绞车、电控箱、张力监控装置、张力控制器和缓冲油缸等组成。该装置可以根据带式输送机不同工况对输送带张力的不同要求，自动调节张紧力。

图8-13　带式输送机用液压自动张紧装置

其特点是：张紧行程调整范围大，静态张紧由液压绞车实现，动态张紧由张紧油缸和蓄能器响应；具有手动、自动两种工作方式，张力无级可调，调整过程可实现液压绞车的软制动；电气控制将开关、按钮、PLC控制一体化，便于安装调试和使用维护，可靠性高。

第九章　山西省煤矿“六个标准”涉及内容

第一节　《山西省煤矿现代化矿井标准》

1.矿井提升系统设备及其控制方式应确保先进、可靠，实现远程监控，主要固定岗位应具备无人值守条件。

立井提升电动机功率在800kW及以上的多绳摩擦式提升机与电动机的连接方式宜选用低速直联；主电动机的冷却风机宜选用变频调速控制；井筒深度在500m以上、矿井能力在5.0Mt/a及以上立井开拓矿井，副井宜装备两套提升设备，其中一套为交通罐提升设备；大型罐笼提升系统应在井上、下进出罐笼两侧设置具有承接和锁止功能的装置。

主斜井采用带式输送机运煤时，应采用一条胶带机布置、优先选用变频驱动方式；必须同时设置逆止器和制动器；配置钢丝绳芯输送带实时在线自动监测装置；能实现远程集中控制。副斜井单段提升长度应小于1400m。

2.井下主煤流运输系统应采用带式输送机连续运输，应设二级破碎环节，转载点应设除铁设施；带式输送机应采用防爆变频驱动方式；长距离直线运输时，应采用中间驱动，减少搭接；应采用远程集中控制。

3.井下辅助运输系统宜采用一种运输方式。当条件具备时，应优先选用无轨胶轮车运输方式，以实现从地面到井下工作面连续运输，也可根据需要采用两种或两种以上辅助运输方式。

长度超过1500m的主要运输平巷、垂深超过50m的人员上下主要倾斜井巷应采用机械运送人员。

第二节　《山西省煤矿建设标准》

1.主要运输大巷煤炭运输方式应优先选用带式输送机；矿井宜布置井底煤仓，建设规模3.0 Mt/a及以上的大型矿井可采用带式输送机从回采工作面顺槽至地面的连续运输。

2.井下辅助运输方式，应本着减少辅助运输环节及转载次数、减少辅助运输人员、提高运输效率的原则，根据井下开拓部署、煤炭运输方式、辅助运输物料和人员的运距、运量等因素综合比较确定，并应符合以下规定：

(1)当大巷及采区上、下山围岩岩性与煤层倾角适宜时，从井底车场至大巷，采区上、下山及回采工作面顺槽宜实行直达运输。

(2)当矿井用平硐开拓或副井为斜井，采区上、下山围岩岩性与煤层倾角适宜时，宜从地面至井底车场，大巷，采区上、下山及回采工作面顺槽实行直达运输。

(3)开采近水平煤层的大型矿井，煤炭运输采用带式输送机，辅助运输宜优先选用无轨运输系统。

(4)井下大巷、上(下)山长度超过1000m时,必须设机械运送人员装置,工作面顺槽长度超过1000m时,宜设机械运送人员装置。

3.矿井的主要设备与装备选择应根据矿井地质开采条件、建设规模和自然条件,以技术先进、经济合理、安全高效、节能环保和标准化为原则,经技术经济比较后确定。新选设备严禁选用国家明令禁止的淘汰产品,利用现有的高耗能设备应提出技术改造方案。井下使用的电气设备,必须具有“煤矿矿用产品安全标志”。采煤、掘进、运输、提升、通风、排水、压风、煤炭分选加工和储装运等生产系统应实现机械化、自动化。

4.主、副井提升设备的类型及套数,应根据矿井设计生产能力、井深、同时生产水平数、辅助提升要求、安全、有利加快建设速度及设备供应状况等因素,经技术经济比较后确定,并应符合下列规定:

(1)提升设备一般应按所担负的最终水平最大提升量和最大件质量选择。

(2)斜井开拓应优先采用带式输送机提升。

(3)条件适宜的立井,应优先采用多绳摩擦式提升机。

(4)斜井运送人员,条件适宜时优先选择架空乘人器运人。

5.主提升能力的确定应符合以下规定:

(1)应按矿井工作制为年工作日330d、每天净提升时间为16h进行选型计算。

(2)应与矿井设计生产能力相适应,不得超能力设计。

(3)斜井采用带式输送机提升煤炭,当无井底煤仓时,斜井带式输送机的输送能力还应与大巷带式输送机的输送能力相匹配。

6.副提升能力的确定应符合以下规定:

(1)应能满足矿井服务年限内最终生产水平的要求,原则上副井提升设备应能满足运送井下设备最重部件的需要,液压支架宜整体下放;多水平提升应按最终水平选择提升设备。主斜井不宜设辅助提升系统。

(2)最大班工人下井时间:立井不应超过40min,斜井不应超过60min。

(3)大中型矿井只设一套副提升设备时,应有故障应急措施。

7.提升设备选型计算及设备配置应满足以下要求:

(1)主斜井带式输送机宜选用软起动、软停车装置,并配置各种保护装置。

(2)摩擦式提升防滑安全应满足现行《煤炭工业矿井设计规范》的要求。

(3)主井箕斗提升必须采用定重装载,箕斗容积设计必须与提升选型设计所确定的载重量相适应。

(4)提升钢丝绳安全系数的选择应符合现行《煤矿安全规程》的有关规定。

(5)提升设备的运行速度应符合现行《煤炭工业矿井设计规范》的规定。

(6)采用电力电子调速的提升系统升降大型设备时,不得通过降低提升速度确定电动机容量。

(7)新设计的矿井提升机严禁选用块式制动系统。

8.提升电动机及电控系统的选择应符合下列规定:

(1)提升电动机采用交流异步电动机、同步电动机或直流电动机传动及其供电和控制系统,应根据生产安全需要和电机容量,通过技术经济比较后确定。

(2)摩擦式提升机宜选用电力电子变流器供电的交、直流传动系统。

(3)斜井提升宜选用交流电动机传动系统;交流调速系统应选能量回馈型(带回馈单元)四象限变频传动装置;新建矿井不得采用交流绕线电机串电阻调速方式。

(4)井下提升电动机及其供配电电控设备选择,必须符合现行《煤矿安全规程》的有关规定。

(5)提升机的控制应选用双PLC提升数控系统,配备上位监控系统、提升信号系统和视频监控系统。

(6)提升人员的立井提升机房,应各有两回路直接由变(配)电所馈出的供电线路,且线路上不应分接任何负荷。控制回路和辅助设备,亦应有与提升机房同等可靠的备用电源。

9.矿井自动化及安全、生产监控系统,应以采煤、掘进、提升、通风、运输、排水、瓦斯抽采、地面生产系统等矿井主要生产和辅助生产系统为重点,因地制宜合理确定其自动化水平和监测监控范围,并应符合下列规定:

(1)主要生产和辅助生产系统均应根据具体情况,对单机、生产环节或系统采用半自动化、自动化、集中监测和控制。

(2)大型矿井和条件适宜的中型矿井应建立综合自动化系统。

10.矿井自动化及安全、生产监控系统具体包括以下子系统:

(1)主井提升控制系统。

(2)副井提升控制系统。

(3)主通风机监测系统。

(4)地面变电所监控系统。

(5)选煤厂集控系统。

(6)压风机监测系统。

(7)地面给排水监测系统。

(8)污水处理监测系统。

(9)锅炉房控制系统。

(10)综采工作面监控系统。

(11)井下带式输送机集控系统。

(12)井下主排水自动控制系统。

(13)井下供配电监控系统。

(14)采、掘工作面监控系统。

(15)瓦斯抽采系统。

(16)矿井安全监控系统。

(17)矿井束管监测系统。

(18)井下人员定位系统。

(19)煤炭产量监测系统。

(20)矿井视频监控系统。

(21)大屏幕显示系统。

(22)其他需要监测监控的生产环节。

对于以上子系统,矿井应结合自身需求选择配置。

11.矿井综合自动化系统应符合下列规定:

(1)先进、可靠,具有良好的兼容性、可扩展性、冗余性、容错性、安全性及软件可升级能力。

(2)综合自动化系统及接入的子系统应具有标准的、成熟的传输协议。

(3)综合自动化系统应单独组网,接入矿井计算机管理系统时,应采取足够的安全隔离措施。

(4)主干传输网络应采用光纤环网。

(5)综合自动化系统将子系统整合集成时,应根据子系统特点确定不同的接入方式;矿井安全监控系统接入综合自动化系统时,应设置专用的传输电(光)缆;矿井视频监控系统直接接入环网交换机进行系统集成时,应对综合自动化系统网络承载能力进行论证。

12.矿井提升、运输、通风、排水、压风等主要机电设备安全设施设置:

(1)提升装置:

①提升装置必须装设防过卷装置、防过速装置、过负荷和欠电压保护装置、限速装置、深度指示器失效保护装置、闸间隙保护装置、松绳保护装置、满仓保护装置、减速功能保护装置。

②立井、斜井缠绕式提升机应加设定车装置。

③立井提升机在过卷高度或过放距离内,应安设保证提升容器不再反向运动的缓冲装置。

④斜井串车提升系统应安设跑车防护装置、挡车栏和阻车器。

⑤单绳提升的升降人员或升降人员和物料的罐笼、带检修间的箕斗,必须装设可靠的防坠器。

(2)带式输送机运输:

①滚筒驱动的带式输送机必须装设驱动滚筒防滑保护、堆煤保护和防跑偏装置;装设温度保护、烟雾保护和自动洒水装置;主要运输巷的带式输送机必须装设输送带张紧力下降保护装置和防撕裂保护装置。沿带式输送机人行道侧设置事故紧急停车装置。斜井带式输送机应装设“能量转换矿用倾斜带式输送机防抱死安全制动技术”。

②井下带式输送机必须使用阻燃输送带。

③下运带式输送机应有避免输送机运行超速及飞车事故的超速保护和失电保护措施。

④带式输送机应加设软启动装置。上运时,必须同时装设防逆转装置和制动装置,下运时,必须装设制动装置。

(3) 架空乘人装置:

①电动机保护应齐全可靠。

②应装设可靠的制动装置。

③上下人地点有视频监视系统。

④全线应装设手动和自动的紧急停车装置。

⑤宜采用无人值守集中综合智能控制方式。

(4)井下其他辅助运输设备:

①单轨吊车、卡轨车、齿轨车和胶套轮车的运行坡度、运行速度和载荷重量不得超过规定的数值。

②牵引机车、单轨吊车、卡轨车、齿轨车以及牵引绞车,应具有可靠的制动系统。

第三节 《山西省煤矿安全质量标准化》

一、机电部分

(一)基本条件

生产矿井不应存在以下情况:

(1)没有双回路供电系统;

(2)主要通风机高低压电源不是引自同一母线,主要通风机装置没有可靠的双电源供电;

(3)存在失爆现象,以及纳入安标管理的产品无煤矿矿用产品安全标志、防爆设备无产品防爆合格证;

(4)存在明令禁止使用或者淘汰的设备。

(二)基本要求

1.设备与指标

设备与指标应符合以下要求:

(1)产品合格证、矿用产品安全标志、防爆合格证等证标齐全、合格;

(2)设备综合完好率、防爆率、电缆吊挂合格率、小型电器合格率、矿灯完好率、设备待修率和事故率等达到规定要求。

2.煤矿机械

煤矿机械应符合以下要求:

(1)机械设备完好,各类保护、保险装置齐全可靠;

(2)积极采用新技术、新装置。

3.煤矿电气

煤矿电气应符合以下要求:

(1)矿井有可靠的双回路电源线路;

(2)防爆电气设备防爆性能符合要求,电气无失爆;

(3)矿井主要通风机、提升人员的绞车、抽放瓦斯泵等主要设备房,以及井下变(配)电所、主排水泵房和下山开采的采区排水泵的供电线路符合《煤矿和安全规程》要求;

(4)电气设备完好、继电保护设置齐全可靠;

(5)电气工作票、操作票填写、使用规范。

4.机电基础管理

机电基础管理应符合以下要求:

(1)管理机构健全,制度完善;

(2)机电设备选型论证、购置、安装、使用、维护、检修、更新改造、报废等综合管理程序规范,设备台账、技术图纸等资料齐全;

(3)按规定进行设备技术性能测试,在用设备性能可靠;

(4)各级专业技术人员、管理人员及岗位工人培训合格、持证上岗。

5.文明生产

文明生产应符合以下要求:

(1)现场设备摆放规范、标识齐全,机房、硐室卫生清洁;

(2)作业规范、无违章指挥、无违章作业、无违反劳动纪律的行为。

(三)评分方法

按表1评分,总分为100分。各小项分数扣完为止。

项目内容中有缺项时按下列计算公式进行折算:

$$A=\frac{B}{B-C}\times D$$

式中 A——本项折合分数;

B——本项标准分数;

C——缺项标准分数;

D——本项检查实得分数。

表1 煤矿机电安全质量标准化标准和评分表(机械部分)

项目	内容	基本要求和标准	分值	评分方法
一、设备与指标(20分)	设备证标	机电设备应有产品合格证;纳入安标管理的产品应有煤矿矿用产品安全标志,使用地点符合《煤矿安全规程》规定;防爆设备应有防爆合格证	4	查现场和资料。1台不符合要求不得分
	设备完好	机电设备综合完好率不低于90%	3	查库存和现场,查设备综合台账。每降低1个百分点扣0.5分
	固定设备	大型在用固定设备台完好	2	查现场和资料。发现1台不完好不得分
	电气防爆	防爆电气设备(包括本安设备)及小型电器防爆率100%	4	查现场。发现1处失爆,机电专业不得分
	小型电器	小型电器合格率不低于95%	1.5	查现场和资料。每降低1个百分点扣0.5分
	电缆	井下电缆(含控制、通信、照明等小电缆)的选型合格率100%,电缆的接头合格率100%,电缆吊挂合格率不低于95%	1.5	现场检查。对电缆接头存在鸡爪子、羊尾巴、明接头等失爆现象的,机电专业不得分;其他每降低1个百分点扣0.5分
	矿灯	在用矿灯完好率100%,使用合格的双光源矿灯、井下使用的矿灯无红、灭灯;高瓦斯矿井应采用装有短路保护器的矿灯;矿井完好矿灯总数应大于常用矿灯人数的10%	1	查现场和资料。有一处不符合要求,不得分

项目	内容	基本要求和标准	分值	评分方法
	待修设备	设备待修率不高于5%	1	查现场和资料。每增加1个百分点扣0.5分
	机电事故	矿井全年停产检修不能低于7天;机电事故率不高于1%	1	查现场和资料。不符合要求不得分
	设备大修改造	设备更新改造按计划执行,设备大修计划应完成90%以上	1	查台账。无更新改造年度计划或未完成不得分,无大修计划或完成率全年低于90%,上半年低于30%不得分
二、煤矿机械(35分)	主提升系统	1.立井(斜井)绞车提升:(1)各种保护装置符合《煤矿安全规程》规定;(2)单绳罐笼提升有防坠装置;(3)主井提升系统装设定重装置;(4)提升系统通信、信号装置完善,主副井绞车房有能与矿调度室直通的电话;(5)上、下井口及各水平装设视频监视装置;(6)副井及负力提升的系统使用可靠的电气制动;(7)斜井提升制动减速度达不到要求时装设二级制动装置;(8)立井井口及各水平各种操车设施与提升信号连锁;(9)提升速度大于3m/s的提升系统内,应装设防撞梁,防过卷、过放和缓冲托罐装置,过卷高度和过放距离符合规定,单绳缠绕式双滚筒绞车应安设地锁和离合器闭锁;(10)机房应装设应急照明装置;(11)使用变频、直流等低耗、先进、可靠的电控装置;(12)有运行和检修等记录;(13)大型多绳摩擦提升系统采用恒减速制动系统;(14)主提升宜采用无人值守全自动控制方式,使用制动系统在线监测装置	5	查现场和资料。(1)~(13)项中,有1处不符合要求扣1分,(14)项不符合要求扣0.1分

项目	内容	基本要求和标准	分值	评分方法
		2.钢丝绳牵引带式输送机;(1)各种保护装置符合《煤矿安全规程》规定;(2)在输送机全长任何地点装设可由搭乘人员或其他人员操作的紧急停车装置;(3)下人地点设声光信号、语音提示和自动停车装置,卸煤口及终点下人处应设防止人员坠入及进入机尾的安全设施和保护;(4)不能人货混乘,超速运人;(5)上、下人和装、卸载处应装设视频监视装置;(6)使用矿用阻燃输送带,使用低耗、先进、可靠的电控装置;(7)有运行和检修等记录;(8)专用于原煤运输的输送机宜采用无人值守综合智能控制方式,但必须有集中监控和专人巡查	3	查现场和资料。(1)~(7)项中,有1处不符合要求扣1分,(8)项不符合要求扣0.1分
		3.钢丝绳芯带式输送机:(1)电动机保护、堆煤保护、防滑保护、防跑偏装置、温度保护、烟雾保护、自动洒水装置、输送带张紧力下降保护、防撕裂保护要齐全可靠;倾斜巷道运输应有可靠的断带保护装置;机头、机尾要设安全防护设施及消防器材;行人跨越带式输送机要设过桥;(2)上运时要装设防逆转装置和制动装置,下运时要装设软制动装置;(3)要有沿线停车装置,装、卸载处要设视频监视装置;(4)要有钢丝绳芯及接头状态检测装备;(5)使用矿用阻燃输送带,使用低耗、先进、可靠的电控装置;(6)带式输送机集中控制硐室要安设与调度室直通的电话;(7)有运行和检修等记录;(8)宜采用无人值守集中综合智能控制方式,但必须有集中监控和专人巡查	2	查现场和资料。(1)~(7)项1处不符合要求扣1分,(8)项不符合要求扣0.1分
	主通风系统	1.正压计、负压计、全压计等检测仪器仪表齐全可靠;2.应有反风设施,抽出式通风应有防爆门;3.电动机保护应齐全、可靠;4.主要通风机轴承、电动机轴承、电动机定子绕组应使用在线监测装置,有温度检测和超温报警功能;5.应装设与矿调度室直通的电话;6.每月应倒机、检查1次;7.机房应装设应急照明装置;8.应使用低耗、先进、可靠的电控装置;9.运转风机和备用风机必须具备同等能力;10.风机运行工况点必须在合理、稳定、高效的工况区;11.应有规定的水柱计;12.铭牌、责任牌、完好牌、警示牌、电缆标志牌齐全,配电设备有编号,有用途说明;13.有供电系统图、反风系统图,规程、制度、图牌板、记录等相关资料齐全;14.有运行、日检、切换、反风等记录	3	查现场和资料。1处不符合要求扣1分

项目	内容	基本要求和标准	分值	评分方法
	压风系统	1.各种保险装置、温度控制、吸气口、油质、风包及管路出口设施应符合《煤矿安全规程》规定； 2.水冷压风机水质符合要求，应有可靠断水保护； 3.电动机保护应齐全可靠； 4.应使用低耗、先进、可靠的电控装置，有可靠通信接口； 5.机房应装设应急照明装置，机房内配备足够有效的消防器材，照明充足，直通电话畅通，防护设施齐全有效；有运行和日检记录； 6.压风自救系统应符合MT390-1995(2005)等的要求； 7.油润滑的空气压缩机油质符合规定，应装设断油保护； 8.压风机检测应按照AQ1013规范执行； 9.螺杆压风机运行参数和保护设施应符合相关技术要求； 10.安全阀齐全，校验标签和校验报告有效； 11.释压阀选用安装正确，有产品合格证； 12.有压力表并定期校准； 13.储气罐有放水阀； 14.铭牌、责任牌、完好牌、警示牌、电缆标志牌齐全； 15.压风系统图、规程、制度、图牌板、记录等相关资料齐全； 16.宜使用技术先进的机电一体化的空压机组；宜采用无人值守集中综合智能控制方式，但必须有集中监控和专人巡查	2	查现场和资料。第1~15项1处不符合要求扣1分，第16项不符合要求扣0.1分
	主排水系统	1.主排水泵房及出口，水泵、管路及配电设备，水仓蓄水能力等满足《煤矿安全规程》规定； 2.应有可靠的引水装置； 3.应设有高、低水位声光报警装置； 4.应使用低耗、先进、可靠的电控装置； 5.电动机保护应齐全、可靠； 6.主要水泵房应有与矿调度室直通电话； 7.排水设施、水泵联合试运转、水仓清理等应符合《煤矿安全规程》规定； 8.可靠的双回路供电； 9.铭牌、责任牌、完好牌、警示牌、电缆标志牌齐全； 10.各仪表指示正确，校验不过期； 11.供电系统图、排水系统图、规程、制度、图牌板、记录等相关资料齐全； 12.有运行和日检记录； 13.宜采用无人值守集中控制方式	3	查现场和资料。第1~12项1处不符合要求扣1分，第13项不符合要求扣0.1分

项目	内容	基本要求和标准	分值	评分方法
	地面瓦斯抽采系统(发电)	1.应装设防回火装置,水封防爆器等齐全可靠; 2.各种监测传感器,超温、断水等保护应齐全、可靠; 3.压力表、水位计、温度表等仪器仪表应齐全; 4.机房应有应急照明; 5.电气设备符合防爆要求,保护齐全可靠; 6.阀门装置(手、电动)灵活; 7.必须有完好的备用泵; 8.避雷设施符合要求; 9.有运行和检修记录; 10.有抽放(发电)系统图,规程、制度、图牌板、记录等相关资料齐全	1	查现场和资料。1处不符合要求不得分
	地面供热、降温系统	1.热水锅炉应装设温度计、安全阀、超温保护、自动补水装置,系统中应有减压阀,有超压报警和连锁保护,各种保护齐全可靠; 2.蒸汽锅炉应装设双色水位计或两个独立的水位表,有高低水位报警装置,按规定装设压力表,安全阀、排污阀动作可靠; 3.热风炉应装设防火门、栅栏、CO检测装置、烟雾保护、温度保护、洒水装置,各种保护灵敏可靠;出风口处电缆有防护措施; 4.地面永久性降温设备应完好,保护齐全可靠,阀门、安全阀灵活可靠,仪表指示准确; 5.在用锅炉、压力容器、压力管道的安全阀、压力表、温度表每年进行一次整改、校验; 6.有供热、降温系统图,规程、制度、图牌板、记录等相关资料齐全	2	查现场和资料。1处不符合要求不得分

项目	内容	基本要求和标准	分值	评分方法
	采煤设备	1.采(刨)煤机应完好,符合规定; 2.采煤机有停止工作面刮板输送机的闭锁装置; 3.有机载瓦斯报警断电装置并灵敏可靠; 4.截齿、喷雾装置、冷却系统应符合规定,内外喷雾有效; 5.电气保护应齐全可靠; 6.综采工作面应有照明; 7.工作面每隔15m及变电站、乳化液泵站、各转载点应有扩音通信装置; 8.刨煤机工作面至少每隔30m应装设能随时停止刨头和刮输送机的装置或向刨煤机司机发送信号的装置; 9.应有刨头位置指示器; 10.移动电缆要有吊挂、拖曳装置,工作面内电缆不应冷补,工作面内动力电缆之间不应有接线盒; 11.采煤机应具备遥控控制功能; 12.采煤机宜采用先进的启动控制装置,采煤机宜放置2个灭火器	4	查现场和资料。第1~11项1处不符合要求扣0.5分,第12项不符合要求扣0.1分
	掘进设备	1.设备应完好,电气保护应齐全可靠; 2.掘进机蜂鸣器、照明、急停开关应完整齐全,内外喷雾应有效; 3.应有机载瓦斯报警断电装置,且灵敏可靠; 4.钻车及装载设备照明、保护及其他防护装置应齐全可靠; 5.移动式电气设备应使用专用橡套电缆,移动电缆应有吊挂、拖曳装置,电缆不能浸泡在水中; 6.掘进机宜放置2个灭火器	3	查现场和资料。第1~5项中,有1处不符合要求扣0.5分;第6项不符合要求扣0.1分
	刮板输送机	1.刮板输送机(含转载、破碎机)应完好; 2.工作面倾角在12度以上时,应装设防滑、锚固装置; 3.刮板输送机(含转载、破碎机)与电动机应软连接,液力耦合器应使用水(或耐燃液)介质,应使用合格的易熔塞和防爆片; 4.刮板输送机应安设能发出停止和启动信号的装置,安放数量和间距符合规定,采用启动预警装置; 5.各种电气保护应齐全可靠	3	查现场和资料。1处不符合要求扣0.5分

项目	内容	基本要求和标准	分值	评分方法
	带式输送机	1.带式输送机应完好; 2.电气保护应齐全可靠; 3.带式输送机与电动机应软连接(采用双速电机或变频等软启动装置的除外),液力耦合器应使用水(或耐燃液)介质,应使用合格的易熔塞和防爆片; 4.应使用阻燃输送带,应装设胶带输送机综合保护装置;有防滑、堆煤、防跑偏、温度、烟雾保护、自动洒水装置;安装位置符合规定; 5.机头、机尾应有安全防护设施,行人需跨越处应设过桥; 6.机头、机尾固定牢固; 7.机头处应有防灭火器材; 8.连续运输系统要具有连锁、闭锁控制装置,要有通信和信号装置; 9.下运带式输送机应有阻尼或制动装置; 10.采用启动预警装置; 11.带式输送机系统宜采用无人值守集中综合智能控制方式	3	查现场和资料。第1~10项1处不符合要求扣0.5分,第11项不符合要求扣0.1分
	液压系统	液压设备、管路及辅件应合格,耐压等级选择符合要求,零部件齐全,管路、阀组不窜、漏液,管路连接应安全可靠,泵站和支架安全阀应符合要求,泵站压力应符合要求	1	查现场和资料。1处不符合要求扣0.1分

二、运输部分

(一)基本要求

1.运输巷道与硐室

运输巷道断面、弯道半径、连接方式、运输方式、斜巷信号硐室、躲避硐、充电硐室、运输车辆检修硐室、加油硐室、车场、车房、候车室、调度站、人车库、矿车装卸载站等符合《煤矿安全规程》及有关规定要求。

2.运输线路

运输线路应符合以下要求:

(1)线路轨型、回流线、轨道绝缘、分区开关符合《煤矿安全规程》要求,道岔轨型不低于线路轨型,无非标准道岔;

(2)轨道、单轨吊、齿轨等线路质量达到合格及以上要求,主要运输线路及人车的轨道线路质量达到优良;

(3)道路路面合格,无轨胶轮车等运输设备的道路路面采用混凝土等方式硬化。

3.运输设备

运输设备应符合以下要求:

(1)运输设备符合通用技术条件及安全检验规范要求,安装符合设计要求,安全保护装置齐全、有效;

(2)无国家明令淘汰、禁止使用的危及生产安全的设备;

(3)在用运输设备完好率达标,防爆电气设备和防爆小型电器不失爆;

(4)井下按规定采用机械运送人员。

4.运输安全设施

运输安全设施应符合以下要求:

(1)挡车装置和跑车防护装置齐全可靠;

(2)运输系统及装备的控制系统、专用通信信号齐全可靠;

(3)运输场所、设施的警示信号和安全标志使用规范;

(4)斜巷保险链及矿车的连接环、链和插销等连接装置合格。

5.运输管理

运输管理应符合以下要求:

(1)运输管理机构健全,各项管理制度、岗位责任制、操作规程及运输技术资料齐全、完整,作业人员按规定持证上岗。

(2)定期对电机车、斜井人车、轨道机车、架空乘人装置、单轨吊车、无轨机车、齿轨机车、连接装置等进行检测、检验和试验,并有完整的测试记录和试验报告。

6.文明生产

文明生产应符合以下要求:

(1)井下运输巷道及车场、运输调度室、井下运输机电硐室、机车维修点、车间等干净整洁;

(2)水沟畅通,盖板齐全、稳固;

(3)电缆、管路、照明符合规定要求,牌板齐全规范。

(二)评分方法

1.按表2评分,总分为100分。各小项分数扣完为止。

2.在考核评分中,如单轨吊、无轨胶轮车等缺项,可将该项目的分数,平均折算到总项其他内容中去,折算方法如下:

$$A=\frac{100}{100-C}\times B$$

式中 A——总项实得分数;

B——检查项目内容得分数;

C——缺项内容分数。

3.绳牵引连续运输车、无轨胶轮车、单轨吊、卡轨车(异型轨)、柴油机窄轨机车、齿轨车、齿卡轨车等运输设备的国家相关标准未下发之前,由各市或集团公司自行制定上述设备完好标准和线路(道路)质量标准,检查验收时执行该标准。

表2　　煤矿运输安全质量标准化评分表

项目	内容	基本要求和标准	分值	评分方法
一、巷道硐室(5分)	巷道断面	巷道断面符合《煤矿安全规程》及有关规定要求	5	查现场和资料。1处不符合要求扣1分
	车场车房	车场、车房、硐室、巷道弯道半径、巷道连接方式、运输方式应设计合理,符合《煤矿安全规程》及有关规定要求		
	硐室设计	斜巷信号硐室、运输绞车车房、候车室、调度站、人车库、充电硐室、井下运输车辆检修硐室、井下加油硐室等符合《煤矿安全规程》及有关规定要求		
	躲避硐	斜巷躲避硐布置合理、齐全,符合《煤矿安全规程》及有关规定要求		
	装卸载站	矿车装载站、矿车卸载站应符合《煤矿安全规程》及有关规定要求		
二、运输线路(30分)	车道系统	1.运行7t及以上机车、3t及以上矿车、采区运送重量超过15t(包括平板车重量)及以上设备时线路轨型不低于30kg/m,卡轨车、齿轨车和胶套轮车运行线路轨型不低于22kg/m	3	查现场和资料。1条巷道不符合要求扣1分
		2.主要运输线路(主要运输大巷和主要运输石门、井底车场、主要斜巷绞车道、地面运煤、运矸干线和集中运载站车场的轨道)及行驶人车的轨道线路质量应达到优良	4	查现场和资料。行驶人车的轨道线路达不到优良不得分;1处线路不符合要求扣2分
		3.其他轨道线路质量达到合格,不得有杂拌道(异型轨道长度小于50m为杂拌道);在轨道线路变坡点拐弯处必须使用合格的曲线钢轨	3	查现场和资料。出现杂拌道不得分;其他1处不符合要求扣1分
		4.异型轨道线路、齿轨线路及道岔质量达到合格	2	查现场和资料。1处不符合要求扣1分

项目	内容	基本要求和标准	分值	评分方法
		5.单轨吊线路达到合格	3	查现场和资料。1处不符合要求扣1分
	无轨胶轮车线路	运输道路路面采用混凝土硬化、铺钢板等方式，水沟应用盖板封严、稳固，符合设计要求，信号闭锁、齐全可靠	4	查现场和资料。1处不符合要求扣1分，不闭锁不得分
	道岔	1.运输线路的道岔质量达到合格，无非标准道岔，道岔轨型不低于线路轨型	5	查现场和资料。1处（组）不符合要求扣1分
		2.单轨吊道岔达到合格，应闭锁可靠	2	查现场和资料。1处不符合要求扣1分，不闭锁不得分
	窄轨架线电机车牵引网络	质量达到优良，按《煤矿安全规程》要求加设轨道回流线、轨道绝缘、分区开关	4	查现场和资料。达不到优良扣3分，其他1处不符合要求扣0.5分
三、运输设备（24分）	设备完好	1.在用运输设备综合完好率不低于90%	7	查现场和资料。综合完好率每降低1个百分点扣0.2分，低于70%不得分
		2.矿车完好率不低于85%、专用车辆完好率不低于95%		查现场和资料。完好率每降低1个百分点扣0.2分，低于60%不得分

项目	内容	基本要求和标准	分值	评分方法
		3.运送人员设备完好、安全可靠		查现场和资料。1台不完好扣3分
	运人条件	井下主要运输平巷长度超过1.5km,主要倾斜井巷垂深超过50m时,应采用机械运送人员	2	查现场和资料。1处不符合要求不得分
	安全装置	1.架线电机车应装备红尾灯和逆变电源; 2.蓄电池电机车要装备容量指示器、红尾灯;矿用防爆特殊型电机车要装备甲烷自动检测报警断电仪; 3.运输小绞车制动、钢丝绳声光联络信号等应符合规定,安装符合设计要求;小绞车应安装防护罩,使用授权开启装置; 4.绳牵引连续运输车、卡轨车(异型轨、槽钢轨)应装备位置显示器、过位保护、专用通信信号、急停保护等安全保护装置,并正常使用,通信信号装置应具备通话和信号发送功能; 5.人车制动系统齐全、灵敏、可靠; 6.柴油机窄轨机车、柴油机齿轨机车、柴油机齿卡轨机车应装备车载式甲烷断电仪、防灭火装置,制动系统应可靠;柴油机窄轨机车、柴油机齿轨机车应装备红尾灯; 7.在单轨吊车、卡轨车、齿轨车和胶套轮车的牵引机头或头车上,必须装设车灯和喇叭,列车尾部设红灯	7	查现场和资料。1处不符合要求扣1分
	无轨胶轮车	1.入井车辆有相关部门颁发的车辆入井许可证,并进行统一编号,有车辆年检合格证,并由主管部门定期检查,有车辆大修记录和完整的自检记录,每季自检覆盖率达100%;无轨胶轮车应装备甲烷自动报警仪或便携式甲烷检测报警仪、防灭火装置等安全保护装置;无轨胶轮车无失爆; 2.车辆转向系统、制动系统、照明系统、警示装置等完好可靠,车辆必须自带防止停车后自溜的设施或工具; 3.运送人员时,主要运输线路应采用专用人车;其他线路采用非专用人车运送人员时应有乘人车厢,车厢应有顶盖、闭锁或紧固装置,无乘人车厢时应制定专项安全措施; 4.井下机动车辆载人或载货数量不得超过额定值; 5.无轨胶轮车不应进入总回风巷、专用回风巷、无全负压通风巷道和微风、无风区域	2	查现场和资料。无轨胶轮车存在失爆现象的,运输专业不得分;其他1处不符合要求扣1分

项目	内容	基本要求和标准	分值	评分方法
	架空乘人装置	1.电动机保护齐全可靠； 2.装设可靠的制动装置及规定的保护设施； 3.上、下人地点有声光信号和视频监视系统，在下人地点的前方，必须设有能自动停车的安全装置； 4.装设可由搭乘人员或其他操作的紧急停车装置，下人地点自动停车装置要有语言系统； 5.使用变频、直流等低耗、先进可靠的电控装置，并有可靠的通讯接口； 6.有运行和检修等记录； 7.宜用钢丝绳在线监测和钢丝绳张力保护装置； 8.宜加装断绳抓捕器	2	查现场和资料。(1)~(6)项中，有一处不符合要求扣1分；(7)和(8)项不符合要求扣0.5分
	单轨吊	单轨吊车应装备甲烷自动检测报警断电仪、防灭火装置等安全保护装置，制动力符合有关规定	2	查现场和资料。1处不符合要求扣1分
	无极绳绞车	1.无极绳绞车安装牢固，制动器灵敏可靠，声光信号齐全，安装符合设计要求； 2.钢丝绳满足《煤矿安全规程》要求，托压绳辊齐全有效，机尾轮有安全罩	2	查现场和资料。1处不符合要求扣1分
四、运输安全设施(22分)	挡车装置和跑车防护装置	1.挡车装置和跑车防护装置安装合理，齐全可靠，符合《煤矿安全规程》要求； 2.1.2m及以上绞车，上部为平车场时，变坡点以下略大于1列车长度处跑车防护装置应与绞车联动，主要材料斜巷宜使用雷达捕车器等可靠防护装置	5	查现场和资料。缺1组扣2分，1组不合格扣0.5分
	通信信号	1.运人装备通信信号齐全可靠，应具备通话和信号发送功能； 2.同一水平行驶3台及以上机车时，应装备机车通信设备； 3.无轨胶轮车运输系统应装备通信设备； 4.单轨吊运输系统应装备通信设备	3	查现场和资料。缺1处扣1分，1处不合格扣0.2分

项目	内容	基本要求和标准	分值	评分方法
	调度控制	1.同一水平行驶5台以下机车时,使用司控道岔或电气闭锁信号系统,行驶5台及以上机车时,安设"信、集、闭"系统,并正常使用; 2.行驶5台及以上无轨胶轮车时,应装备机车定位跟踪系统或"信、集、闭"系统,并正常使用; 3.同一区域行驶2台及以上单轨吊时应装备"信、集、闭"系统或机车定位跟踪系统,并正常使用	3	查现场和资料。未按规定装设扣2分,使用不正常扣1分;司控道岔未按规定装设扣0.2分,其他1处不符合要求扣0.1分
	安全信号	1.斜巷各车场、绞车运输线路两端警戒区域外端及中间通道口应装备与绞车联锁的声光行车报警装置,并有"正在行车、不准进入"的醒目标志; 2.斜巷双钩提升应装备错码信号; 3.弯道、井底车场、巷道沿途联络岔口、其他人员密集的地点、顶车作业区应装备声光预报警信号装置,关键部位道岔应装备道岔位置指示器; 4.电机车架空线巷道乘人车场应装备架空线自动停送电开关,并使用正常; 5.各乘人地点悬挂明显的停车位置指示牌和列车时刻表,安装语音报站装置; 6.无轨胶轮车运输巷道各岔口、会车点、弯道、车场等处应设置行车指示等安全标志和信号; 7.正常运行时,机车必须在列车的前端,列车前有照明,后有红尾灯	3	查现场和资料。缺1处扣0.5分,1处不符合要求扣0.2分
	设备捆绑	1.捆绑用具(专用捆绑链、手拉葫芦、卸扣体、蝴蝶结、连接件、卡具、压杠、钢丝绳扣)等完好可靠,无变形开焊; 2.钢丝绳和插接长度符合规定要求,无损伤、打结、扭曲、绳股断裂等现象; 3.捆绑用具投入使用前应进行完好检查,损坏的及时更换,并有显著标识; 4.正确使用捆绑用具,货物捆绑牢固,装载合格,重心位置合理,对于超高、超宽、超重、超长货物运输,应制定专项运输措施	2	查现场。1处不符合要求扣0.5分
	连接装置	保险链、连接环、链和插销等应符合《煤矿安全规程》及有关规定要求	2	查现场和资料。1件不符合要求扣1分
	井口闭锁	罐笼安全门、摇台(承接托罐装置)、阻车器、推车机、信号闭锁可靠,符合《煤矿安全规程》要求	4	查现场。1处不符合要求不得分

项目	内容	基本要求和标准	分值	评分方法
五、运输管理(14分)	机构人员	1.建立健全运输管理机构,有分管运输的矿长、副总工程师和运输专职管理人员,运输区(队)有专职技术管理人员; 2.矿安监部门应明确1名领导分管运输安全工作,并配足运输安全监察员	4	查现场和资料。1项不符合要求扣2分
	管理制度	管理制度、岗位责任制、操作规程齐全、完整		查现场和资料。缺1种扣1分,1种执行不好扣0.5分
	职工培训	作业人员应按规定培训,有培训计划、资料及考核记录,按规定持证上岗	5	查现场和资料。1项不符合要求扣2分
	技术资料	1.有完整的运输设备、设施、线路的图纸、技术档案、维修记录; 2.施工技术措施符合有关规定,内容齐全、完整、有针对性; 3.运输设备选型和能力计算资料齐全完整; 4.矿井、采区、采掘工作面要有运输专项设计		查现场和资料。缺1种或1处不符合要求扣0.2分
	检测检验	1.按规定对斜巷人车、机车、连接装置等进行检测检验,并有完整的检测记录和检验报告; 2.按设计要求及有关规定定期对架空乘人装置、绳牵引连续运输车、单轨吊、无轨胶轮车、齿轨机车等进行检测、检验,并有完整的检测记录和检验报告; 3.斜巷跑车防护装置要每月检测1次,并有完整的检测记录	2	查现场和资料。缺1种扣1分,1项不符合要求扣0.2分
	安全投入	有运输年度安全装备投入计划,并落实到位	3	查现场和资料。无计划不得分,落实不到位扣2分

项目	内容	基本要求和标准	分值	评分方法
六、文明生产(5分)	作业环境	1.运输系统、地面办公室、设备维修点、车间等整洁,设备、材料码放整齐	1	查现场。1处不符合要求扣0.2分
		2.主要运输线路水沟畅通,盖板齐全、稳固,巷道无淤泥、积水	1	查现场。1处不符合要求扣0.2分
		3.井下各车场、主要运输线路、专用行人巷道、候车室、绞车房等地点的照明符合《煤矿安全规程》及有关规定要求	1	查现场。1处不符合要求扣0.5分
		4.电缆、管路符合《煤矿安全规程》及有关规定要求,各种牌板、标识齐全、规范	2	查现场。1处不符合要求扣0.5分

参考文献

1.全国煤炭技工学校教材编审委员会编.矿山固定机械.北京:煤炭工业出版社,2006
2.王志甫主编. 矿山固定机械与运输设备. 徐州:中国矿业大学出版社,2006
3.刘胜利主编.矿山机械.北京:煤炭工业出版社,2005
4.隆泗主编.主提升司机.北京:煤炭工业出版社,1995
5.张复德编.矿井提升设备.北京:煤炭工业出版社,1995
6.中国矿业学院主编.矿山运输机械.北京:煤炭工业出版社,1980
7.孙玉蓉,周法孔主编.矿井提升设备.北京:煤炭工业出版社,1995
8.陈维健,齐秀丽编.矿井运输及提升设备.徐州:中国矿业大学出版社,1989
9.武熙,汪浩主编.矿山机械维修与安装.北京:煤炭工业出版社,2007
10.王灿厚,张俊编.电机车司机.北京:煤炭工业出版社,1989
11.王美兰编.煤矿固定机械.北京:煤炭工业出版社,1983
12.牛树仁,陈滋平编.煤矿固定机械及运输设备.北京:煤炭工业出版社,1988
13.杨华,杨涛,魏家贵主编.电机车修配工.北京:煤炭工业出版社,2005
14.刘胜利主编.矿山固定机械.北京:煤炭工业出版社,2009
15.李时海编.提升机司机. 北京:煤炭工业出版社,1990
16.万长慈,表钟慧,陈筱梅,蒋祖佩编.煤矿机电安全技术.北京:煤炭工业出版社,1990
17.陈洪良主编.输送机操作工.北京:煤炭工业出版社,2005
18.任健旺主编.通风机司机.北京:煤炭工业出版社,2003
19.陶向阳编写.主提升司机.徐州:中国矿业大学出版社,2003
20.刘洪主编.煤矿安全规程专家解读.徐州:中国矿业大学出版社,2006
21.袁亮主编.煤矿总工程师技术手册.北京:煤炭工业出版社,2010